PERCY JACKSON EN DIE OLIMPIËRS
BOEK EEN

DIE
WEERLIGDIEF

RICK RIORDAN

Illustrasies deur JOHN ROCCO

DISNEY·HYPERION BOOKS
NEW YORK

Hierdie vertaalde uitgawe in Afrikaans in 2021
deur Struik Kinders, 'n drukkersmerk van
Penguin Random House South Africa (Pty) Ltd.
Maatskappy-reg.nr. 1953/000441/07
The Estuaries, Oxbowsingel 4, Centurylaan,
Century City 7441; Posbus 1144, Kaapstad 8000, Suid-Afrika
www.penguinrandomhouse.co.za

Toestemming vir dié uitgawe verleen deur Gallt and Zacker Literary Agency LLC

Uitgewer: Beverley Dodd
Besturende redakteur: Cecilia Barfield
Setter: Jade Ludski
Redakteur: Sandra du Toit
Vertaler: Jaco Jacobs
Proefleser: Hendrik Verwoerd

Oorspronklike uitgawe in 2005 in die VSA: *Percy Jackson and the Lightning Thief*
deur Disney* Hyperion, 'n drukkersmerk van die Disney Book Group,
114 Fifth Avenue, New York, USA.

Gedruk deur **novus print**, 'n afdeling van Novus Holdings

ISBN: 978-1-48590-064-1

MENGSEL
Papier van
verantwoordelike bronne
FSC® C022948

Vir Haley,
wat eerste die storie gehoor het

INHOUD

EK LAAT PER ONGELUK MY WISKUNDEJUFFROU ONTPLOF

Kyk, ek wou nie 'n halfbloed wees nie.

As jy hier lees omdat jy vermoed jy's dalk een is my raad: Maak dadelik hierdie boek toe. Glo watter leuen ook al jou ma of pa vir jou oor jou geboorte vertel het, en probeer 'n normale lewe lei.

Om 'n halfbloed te wees is gevaarlik. Dis vreesaanjaend. En dit kan jou op allerhande pynlike, aaklige maniere laat sterf.

As jy 'n normale ou of meisie is wat hier lees omdat jy dink dis net 'n storie, fantasties. Lees verder. Ek is jaloers op jou omdat jy kan glo niks hiervan het ooit gebeur nie.

Maar as jy jouself in hierdie bladsye herken – as jy iets binne jou voel roer – hou dadelik op lees. Jy mag dalk een van ons wees. En as jy dit eers weet, is dit net 'n kwessie van tyd *voor hulle* dit ook aanvoel, en hulle gaan jou kom soek.

Moenie sê ek het jou nie gewaarsku nie.

My naam is Percy Jackson.

Ek is twaalf jaar oud. Tot 'n paar maande gelede was ek 'n koshuisbrak by die Yancy-akademie, 'n privaat skool vir kinders met probleme, in die noorde van New York.

Is ek 'n kind met probleme?

Jip. Jy kan seker so sê.

Ek kan by enige punt in my kort, miserabele lewe begin om dit te bewys, maar verlede Mei was toe dinge regtig goor begin raak het, toe ons graadsesklas op 'n skooluitstappie Manhattan toe is – agt-en-twintig maltrapkinders en twee onderwysers op 'n geel skoolbus, op pad na die Metropolitaanse Kunsmuseum om allerhande uitstallings en goed oor die antieke Grieke en Romeine te sien.

Ek weet – dit klink soos 'n marteling. Die meeste van Yancy se klasuitstappies is.

Maar meneer Brunner, ons Latynonderwyser, was in beheer van die uitstappie, so ek was nogal hoopvol.

Meneer Brunner is 'n middeljarige ou in 'n elektriese rolstoel. Hy het ylerige hare en 'n stoppelbaard en hy dra 'n toiingrige tweedbaadjie wat altyd na koffie ruik. As 'n mens na hom kyk, sal jy nie juis raai hy's cool nie, maar hy vertel graag stories en grappe en laat ons allerhande speletjies in die klas speel. Hy het ook 'n fantastiese versameling Romeinse wapenrusting en wapens, so hy is die enigste onderwyser in wie se klas ek nie gedurig aan die slaap geraak het nie.

Ek het gehoop die uitstappie sou oukei wees. Altans, ek het gehoop ek sou darem vir 'n verandering nie in die moeilikheid beland nie.

Maar dinge het toe so *ietwat* anders uitgedraai.

Sien, slegte dinge gebeur met my op skooluitstappies. Soos by die skool waar ek in graad vyf was, toe ons die Saratoga-slagveld besoek het, en ek 'n ongelukkie met 'n Vryheidsoorlog-kanon gehad het. Ek het regtig nie vir die skoolbus gemik nie, maar ek is buitendien geskors. En voor dit, by my graadvierskool, toe ons 'n toer agter die skerms van die haaitenk by Marine World gedoen het, en ek soort van die verkeerde hefboom op die loopplank gedruk het, en ons hele klas 'n onbeplande swem gevat het. En die keer voor dít ... Wel, jy kry die idee.

Maar terug by die skooluitstappie. Dié keer was ek vasbeslote om my te gedra ...

Al die pad tot in die stad kners ek op my tande terwyl Nancy Bobofit, die rooikop-kleptomaan met die sproetneus, my beste pel, Grover, se agterkop met klonte grondboontjiebotter-en-tamatiesous-toebroodjie bestook.

Grover is 'n maklike teiken. Hy is tingerig. Hy huil maklik as hy gefrustreerd is. Hy is seker 'n paar keer teruggehou op skool, want hy is die enigste ou in graad ses met puisies en die eerste tekens van 'n melkbaard op sy ken. Boonop loop hy mank. Hy het 'n briefie wat hom vir die res van sy lewe van L.O. verskoon, want hy het die een of ander spiersiekte in sy bene. Hy loop snaaks, asof elke tree pynlik is, maar moenie dat dit jou flous nie. Jy moet hom sien hardloop as dit enchiladadag by die kafeteria is.

Maar in elk geval, Nancy Bobofit is besig om klonte toebroodjie te gooi wat in Grover se bruin krulhare vasklou, en sy weet ek kan niks doen om haar terug te kry nie, want ek is klaar op dun ys. Die skoolhoof het my gedreig met interne skorsing as enige iets aakligs, vernederends of selfs vaagweg vermaakliks op hierdie uitstappie gebeur.

"Ek gaan haar vrekmaak," brom ek.

Grover probeer my kalm hou. "Toemaar, ek's oukei. Ek hou van grondboontjiebotter."

Hy koes vir nog 'n stuk van Nancy se middagete.

"Dis nou genoeg." Ek probeer orent kom, maar Grover trek my terug op my sitplek.

"Die skoolhoof wag dat jy 'n voet verkeerd sit," herinner hy my. "En jy weet wie gaan die skuld kry as iets gebeur."

As ek nou daaraan terugdink, wens ek ek het Nancy Bobofit net daar gelyk gemaak met die grond. Interne skorsing is niks teen die gemors waarin ek kort daarna beland het nie.

Meneer Brunner lei die museumtoer.

Hy ry vooruit in sy rolstoel, en begelei ons deur die groot galerye wat ons stemme en voetstappe laat eggo, verby marmerstandbeelde en glaskaste vol stokou swart-en-oranje kleipotte.

Dis ongelooflik om te dink dié goed het tweeduisend, drie-duisend jaar lank heel gebly.

Hy roep ons bymekaar rondom 'n vier meter hoë klippilaar met 'n groot sfinks bo-op, en begin ons vertel dit is 'n grafmerker, 'n *stele*, vir 'n meisie wat omtrent so oud soos ons was. Hy vertel ons van die graveerwerk teen die kante. Ek probeer luister na wat hy sê, want dis nogal soort van interessant, maar almal om my praat, en elke keer as ek sê hulle moet stilbly, gee die ander toesigonderwyser, juffrou Dodds, my 'n moorddadige kyk.

Juffrou Dodds is 'n piepklein wiskundejuffrou wat altyd 'n swart leerbaadjie dra, al is sy seker vyftig jaar oud. Sy lyk rof genoeg om met 'n Harley tot binne-in jou sluitkas te ry. Sy het in die middel van die jaar by Yancy begin skoolhou, ná ons vorige wiskundeonderwyser 'n senuwee-ineenstorting gehad het.

Van dag een af was juffrou Dodds mal oor Nancy Bobofit, terwyl sy besluit het ek is reguit van die duiwel. Sy wys gereeld met haar krom vinger na my en sê met 'n soet stemmetjie: "Hoor hier, liefie." Dan kan ek my maar regmaak om weer 'n maand lank detensie ná skool te sit.

Eenkeer, nadat sy my gedwing het om tot middernag antwoorde uit ou wiskundehandboeke te vee, het ek vir Grover gesê ek vermoed juffrou Dodds is nie 'n regte mens nie. Hy het met 'n doodernstige gesig na my gekyk en gesê: "Jy's heeltemal reg."

Meneer Brunner praat nog eenstryk deur oor die Griekse begrafniskuns.

Toe Nancy Bobofit weer proes van die lag en iets mompel oor die kaalbas-ou op die *stele*, kan ek dit nie meer hou nie. Ek swaai om en sê: "Kan jy asseblief net *jou mond hou?*"

Dit kom harder uit as wat ek bedoel het.

Die hele groep lag. Meneer Brunner knip sy storie kort.

"Meneer Jackson," sê hy. "Wil jy iets sê?"

My gesig word vuurwarm. "Nee, Meneer," sê ek.

Meneer Brunner beduie na een van die prente op die *stele*. "Dalk kan jy vir ons sê wat dié prent voorstel?"

Ek kyk na die prent wat teen die pilaar uitgekerf is en verligting spoel oor my. Ek herken dit wraggies. "Is dit Kronos wat sy kinders eet?"

"Ja," sê meneer Brunner, duidelik nog nie tevrede nie. "En hy het dit gedoen omdat …?"

"Wel …" Ek probeer my bes om te onthou. "Kronos was die koningsgod, en —"

"God?" vra meneer Brunner.

"Titaan," help ek myself reg. "En … sy kinders was gode, maar hy het hulle nie vertrou nie. So, uhm, Kronos het hulle geëet, nè? Maar sy vrou het een baba, Zeus, weggesteek, en in plaas van die baba het sy vir Kronos 'n klip gegee om te eet. En later, toe Zeus grootword, het hy sy pa, Kronos, met 'n skelmstreek sover gekry om sy broers en susters uit te kots —"

"Eeuw!" sê een van die meisies agter my.

"– en toe breek daar 'n hengse bakleiery tussen die gode en die Titane uit," gaan ek voort, "en die gode het gewen."

'n Paar kinders proes onderlangs van die lag.

"Waarvoor gaan ons dié klomp snert ooit in die regte lewe nodig kry?" brom Nancy Bobofit vir haar vriendin. "Asof daar eendag op jou werksaansoek gaan staan: *Verduidelik hoekom Kronos sy kinders geëet het.*"

"En waarom, meneer Jackson," gaan Brunner voort, "om juffrou Bobofit se uitstekende vraag te parafraseer, is die geskiedenis van die Titane en die gode in die regte lewe belangrik?"

"Uitgevang," fluister Grover vir Nancy.

"Ag, bly stil," sis sy, en haar gesig word selfs rooier as haar hare.

Ten minste is Nancy ook 'n slag in die moeilikheid. Meneer Brunner is die enigste een wat haar ooit uitvang dat sy iets verkeerds sê. Hy het radarore.

Ek dink oor die vraag en trek my skouers op. "Ek weet nie, Meneer."

"Ek sien." Meneer Brunner lyk teleurgesteld. "Wel, 'n halwe krediet vir jou, meneer Jackson. Zeus het inderdaad vir Kronos 'n mengsel van mosterd en wyn gevoer, wat gemaak het dat hy sy ander vyf kinders opbring, wat natuurlik die heeltyd lewend gebly en grootgeword het in die reus se maag, siende dat hulle onsterflike gode was. Die gode het hulle pa verslaan, hom met sy eie sens opgekerf, en sy oorblyfsels gestrooi in Tartaros, die donkerste deel van die Onderwêreld. Op daardie vrolike noot, dis etenstyd. Juffrou Dodds, kan hulle jou maar buitentoe volg?"

Die klas drentel weg. Die meisies klou hulle mae vas en die ouens stamp mekaar rond en gedra hulle soos idiote.

Net toe ek en Grover wil wegstap, sê meneer Brunner: "Meneer Jackson."

Ek weet wat kom.

Ek sê vir Grover hy kan maar gaan. Dan draai ek na meneer Brunner. "Meneer?"

Meneer Brunner het 'n kyk wat jou nie laat los nie — intense bruin oë wat lyk of dit duisend jaar oud is en alles gesien het.

"Jy moet die antwoord op my vraag uitvind," sê hy vir my.

"Oor die Titane?"

"Oor die regte lewe. En hoe jou studies daarop van toepassing is."

"O."

"Wat jy by my leer," sê hy, "is lewensbelangrik. Ek verwag van jou om dit in daardie lig te beskou. Ek sal net met jou heel beste tevrede wees, Percy Jackson."

Ek wil my sommer vervies. Vir wat druk hy my so hard?

Ek bedoel, oukei, dis nogal lekker as hy op toernooidae 'n Romeinse wapenrusting aantrek en "Val aan!" bulder en ons uitdaag, swaardpunt teen bordkryt, om na die bord te hardloop en elke Griekse en Romeinse mens wat ooit geleef het, op te noem en te probeer onthou wie hulle ma's was, en watter gode hulle aanbid het. Maar meneer Brunner verwag van my om net *so goed* soos die ander te wees, al het ek disleksie en aandaggebrek-hiperaktiwiteitsindroom en al het ek nog nooit in my lewe hoër as C-minus gekry nie. Nee, hy verwag nie van my om so goed soos hulle te wees nie; hy verwag ek moet *beter* wees. En ek kan eenvoudig nie al daai name en feite leer nie, wat nog te sê dit reg spel.

Ek brom iets oor harder probeer. Meneer Brunner gee die *stele* 'n lang, treurige kyk, asof hy by die meisie se begrafnis is.

Dan sê hy ek moet my middagete buite saam met die ander gaan eet.

Die klas kom op die trappe voor die museum bymekaar, waar ons die mense in Fifth Avenue kan sien verbystap.

Bo ons koppe is 'n yslike storm aan die broei, met swarter wolke as wat ek nog ooit bo die stad gesien het. Ek skat dis seker aardverwarming of iets se skuld, want sedert Kersfees is die weer regoor die staat New York baie vreemd. Ons het massiewe sneeustorms gehad, vloede, veldbrande wat deur weerlig veroorsaak is. Dit sal my nie verbaas as daar 'n orkaan op pad is nie.

Dit lyk of niemand anders dit raaksien nie. Party van die ouens bestook die duiwe met soutbeskuitjies. Nancy Bobofit probeer iets uit 'n tannie se handsak steel, en natuurlik sien juffrou Dodds niks.

Ek en Grover sit op die rand van die fontein, 'n ent weg van die res. Hopelik sal mense dink ons is nie deel van *daai* skool nie – die skool vir hopelose patete wat nêrens anders kan plek kry nie.

"Detensie by Brunner gekry?" vra Grover.

"Nee," sê ek. "Darem nie. Ek wens net hy wil my partykeer 'n bietjie uitlos. Ek bedoel – ek is nie 'n briljante slimkop of iets nie."

Grover bly 'n ruk lank stil. Net toe ek dink hy gaan die een of ander diep filosofiese ding kwytraak om my beter te laat voel sê hy: "Kan ek jou appel kry?"

Ek is nie regtig honger nie, so ek gee dit vir hom.

Ek kyk hoe strome taxi's in Fifth Avenue afry, en dink aan my ma se woonstel, net 'n klein entjie hiervandaan. Ek het haar Kersfees laas gesien. Ek wens ek kan in 'n taxi klim en huis toe gaan. Sy sal my styf vasdruk en bly wees om my te sien, maar sy sal teleurgesteld wees ook. Sy sal my reguit terug na Yancy stuur, my daaraan herinner dat ek harder moet probeer, selfs al is dit my sesde skool in ses jaar en al gaan ek heel waarskynlik *weer* uitgeskop word. Daai treurige kyk wat sy my sal gee, sal te veel wees vir my.

Meneer Brunner parkeer sy rolstoel aan die onderkant van die rolstoeloprit. Hy eet seldery terwyl hy 'n slapbandboek lees. Agter sy rolstoel steek 'n rooi sambreel in die lug op, en laat dit soos 'n gemotoriseerde kafeetafeltjie lyk.

Net toe ek my toebroodjie wil uithaal, verskyn Nancy Bobofit en haar vieslike vriendinne voor my – sy's seker nou moeg daarvoor om toeriste te besteel – en sy laat val haar halfgeëte middagete op Grover se skoot.

"Oeps." Sy grinnik met haar skewe tande vir my. Haar sproete is oranje, asof iemand haar gesig met nat Cheeto's gespuitverf het.

Ek probeer koel en kalm bly. Die skoolsielkundige het al miljoene kere vir my gesê: "Tel tot tien, kry beheer oor jou humeur." Maar ek word so kwaad dat my brein ophou werk. 'n Brander brul in my ore.

Ek kan nie eens onthou dat ek aan haar geraak het nie, maar toe ek my kom kry, sit Nancy op haar agterent in die fontein, terwyl sy gil: "Percy het my gestamp!"

Juffrou Dodds verskyn vanuit die niet langs my.

Party van die kinders fluister: "Het julle gesien –"

"– die water –"

"– asof dit haar gegryp het –"

Ek weet nie waarvan hulle praat nie. Al wat ek weet, is ek is weer in die moeilikheid.

Nadat juffrou Dodds doodseker gemaak het arme

Nancy'tjie is oukei, en belowe het om vir haar 'n nuwe hemp by die museum se geskenkwinkel te koop, draai die onderwyseres na my. Daar is 'n triomfantelike vuur in haar oë, asof ek iets gedoen het waarvoor sy al die hele semester wag. "Hoor hier, liefie –"

"Ek weet," brom ek. "'n Maand lank antwoorde uit handboeke vee."

Dis nie die regte ding om te sê nie.

"Kom saam met my," sê juffrou Dodds.

"Wag!" piep Grover. "Dit was ek. *Ek* het haar gestamp."

Ek staar na hom en is stomgeslaan. Ek kan nie glo hy probeer my dinges red nie. En Grover is doodbang vir juffrou Dodds.

Sy gluur so kwaai na hom dat sy harige ken begin bewe.

"Ek dink nie so nie, meneer Underwood," sê sy.

"Maar –"

"Jy – bly – *net* – hier."

Grover kyk desperaat na my.

"Dis oukei," sê ek vir hom. "Dankie dat jy probeer het."

"Liefie," blaf juffrou Dodds vir my. "*Nou*."

Nancy Bobofit grinnik.

Ek gee haar my heel beste ek-gaan-jou-later-vrekmaak-staar. Dan draai ek na juffrou Dodds, maar sy is reeds weg. Sy staan by die ingang van die museum, aan die bopunt van die trappe, en beduie ongeduldig ek moet haar volg.

Hoe het sy so vinnig daar gekom?

Ek kry baie sulke oomblikke, wanneer my brein aan die slaap raak of iets, en as ek my oë uitvee, het ek iets gemis, asof 'n legkaartstuk uit die heelal geval het en ek eensklaps na die leë spasie daaragter kyk. Die skoolsielkundige sê dis deel van die AGHS, my brein wat dinge verkeerd verstaan.

Ek is nie so seker nie.

Ek stap agter juffrou Dodds aan.

Halfpad by die trappe op, loer ek terug na Grover. Hy lyk bleek, en sy oë skiet tussen my en meneer Brunner rond, asof hy hoop meneer Brunner sal sien wat aangaan, maar die Latynonnie is te verdiep in sy boek.

Toe ek opkyk, het juffrou Dodds alweer verdwyn. Sy is nou in die gebou, aan die verste punt van die ingangslokaal.

Oukei, sy gaan my seker dwing om vir Nancy 'n nuwe hemp by die geskenkwinkel te koop.

Maar dit is skynbaar nie die plan nie.

Ek volg haar dieper die museum in. Toe ek haar uiteindelik inhaal, is ons terug in die Griekse en Romeinse afdeling.

Behalwe vir ons, is die galery verlate.

Juffrou Dodds staan arms gevou voor 'n groot marmerfries van die Griekse gode. Sy maak 'n vreemde geluid agter in haar keel, asof sy grom.

Selfs al was dit nie vir die geluid nie, sou ek senuweeagtig gewees het. Dis vreemd om alleen saam met 'n onderwyseres te wees, veral juffrou Dodds. Iets aan die manier hoe sy na die fries staar, asof sy dit wil flenters kyk …

"Jy maak moeilikheid, liefie," sê sy.

Ek doen die veilige ding. Ek sê: "Ja, Juffrou."

Sy trek-trek aan die mou van haar leerbaadjie. "Het jy regtig gedink jy kan daarmee wegkom?"

Die kyk in haar oë is verby kwaad. Dis boos.

Sy's 'n onderwyseres, dink ek benoud. Dis tog nie asof sy my mag seermaak nie.

"Ek … ek sal harder probeer, Juffrou," sê ek.

'n Donderslag laat skud die gebou.

"Ons is nie onnosel nie, Percy," sê juffrou Dodds.

"Dit was net 'n kwessie van tyd voor ons jou uitvang. Erken wat jy gedoen het, en jy sal minder pyn verduur."

Ek weet nie waarvan sy praat nie.

Al waaraan ek kan dink, is dat die onderwysers dalk die onwettige lekkergoedvoorraad ontdek het wat ek uit my koshuiskamer verkoop. Of dalk het hulle besef ek het my opstel oor *Tom Sawyer* op die internet gekry sonder dat ek ooit die boek gelees het en nou gaan hulle my nul gee daarvoor. Of nog erger, my dwing om die boek te lees.

"Wel?" sê sy.

"Juffrou, ek weet nie ..."

"Jou tyd is verstreke," sis sy. Dan gebeur die vreemdste ding. Haar oë begin soos braaivleisvuurkole gloei. Haar vingers verander in kloue. Haar baadjie smelt weg en verander in groot, leeragtige vlerke. Sy is nie meer 'n mens nie. Sy is 'n ineengekrimpte heks met vlermuisvlerke en krom kloue en 'n mond vol geel slagtande, en sy is duidelik van plan om my aan flarde te skeur.

Dan word dinge nog vreemder.

Meneer Brunner, wat oomblikke gelede nog buite voor die museum was, kom by die deur van die galery ingery, met 'n pen in sy hand.

"Val aan, Percy!" skree hy en slinger die pen deur die lug.

Juffrou Dodds duik op my af.

Met 'n tjankgeluidjie spring ek eenkant toe en voel hoe kloue deur die lug langs my ore klief. Ek gryp die balpuntpen uit die lug, maar toe dit my hand tref, is dit nie meer 'n pen nie. Dit is 'n swaard — meneer Brunner se bronsswaard, wat hy altyd op toernooiade gebruik.

Juffrou Dodds swaai om na my met 'n moorddadige kyk in haar oë.

My knieë word jellie. My hande bewe so erg dat ek amper die swaard laat val.

Sy grom: "Koebaai, liefie!"

En sy vlieg reg op my af.

Absolute vrees skok deur my lyf. Ek doen die enigste ding wat vanself kom: Ek swaai die swaard.

Die metaallem tref haar skouer en glip dwarsdeur haar lyf, asof sy van water gemaak is. *Sisss!*

Juffrou Dodds is soos 'n sandkasteel wat in 'n elektriese waaier beland. Sy ontplof in 'n wolk van geel poeier, en al wat oorbly, is die reuk van swael en 'n doodskreet en 'n boosaardige koue byt wat in die lug bly rondhang, asof daardie twee gloeiende rooi oë my steeds dophou.

Ek is alleen.

In my hand is 'n balpuntpen.

Meneer Brunner is weg. Hier is niemand anders nie.

My hande bewe steeds. Daar was seker die een of ander vreemde sampioene of iets in my middagete.

Was alles net my verbeelding?

Ek gaan terug buitentoe.

Dit het begin reën.

Grover sit by die fontein met 'n kaart van die museum oor sy kop. Nancy Bobofit staan steeds langs die fontein, druipnat van haar onbeplande swem, en brom iets vir haar vieslike vriendinne. Toe sy my sien, sê sy: "Ek hoop juffrou Kerr het jou agterent lekker geskop."

Ek sê: "Wie?"

"Ons *onnie*. Duh!"

Ek knip my oë verbaas. Ons het nie 'n onderwyseres met die naam juffrou Kerr nie. Ek vra vir Nancy wat sy bedoel.

Sy rol net haar oë en draai weg.

Ek vra vir Grover waar juffrou Dodds is.

Hy vra: "Wie?"

Maar hy aarsel 'n oomblik lank, en hy kry dit nie reg om vir my te kyk nie, so ek dink hy probeer my vir die gek hou.

"Dis nie snaaks nie, man," sê ek. "Ek is ernstig."

Donderweer rammel bo ons koppe.

Ek sien meneer Brunner onder sy rooi sambreel, steeds met sy neus in sy boek, asof hy nog die heeltyd daar sit.

Ek stap na hom toe.

Hy kyk op, effe ingedagte. "A, dis my pen. Bring in die vervolg jou eie skryfbehoeftes, meneer Jackson."

Ek gee die pen vir hom. Ek het nie eens besef ek hou dit steeds vas nie.

"Meneer," sê ek, "waar is juffrou Dodds?"

Hy staar onbegrypend na my. "Wie?"

"Die juffrou wat saamgekom het op die uitstappie. Juffrou Dodds. Die wiskundejuffrou."

Hy frons en leun vorentoe, met 'n ietwat besorgde kyk. "Percy, daar's nie 'n juffrou Dodds op hierdie uitstappie nie. Sover ek weet, was daar nog nooit 'n juffrou Dodds by Yancy-akademie nie. Is jy oukei?"

TWEE

DRIE OU TANNIES BREI DIE SOKKIES VAN DIE DOOD

Ek is gewoond daaraan dat vreemde dinge af en toe met my gebeur, maar gewoonlik waai dit vinnig oor. Hierdie onophoudelike hallusinasies is meer as wat ek kan verduur. Vir die res van die skooljaar voel dit asof die hele skool 'n vreemde poets op my probeer bak. Die kinders maak asof hulle vas oortuig is dat juffrou Kerr — 'n opgewekte blonde vrou wat ek nog nooit in my lewe gesien het tot sy aan die einde van die klasuitstappie op die bus geklim het nie — al sedert Kersfees ons wiskunde-onnie is.

Elke nou en dan laat val ek uit die bloute 'n verwysing na juffrou Dodds by iemand, net om te kyk of ek hulle kan uitvang, maar hulle staar elke keer na my asof my varkies nie mooi op hok is nie.

Later begin ek hulle amper glo — dat juffrou Dodds nooit bestaan het nie.

Amper.

Maar Grover kan my nie flous nie. Elke keer as ek die naam Dodds voor hom noem, aarsel hy, en dan beweer hy sy bestaan nie. Maar ek weet hy jok.

Daar's iets aan die gang. Iets *aakligs* het daardie dag by die museum gebeur.

Bedags het ek nie regtig tyd om daaroor te dink nie, maar snags laat die nagmerries oor juffrou Dodds met haar kloue en leervlerke my in koue sweet wakker skrik.

Die vreemde weer duur voort, en dis ook nie juis goed

vir my gemoed nie. Een nag waai 'n donderstorm die venster in my koshuiskamer uit. 'n Paar dae later bars die grootste tornado los wat nog ooit in die Hudsonvallei aangeteken is, skaars tagtig kilometer van die Yancy-akademie af. In sosiale wetenskappe gesels ons oor die ongewone hoeveelheid ligte vliegtuie wat die afgelope tyd in die Atlantiese Oseaan neergestort het, as gevolg van al die onverwagse storms.

Ek begin heeltyd krapperig en geïrriteerd voel. My punte val van D's na F's. Ek stamp al hoe erger koppe met Nancy Bobofit en haar vriendinne. In amper elke klas word ek uitgestuur om buite in die gang te gaan staan.

Toe ons Engelsonderwyser, meneer Nicoll, my vir die miljoenste keer vra waarom ek te lui is om vir speltoetse te leer, kan ek my nie meer inhou nie. Ek noem hom 'n simpel ou sot. Ek is nie eens heeltemal seker wat dit beteken nie, maar dit klink goed.

Die week daarna stuur die skoolhoof vir my ma 'n brief om dit amptelik te maak: Ek is nie weer volgende jaar welkom by die Yancy-akademie nie.

Dit maak nie saak nie, sê ek vir myself.

Ek verlang huis toe.

Ek wil by my ma wees, in ons woonstelletjie in die Upper East Side, selfs al beteken dit ek moet na 'n openbare skool gaan en my aaklige stiefpa en sy simpel pokerpartytjies verduur.

En tog ... daar's dinge by Yancy wat ek gaan mis. Die uitsig oor die woud as ek deur my koshuiskamervenster kyk, die Hudsonrivier in die verte, die reuk van dennebome. Ek sal vir Grover mis, wat 'n goeie pel was, al was hy 'n bietjie vreemd. Ek is bekommerd dat hy gaan sukkel om volgende jaar sonder my te oorleef.

Ek gaan Latyn ook mis – meneer Brunner se verspotte toernooidae en sy vertroue dat ek goed kan doen.

Toe die eksamenweek nader kom, is Latyn die enigste vraestel waarvoor ek leer. Ek het nie vergeet wat meneer Brunner gesê het nie, dat die vak vir my lewensbelangrik is. Ek is nie seker hoekom nie, maar ek het begin om hom te glo.

Die aand voor my eindeksamen raak ek so gefrustreerd dat ek die *Cambridge Guide to Greek Mythology* smyt dat dit dwarsoor my koshuiskamer trek. Die woorde het op die bladsy begin rondswem, al om my kop begin sirkel, die letters het wild begin rondspring asof hulle skaatsplanktoertjies doen. Daar's nie 'n manier hoe ek die verskil tussen Chiron en Charon of Polidiktes en Polydeuces gaan onthou nie. En daai Latynse werkwoordverbindings? Vergeet dit.

Ek stap op en af deur die kamer, terwyl dit voel of rooimiere in my hemp rondkriewel.

Ek onthou meneer Brunner se ernstige gesigsuitdrukking, sy duisend jaar oue oë. *Ek sal net met jou heel beste tevrede wees, Percy Jackson.*

Ek haal diep asem en tel die mitologieboek op.

Ek het nog nooit 'n onderwyser gevra om my te help nie. Maar as ek met meneer Brunner praat, kan hy my dalk 'n paar wenke gee. Ten minste kan ek om verskoning vra oor die groot, vet F wat ek môre vir sy vraestel gaan kry. Ek wil nie hê hy moet dink ek is hier by Yancy weg sonder om ten minste te probeer nie.

Ek stap met die trappe af na die onnies se kantore. Die meeste van hulle is reeds donker en verlate, maar meneer Brunner se deur staan oop. Die lig wat deur die ruit in die deur skyn, strek oor die gangvloer uit.

Toe ek drie tree van die deurhandvatsel af is, hoor ek stemme in die kantoor. Meneer Brunner vra 'n vraag. 'n Stem wat beslis Grover s'n is, antwoord: "... bekommerd oor Percy, Meneer."

Ek vries.

Ek luister nie gewoonlik af nie, maar hei, probeer gerus om *nie* te luister as jou beste pel jou met 'n grootmens bespreek nie.

Ek sluip nader.

"... die somer alleen wees," sê Grover. "Ek bedoel, 'n wraakgodin in die *skool!* Noudat ons vir seker weet, en *hulle* weet ook —"

"Ons sal dinge net erger maak as ons ongeduldig is," sê meneer Brunner. "Die seun moet eers meer volwasse word."

"Maar hy het dalk nie tyd nie. Die somerson-stilstandsperdatum —"

"Sal sonder hom uitgesorteer word, Grover. Laat hy sy onkunde geniet terwyl hy nog kan."

"Meneer, hy het haar *gesien* ..."

"Sy verbeelding," hou meneer Brunner vol. "Die Mis oor die studente en personeel sal genoeg wees om hom daarvan te oortuig."

"Meneer, ek ... ek kan nie weer my plig versaak nie." Grover se stem is dik van die emosie. "Meneer weet wat dit sal beteken."

"Jy het nie jou plig versaak nie, Grover," sê meneer Brunner met 'n vriendelike stem. "Ek moes besef het wat sy was. Kom ons konsentreer nou eerder daarop om Percy lewend te hou tot volgende herfs —"

Die mitologieboek val uit my hand en tref die vloer met 'n slag.

Meneer Brunner bly stil.

My hart hamer in my bors. Ek raap die boek op en tree agteruit in die gang.

'n Skaduwee skuif oor die verligte glas van Brunner se kantoordeur, die skaduwee van iets veel langer as my onnie wat in 'n rolstoel vasgekluister is, iets wat baie soos 'n boog-skutter se boog lyk.

Ek maak die naaste deur oop en glip binnetoe.

'n Paar sekondes later hoor ek 'n sagte *klip-klop-klip*, soos die dowwe gekap van houtblokke oor die vloer, en dan die geluid van 'n dier wat reg buite die deur rondsnuffel. 'n Groot, donker vorm huiwer voor die glas, en beweeg dan verder.

'n Druppel sweet kriewel in my nek af.

In die gang hoor ek meneer Brunner praat. "Niks," brom hy. "Sedert die wintersonstilstand is my senuwees aan flarde."

"Myne ook," sê Grover. "Maar ek kon sweer ..."

"Jy moet terug in jou koshuiskamer kom," sê meneer Brunner vir hom. "Môre lê 'n lang dag van eksamens voor."

"Moet my liewer nie daaraan herinner nie."

Die lig in meneer Brunner se kantoor gaan af.

Ek wag in die donkerte vir wat voel soos 'n ewigheid.

Uiteindelik glip ek uit tot in die gang en vat die pad terug na my kamer.

Grover lê op die bed en bestudeer sy Latynaantekeninge vir die eksamen, asof hy al heel aand daar lê.

"Haai," sê hy leepoog. "Gaan jy reg wees vir die vraestel?"

Ek antwoord nie.

"Jy lyk nie lekker nie." Hy frons. "Is alles oukei?"

"Ek's net ... moeg."

Ek draai weg sodat hy nie my gesig moet sien nie, en begin regmaak om te gaan slaap.

Ek verstaan nie wat ek pas daar onder in die gang gehoor het nie. Ek wens ek kan glo dit was net my verbeelding.

Maar een ding is duidelik: Grover en meneer Brunner praat agter my rug oor iets. Hulle dink ek verkeer in die een of ander gevaar.

Die volgende middag toe ek ná die drie uur lange Latynvraestel uitstap, met al die Griekse en Romeinse name wat ek verkeerd gespel het wat voor my oë swem, roep meneer Brunner my terug binnetoe.

'n Oomblik lank is ek bekommerd hy het uitgevind dat ek gisteraand afgeluister het, maar dis skynbaar nie die probleem nie.

"Percy," sê hy. "Moenie moed verloor omdat jy weggaan hier by Yancy nie. Dis … dis beter so."

Sy stem klink gaaf, maar die woorde maak my nogtans skaam. Al praat hy sag, kan die ander kinders wat nog eksamen skryf hom hoor. Nancy Bobofit grinnik vir my en maak sarkastiese soenbeweginkies met haar lippe.

Ek mompel: "Reg so, Meneer."

"Ek bedoel …" Meneer Brunner laat sy rolstoel vorentoe en agtertoe wieg, asof hy nie seker is wat om te sê nie. "Dis nie die regte plek vir jou nie. Dit was net 'n kwessie van tyd."

My oë brand.

Hier is my gunstelingonderwyser besig om voor die hele klas vir my te sê ek kon nie die mas opkom nie. Nadat hy heel jaar gesê het hy glo in my, sê hy nou dit was buitendien my voorland om uitgeskop te word.

"Reg so," sê ek bewerig.

"Nee, nee," sê meneer Brunner. "Ag, vervlaks tog. Wat ek probeer sê … jy's nie normaal nie, Percy. Dis niks om oor —"

"Dankie," bars ek uit. "Baie dankie dat Meneer my daaraan herinner."

"Percy –"

Maar ek is klaar by die deur uit.

Die laaste dag van die kwartaal prop ek my klere in my tas.

Die ander ouens maak grappies en gesels oor hulle vakansieplanne. Een van hulle gaan op 'n staptog deur Switserland. 'n Ander een gaan 'n maand lank op die Karibiese See rondvaar. Hulle is basies jeugmisdadigers, nes ek, maar hulle is *ryk* jeugmisdadigers. Hulle pappas is aandeelhouers of ambassadeurs of beroemde glanspersoonlikhede. Ek is niemand, nes die res van my gesin.

Hulle vra my wat ek die somervakansie gaan doen en ek sê ek gaan terug stad toe.

Wat ek nie vir hulle vertel nie, is dat ek 'n vakansiewerk sal moet kry, met mense se honde gaan stap of tydskrifte smous, en in my vrye tyd wonder waar ek in die herfs gaan skoolgaan.

"O," sê een van die ouens. "Dis cool."

Hulle praat verder asof ek nie bestaan nie.

Die enigste persoon vir wie ek regtig nie koebaai wil sê nie is Grover, maar op die ou end is dit toe nie nodig nie. Hy het 'n kaartjie na Manhattan gekoop op dieselfde Greyhound as ek, so ons beland saam op die bus, terug stad toe.

Tydens die busrit loer Grover heeltyd bekommerd in die gangetjie af, en hou die ander passasiers dop. Ek besef nou eers hy tree altyd 'n bietjie senuweeagtig en kriewelrig op as ons Yancy verlaat, asof hy verwag iets slegs sal gebeur. Ek het altyd aangeneem hy's net bekommerd dat hy geterg sal word. Maar daar is niemand op die Greyhound om hom te terg nie.

Later kan ek dit nie meer hou nie.

"Op soek na nog wraakgodinne?" vra ek.

Grover val amper van sy sitplek af. "Wa – wat bedoel jy?"

Vir die eerste keer erken ek dat ek hom en meneer Brunner die aand voor die eksamen afgeluister het.

Grover se oog spring. "Hoeveel het jy gehoor?"

"Ag ... nie veel nie. Wat is die ... somersonstilstand-sperdatum?"

Hy krimp ineen. "Luister, Percy ... ek was bekommerd oor jou, oukei? Ek bedoel, hallusinasies oor demoniese wiskunde-onnies ..."

"Grover –"

"En ek het vir meneer Brunner vertel jy's dalk kwaai gestres of iets, want daar bestaan nie iemand soos juffrou Dodds nie, en ..."

"Grover, jy's regtig bitter sleg met jok."

Sy ore word pienk.

Uit sy hempsak haal hy 'n vuilerige visitekaartjie. "Vat dit net, oukei? Ingeval jy my die vakansie nodig kry."

Die swierige letters op die kaartjie is nie 'n grap vir my disleksiese oë nie, maar uiteindelik maak ek die woorde uit:

Grover Underwood,
Bewaker

Halfbloedheuwel
Long Island, New York
(800)009-0009

"Wat's Half –"

"Moet dit nie hardop sê nie!" piep hy. "Dis my, uhm ... adres vir die somer."

My hart sink. Grover-hulle het 'n vakansiehuis vir die somer. Ek het nooit eens daaraan gedink dat sy gesin so ryk kan wees soos die ander klomp by Yancy nie.

"Oukei," sê ek suur. "So, ek kan jou bel as ek by julle deftige huis wil kom kuier?"

Hy knik. "Of ... of as jy my nodig kry."

"Vir wat sal ek jou nodig kry?"

Dit kom leliker uit as wat ek bedoel het.

Grover bloos al die pad tot by sy adamsappel. "Kyk, Percy, die waarheid is, ek – ek moet jou soort van beskerm."

Ek staar na hom.

Die hele jaar lank moes ek baklei dat dit bars om boelies van Grover af weg te hou. Ek het snags wakker gelê omdat ek bekommerd was dat hy volgende jaar opgefoeter sal word as ek nie daar is nie. En nou maak hy asof hy die een is wat *my* moet beskerm.

"Grover," sê ek, "waarteen moet jy my kastig beskerm?"

Eensklaps is daar 'n harde skuurgeluid onder ons voete. Swart rook borrel uit die instrumentpaneel en die hele bus begin ruik na vrot eiers. Die bestuurder swets en stuur die Greyhound hinkepinkend tot op die rand van die pad.

Ná 'n paar minute se gekrap by die enjin rond kondig die bestuurder aan dat ons almal moet afklim. Ek en Grover klim saam met die res van die passasiers af.

Dié deel van die pad loop tussen plase deur – as jou voertuig nie toevallig hier breek nie, sal jy die plek skaars opmerk. Aan een kant van die snelweg is net bome en gemors wat mense uit verbygaande karre gesmyt het. Aan die oorkant, anderkant vier bane teerpad wat in die middaghitte bewe, is 'n outydse vrugtestalletjie.

Die goed wat hulle verkoop, lyk regtig lekker. Bokse vol

bloedrooi kersies en appels, okkerneute en appelkose, flesse appelsap in 'n outydse pootbad vol ys. Daar is geen klante nie, net drie ou tannies wat op wiegstoele in die skadu van 'n esdoringboom sit, en die grootste paar sokkies brei wat ek nog ooit gesien het.

Ek bedoel, daai sokkies is so groot soos truie, maar 'n mens kan duidelik sien dis sokkies. Die tannie op regs brei een van hulle. Die tannie op links brei die ander een. Die tannie in die middel hou 'n enorme mandjie vol helderblou wol vas.

Al drie vroue lyk stokoud, met bleek gesigte wat so verrimpel soos vrugteskille is, silwer hare wat met wit bandanas teruggebind is, en benerige arms wat by verbleikte katoenrokke uitsteek.

Die vreemdste ding is, dit lyk of hulle al drie vir my kyk.

Ek kyk vir Grover om iets daaroor te sê, en ek sien die bloed het uit sy gesig gesypel. Sy neus wikkel.

"Grover," sê ek. "Luister, my ou –"

"Sê my asseblief hulle kyk nie vir jou nie, Percy. Dis *presies* wat hulle doen. Of hoe?"

"Jip. Vreemd, nè? Dink jy daai sokkies sal vir my pas?"

"Nie snaaks nie, Percy. Glad nie snaaks nie."

Die ou tannie in die middel haal 'n yslike skêr uit – goud-en-silwer met lang lemme, soos 'n groot snoeiskêr. Ek hoor hoe Grover sy asem intrek.

"Ons moet op die bus klim," sê hy vir my. "Kom."

"Wat?" sê ek. "Dis duisend grade daar binne."

"Komaan!" Hy trek die deur oop en klim in, maar ek bly buite staan.

Oorkant die pad hou die ou tannies my steeds dop. Die middelste een knip die wol, en ek sweer ek kan die *snip*-geluid regoor vier verkeersbane hoor. Haar twee vriendinne rol die helderblou sokkies in 'n bol op, en ek wonder vir wie op aarde dit bedoel is – Bigfoot of Godzilla?

Aan die agterkant van die bus trek die bestuurder 'n groot stuk rokende metaal uit die enjinkompartement. Die bus skud en die enjin kom weer met 'n brul aan die gang.

Die passasiers juig.

"Fantasties!" roep die bestuurder. Hy slaan met sy hoed teen die bus. "Klim weer op, almal!"

Toe ons wegtrek, begin ek koorsig voel, asof ek 'n verkoue onder lede het.

Grover lyk nie veel beter nie. Hy bewe en sy tande klapper.

"Grover?"

"Ja?"

"Wat steek jy vir my weg?"

Hy vee met sy mou oor sy voorkop. "Percy, wat het jy daar by die vrugtestalletjie gesien?"

"Bedoel jy die ou tannies? Wat van hulle, man? Hulle is nie soos ... juffrou Dodds nie, is hulle?"

Dis moeilik om sy gesigsuitdrukking te lees, maar ek kry die gevoel die tannies by die vrugtestalletjie was dalk veel erger as juffrou Dodds. "Vertel my net wat jy gesien het," sê hy.

"Die middelste een het haar skêr uitgehaal, en sy het die wol geknip."

Hy maak sy oë toe en maak 'n gebaar met sy vingers, amper asof hy 'n kruis voor sy bors maak, maar dis nie dit nie. Dis iets anders, iets wat op 'n manier ... ouer voel.

Hy sê: "Het jy gesien hoe sy die wol knip?"

"Ja. En wat daarvan?" Maar die oomblik toe ek dit sê, weet ek sommer dis belangrik.

"Sê vir my dis nie besig om te gebeur nie," brom Grover. Hy begin aan sy duimnael kou. "Ek wil nie hê dit moet soos laas keer wees nie."

"Watter laaste keer?"

"Altyd graad ses. Hulle kom nooit verby graad ses nie."

"Grover," sê ek, want hy begin my nou regtig bang maak. "Waarvan praat jy?"

"Laat ek saam met jou huis toe stap van die bushalte af. Belowe my."

Dit voel vir my na 'n vreemde versoek, maar ek belowe hy kan.

"Is dit die een of ander bygeloof of iets?" vra ek.

Geen antwoord nie.

"Grover — daai wol wat geknip is. Beteken dit iemand gaan doodgaan?"

Hy kyk treurig na my, asof hy klaar probeer besluit van watter soort blomme ek op my kis sal hou.

DRIE

GROVER VERLOOR ONVERWAGS SY BROEK

Tyd om te bieg: Die oomblik toe ons by die bushalte kom, skud ek Grover af.

Ek weet, ek weet. Dis aaklig van my. Maar Grover is besig om my hoendervleis te gee, met die manier hoe hy na my kyk asof ek 'n dooie mens is, en die heeltyd brom: "Vir wat moet dit altyd graad ses wees?"

Die oomblik as hy ontsteld is, gee Grover se blaas probleme, so ek is glad nie verbaas toe hy reguit badkamer toe laat waai die oomblik toe ons van die bus afklim nie. In plaas daarvan om vir hom te wag, soos ek belowe het, kry ek my tas, glip buitentoe en wink 'n taxi nader.

"East Hundred and Fourth Street en First Avenue," sê ek vir die drywer.

Iets oor my ma, voor jy haar ontmoet.

Haar naam is Sally Jackson en sy's die beste mens in die wêreld, so ek glo dat die slegste dinge met die beste mense gebeur. Haar ouers is in 'n vliegtuigongeluk dood toe sy vyf was, en sy is grootgemaak deur 'n oom wat nie veel vir haar omgegee het nie. Sy wou 'n skrywer word, so op hoërskool het sy genoeg geld gespaar vir 'n kollege met 'n goeie kursus in kreatiewe skryfkuns. Toe kry haar oom kanker en moes sy in haar senior jaar skool los om hom te versorg. Ná sy dood was sy sonder geld, sonder familie en sonder 'n diploma.

Die enigste goeie ding wat met haar gebeur het, is dat sy my pa ontmoet het.

Ek kan nie regtig veel van hom onthou nie. As ek aan hom terugdink, onthou ek net 'n soort warm gloed; die vae oorblyfsels van sy glimlag. My ma praat nie graag oor hom nie, want dit maak haar hartseer. Sy het geen foto's van hom nie.

Sien, hulle is nooit getroud nie. Sy het vir my gesê hy was ryk en belangrik, en hulle verhouding was 'n geheim. Op 'n dag het hy op 'n belangrike Atlantiese bootreis vertrek, en hy het nooit teruggekom nie.

Verlore op see, het my ma my vertel. Nie dood nie. Verlore op see.

Sy het allerhande los werkies gedoen, aandklasse geneem om haar hoërskooldiploma te kry, en my alleen grootgemaak. Sy het nooit gekla of kwaad geword nie. Nie eens een keer nie. Maar ek weet ek was nie 'n maklike kind nie.

Uiteindelik is sy getroud met Gabe Ugliano, wat gaaf was die eerste dertig sekondes wat ons hom geken het, en toe sy ware kleure gewys het – 'n opperste ploert. Toe ek klein was, het ek hom Vrot Gabe genoem. Jammer, maar dis die waarheid. Die vent ruik soos 'n muwwerige knoffelpizza wat in 'n natgeswete gimbroek toegedraai is.

Tussen die twee van ons maak ek en Gabe my ma se lewe nogal moeilik. Die manier hoe Vrot Gabe haar behandel, die manier hoe ek en hy oor die weg kom … of liewer, glad nie oor die weg kom nie … Wel, die oomblik toe ek by die huis aankom, is 'n goeie voorbeeld.

Ek stap by die klein woonstelletjie in, en hoop my ma is al terug van die werk af. In plaas daarvan kry ek Vrot Gabe in die sitkamer, besig om poker saam met sy pelle te speel. Die televisie blêr. Tjips en bierblikkies is op die mat rondgestrooi.

Hy kyk skaars op en brom met sy sigaar in sy mond: "So, jy's by die huis."

"Waar's my ma?"

"Werk," sê hy. "Het jy geld by jou?"

Dis al. Nie *Welkom terug. Lekker om jou te sien. Hoe was jou lewe die afgelope ses maande?* nie.

Gabe het gewig opgetel. Hy lyk soos 'n walrus sonder tande met tweedehandse klere. Daar's omtrent net drie hare op sy kop oor, maar almal is bo-oor sy bles gekam, asof hy hoop dit sal hom vreeslik aantreklik laat lyk.

Hy is die bestuurder van die Electronics Mega-Mart in Queens, maar hy sit meestal hier by die huis rond. Ek weet nie hoekom hy nie al lankal afgedank is nie. Hy hou net aan om salaristjeks te kry, en blaas dit op sigare wat my naar maak en op bier, natuurlik. Altyd bier. As ek by die huis is, verwag hy altyd ek moet sy dobbelgeld voorsien. Hy noem dit "ons ouens se geheim". Wat eintlik maar net beteken as ek my ma daarvan vertel, sal hy my foeter dat ek my ouma vir 'n eendvoël aansien.

"Ek het nie geld nie," sê ek.

Hy lig 'n olierige wenkbrou.

Gabe kan geld soos 'n bloedhond uitsnuffel, wat nogal vreemd is, want sy eie reuk behoort alle ander reuke te verdoesel.

"Jy het 'n taxi van die bushalte af geneem," sê hy. "Seker met 'n twintig betaal. Ses, sewe dollar kleingeld gekry. As iemand onder hierdie dak wil bly, beter hy sy deel doen. Of wat sê ek, ou Eddie?"

Eddie, die opsigter van die woonstelblok, kyk met 'n tikkie simpatie na my. "Komaan, Gabe," sê hy. "Die laaitie het nou-net hier aangekom."

"Is ek *reg?*" herhaal Gabe.

Eddie gluur met 'n frons na sy bak pretzels. Die ander twee mans breek gelyk wind op.

"Nou goed," sê ek. Ek grawe 'n handvol note uit my sak en smyt die geld op die tafel neer. "Ek hoop jy verloor."

"Jou rapport het gekom, slimseun!" roep hy agter my aan. "Ek sal my maar skaars hou as ek jy was."

Ek slaan my kamerdeur toe. Wel, dis nie regtig my kamer nie. Skooltye is dit Gabe se "studeerkamer". Hy bestudeer niks hier binne behalwe ou motortydskrifte nie, maar hy geniet dit natuurlik om al my goed in die kas te prop, sy modderige voetspore op my vensterbank te los, en die plek na goedkoop naskeermiddel en sigare en ou bier te laat vrot.

Ek laat val my tas op die bed. Oos, wes, tuis bes.

Gabe se reuk is amper erger as die nagmerries oor juffrou Dodds, of die geluid van die ou vrugteverkopertannie se skêr wat die wol knip.

Maar die oomblik toe ek daaraan terugdink, voel my bene lam. Ek onthou hoe paniekerig Grover gelyk het — hoe hy my laat belowe het ek sal nie huis toe kom sonder hom nie. Meteens rol 'n koue gevoel deur my lyf. Dit voel asof iemand — iets — op hierdie oomblik na my soek, dalk op pad is met die trappe op, iets met lang, aaklige kloue.

Dan hoor ek my ma se stem. "Percy?"

Sy maak die kamerdeur oop, en my vrese smelt weg.

My ma hoef net by 'n vertrek in te stap om my beter te laat voel. Haar oë blink en verander van kleur in die lig. Haar glimlag is so warm soos 'n verekombers. Daar is 'n paar grys strepe in haar lang bruin hare, maar ek dink nooit aan haar as oud nie. Wanneer sy na my kyk, is dit asof sy al die goeie dinge in my sien, nie die slegtes nie. Ek het haar nog nooit haar stem hoor verhef of 'n lelike woord vir enige iemand hoor sê nie, nie eens vir my of Gabe nie.

"Ai, Percy." Sy druk my styf vas. "Ek glo dit nie. Kyk net hoe lank het jy sedert Kersfees geword!"

Haar rooi-wit-en-blou uniform ruik soos die beste dinge in die wêreld: sjokolade, liquorice en al die ander lekkergoed wat sy by die Sweet on America-winkel in Grand Central verkoop. Sy het vir my 'n yslike sak "gratis monsters" gebring, soos altyd as ek huis toe kom.

Ons gaan sit langs mekaar op die rand van die bed. Terwyl ek die pak soetsuur-bloubessiestringe beetkry, streel sy met haar hand deur my hare en dring daarop aan om alles te hoor wat ek nie in my briewe geskryf het nie. Sy sê niks oor die feit dat ek geskors is nie. Dit lyk of dit haar nie pla nie. Maar is ek oukei? Gaan dit goed met haar ou seuntjie?

Ek sê vir haar sy versmoor my, en dat sy moet ophou om met my te praat asof ek nog 'n baba is, maar eintlik is ek verskriklik, verskriklik bly om haar te sien.

Uit die ander vertrek bulder Gabe: "Hei, Sally — hoe lyk dit met 'n bietjie van jou boontjiedoopsous, huh?"

Ek kners op my tande.

My ma is die oulikste vrou op aarde. Sy moes met 'n miljoenêr getrou het, nie met 'n smeerlap soos Gabe nie.

Om haar onthalwe probeer ek opgewek klink oor my laaste paar weke by Yancy. Ek vertel haar die skorsing pla my nie te veel nie. Dié keer het ek amper die hele jaar vasgebyt. Ek sal nuwe vriende maak. Ek het nie te vrot gevaar in Latyn nie. En eerlikwaar, die bakleiery waarin ek 'n keer of wat betrokke was, was nie naastenby so erg soos die hoof gesê het nie. Ek het van die Yancy-akademie gehou, regtig. Ek laat die jaar so lekker klink ek begin myself ampertjies glo. My keel begin toetrek as ek dink aan Grover en meneer Brunner. Selfs Nancy Bobofit voel skielik nie so erg nie.

Tot daardie uitstappie na die museum ...

"Wat?" vra my ma. Haar oë rem aan my gewete, probeer die geheime uit my trek. "Het iets jou bang gemaak?"

"Nee, Ma."

Ek hou nie daarvan om vir haar te jok nie. Ek wil haar vertel van juffrou Dodds en die drie ou tannies met die wol, maar ek is bang dit klink simpel.

Sy pers haar lippe saam. Sy weet ek hou iets terug, maar sy karring nie verder nie.

"Ek het 'n verrassing," sê sy. "Ons twee gaan see toe."

My oë rek. "Montauk?"

"Drie nagte — dieselfde blyplek as laas."

"Wanneer?"

Sy glimlag. "Sodra ek ander klere aangetrek het."

Ek kan dit nie glo nie. Die afgelope twee somers was ek en my ma nie in Montauk nie, want Gabe het gesê daar is nie genoeg geld nie.

Gabe verskyn in die deuropening en grom: "Die doopsous, Sally? Het jy my nie gehoor nie?"

Ek kry lus om hom te foeter, maar my oog vang my ma s'n en ek verstaan sy is besig om te onderhandel: Wees net 'n rukkie lank gaaf met Gabe. Net tot sy reg is om Montauk toe te vertrek. Dan kan ons die pad vat.

"Ek was op pad om dit te maak, skat," sê sy vir Gabe. "Ek en Percy het net oor die wegbreek gesels."

Gabe se oë vernou. "Watse wegbreek? Was jy ernstig daaroor?"

"Ek het dit geweet," brom ek. "Hy sal ons nie laat gaan nie."

"Natuurlik sal hy," sê my ma met 'n kalm stemtoon. "Jou stiefpa is net bekommerd oor geld. Dis al. Buitendien," voeg sy by, "Gabriel hoef nie met boontjiedoopsous tevrede te wees nie. Ek gaan vir hom genoeg sewelaagdoopsous vir die hele naweek maak. Guacamole. Suurroom. Die lot."

Gabe versag 'n bietjie. "So, die geld vir julle wegbreek ... dit kom uit jou klerebegroting, nè?"

"Ja, skat," sê my ma.

"En jy gaan my kar net soontoe en terug vat, nêrens anders nie?"

"Ons sal versigtig wees."

Gabe krap sy dubbelken. "Miskien as jy opskud met daai sewelaagdoopsous ... En miskien as die laaitie om verskoning vra omdat hy in die middel van ons potjie poker sommer hier ingebars het."

Miskien as ek jou iewers skop waar dit baie seer gaan wees, dink ek. Glo my, jy sal 'n week lank sopraan sing.

Maar my ma se oë waarsku my om hom nie kwaad te maak nie.

Vir wat verdra sy hierdie vent? Ek voel lus om te gil. Hoekom voel sy 'n veer wat hy dink?

"Jammer," mompel ek. "Ek is regtig jammer ek het julle verskriklike belangrike potjie poker onderbreek. Gaan speel asseblief sommer dadelik verder."

Gabe se oë trek op skrefies. Sy klein brein probeer seker tekens van sarkasme in my woorde uitsnuffel.

"Ja, oukei," besluit hy.

Hy gaan speel verder.

"Dankie, Percy," sê my ma. "Sodra ons in Montauk kom, kan ons verder praat oor ... wat ook al jy vergeet het om my te vertel, oukei?"

'n Oomblik lank is ek oortuig ek sien 'n soort angstigheid in haar oë – dieselfde vrees wat ek op die bus in Grover se oë gesien het – asof my ma ook 'n vreemde koue in die lug aanvoel.

Maar dan keer haar glimlag terug, en ek besluit ek was seker maar verkeerd. Sy vryf my hare deurmekaar en stap weg om vir Gabe se sewelaagdoopsous te maak.

'n Uur later is ons reg om te gaan.

Gabe neem 'n vinnige blaaskans van die poker, net lank genoeg om te kyk hoe ek met my ma se tasse kar toe sukkel. Hy kerm en kla heeltyd omdat hy 'n hele naweek lank sonder haar kookkuns – en belangriker nog, sy '78-Camaro – moet klaarkom.

"Nie 'n skrapie op haar nie, slimseun," waarsku hy my toe ek die laaste tas ingelaai het. "Nie 'n skrapie nie."

Asof ek die een is wat gaan bestuur. Ek is nou twaalf. Maar daaraan steur Gabe hom nie. As 'n seemeeu op sy kar poef, sal hy 'n manier kry om my daarvoor te blameer.

Terwyl ek kyk hoe hy terug na die woonstelgebou waggel, word ek so kwaad dat ek iets doen wat ek nie kan verduidelik nie. Toe Gabe by die voordeur instap, maak ek die handgebaar wat ek Grover op die bus sien maak het, 'n teken om boosheid af te weer, 'n kromgetrekte hand bo my hart, en dan 'n stootbeweging in Gabe se rigting. Die sifdeur slaan so hard toe dat dit hom op die agterent tref en hom by die trappe laat opsteier asof hy uit 'n kanon geskiet is. Dalk was dit net die wind, of die een of ander fratsongeluk met die skarniere, maar ek bly nie lank genoeg om uit te vind nie.

Ek klim in die Camaro en sê vir my ma sy moet voet in die hoek sit.

Die huisie wat ons huur, is by die suidelike strand, heel aan die bopunt van Long Island. Dit is 'n klein, pastelkleur boksie met verbleikte gordyne, half weggesink tussen die duine. Daar is altyd sand tussen die lakens en spinnekoppe in die laaie, en die see is meestal te koud vir swem.

Ek is mal oor die plek.

Ons gaan al soontoe vandat ek 'n baba is, my ma selfs langer. Sy het dit nog nooit in soveel woorde gesê nie, maar ek weet waarom die strand vir haar so spesiaal is. Dis die plek waar sy my pa die eerste keer ontmoet het.

Hoe nader ons aan Montauk kom, hoe jonger begin sy lyk, asof jare se kommer en werk van haar gesig af verdwyn. Haar oë word die kleur van die see.

Ons kom teen sononder daar aan, maak al die huisie se vensters oop, en begin met ons gewone skoonmaakroetine. Daarna gaan stap ons op die strand, voer vir die seemeeue blou mielieskyfies, en smul aan blou jellieboontjies, blou toffies en al die ander gratis monsters wat my ma van die werk af gebring het.

Ek moet seker verduidelik van die blou eetgoed.

Sien, Gabe het op 'n keer vir my ma gesê daar bestaan nie so iets nie. Hulle het daaroor gestry — oor blou eetgoed. Destyds het dit sommer na 'n kleinigheid gelyk, maar van toe af het my ma uit haar pad gegaan om blou te eet. Sy bak blou verjaardagkoeke. Sy maak bloubessie-smoothies. Sy koop bloumielie-tortillatjips en bring blou lekkergoed van die winkel af saam. Dit — en die feit dat sy haar nooiensvan, Jackson, behou het eerder as om haarself mevrou Ugliano te noem — bewys dat Gabe haar nie heeltemal ingesluk het nie. Sy het 'n rebelse streep, nes ek.

Toe dit donker word, maak ons vuur. Ons braai wors en

malvalekkers. Sy vertel vir my stories oor toe sy 'n kind was, nog voor haar ouers in die vliegtuigongeluk dood is. Sy vertel my van die boeke wat sy nog eendag wil skryf, as sy genoeg geld het om haar werk by die lekkergoedwinkel te los.

Uiteindelik skraap ek die moed bymekaar om te vra wat ek altyd brand om te vra as ons by Montauk is – oor my pa. My ma se oë word mistig. Sy sal seker maar weer dieselfde goed vertel wat sy my altyd vertel, maar ek word nooit moeg daarvoor nie.

"Hy het 'n goeie hart gehad, Percy," sê sy. "Lank, aantreklik en sterk. Maar sag ook. Jy het sy swart hare, weet jy, en sy groen oë."

Sy grawe 'n blou jellieboontjie uit haar lekkergoedsak. "Ek wens hy kon jou sien, Percy. Hy sou so trots gewees het."

Ek wonder hoe sy dit kan sê. Wat is so wonderlik aan my? 'n Disleksiese, hiperaktiewe seun met 'n D+-rapport, in ses jaar uit ses verskillende skole geskop.

"Hoe oud was ek?" vra ek. "Ek bedoel ... toe hy weg is?"

Sy staar na die vlamme. "Ek en hy was net een somer saam, Percy. Net hier op die strand. Hierdie huisie."

"Maar ... hy het my tog as 'n baba geken."

"Nee, my skat. Hy het geweet ek verwag 'n baba, maar hy het jou nooit gesien nie. Hy moes weggaan voordat jy gebore is."

Hoe rym dit met die feit dat dit voel of ek iets onthou ... iets oor my pa? 'n Warm gloed. 'n Glimlag.

Ek het altyd aangeneem hy het my as 'n baba geken. My ma het dit nooit reguit gesê nie, maar nogtans, dit het so gevoel. Nou, om te hoor hy het my nooit gesien nie ...

Ek voel kwaad vir my pa. Dalk is dit simpel, maar ek is woedend omdat hy op daardie seereis vertrek het; omdat hy nie die moed gehad het om met my ma te trou nie. Hy het ons gelos, en nou sit ons met Vrot Gabe opgeskeep.

"Gaan Ma my weer wegstuur?" vra ek. "Na nog 'n kosskool toe?"

Sy haal 'n malvalekker uit die vuur.

"Ek weet nie, skat." Haar stem is swaar. "Ek dink ... ek dink ons sal 'n plan moet maak."

"Omdat Ma my nie in die omtrek wil hê nie?" Ek is jammer oor die woorde die oomblik toe dit uit is.

Haar oë skiet vol trane. Sy vat my hand en druk dit styf vas. "Ai, Percy, nee. Ek – ek *moet*, my skat. Vir jou eie beswil. Ek moet jou wegstuur."

Haar woorde laat my dink aan wat meneer Brunner gesê het – dat dit beter vir my is om Yancy te verlaat.

"Want ek is nie normaal nie," sê ek.

"Jy sê dit asof dit 'n slegte ding is, Percy. Maar jy besef nie hoe belangrik jy is nie. Ek het gedog Yancy sou ver genoeg wees. Ek het gedog jy sou uiteindelik veilig wees."

"Veilig van wat?"

Sy kyk in my oë, en 'n vloed herinneringe spoel oor my – al die vreemde, skrikwekkende dinge wat ooit met my gebeur het. Party daarvan het ek probeer vergeet.

In graad drie het 'n man in 'n swart oorjas my heeltyd op die speelgrond dopgehou. Toe die onderwysers dreig om die polisie te bel, het hy brom-brom padgegee, maar niemand wou my glo toe ek hulle vertel dat die man net een oog onder sy breërandhoed gehad het nie, reg in die middel van sy kop. Voor dit – 'n baie vroeë herinnering. Ek was op kleuterskool, en 'n juffrou het my per ongeluk in 'n bababedjie neergesit waarin 'n slang ingeseil het. My ma het begin gil toe sy my kom haal en ontdek ek sit en speel met 'n slap, skubberige tou wat ek op 'n manier met my mollige kleuterhandjies verwurg het.

In elke enkele skool het iets onheilspellends gebeur, iets gevaarliks, en ek moes padgee.

Ek weet ek moet my ma vertel van die ou tannies by die vrugtestalletjie, van juffrou Dobbs by die kunsmuseum, van my vreemde hallusinasie dat ek my wiskundejuffrou met 'n swaard in 'n stofwolk verander het. Maar ek kry myself nie sover om dit te doen nie. Ek het 'n vreemde gevoel die nuus sal die einde van ons uitstappie na Montauk beteken, en dis die laaste ding wat ek wil hê.

"Ek het jou so naby moontlik aan my probeer hou," sê my ma. "Hulle het vir my gesê dis 'n fout. Maar daar's net een ander opsie, Percy – die plek waarheen jou pa jou wou stuur. En ek ... ek kan dit net nie oor my hart kry nie."

"Wou my pa my na 'n spesiale skool toe gestuur het?"

"Nie 'n skool nie," sê sy sag. "'n Somerkamp."

My kop draai. Waarom sou my pa – wat nie eens lank genoeg rondgehang het om by te wees met my geboorte nie – met my ma oor 'n somerkamp gepraat het? En as dit so belangrik is, waarom het sy nie vroeër al iets daaroor gesê nie?

"Ek is jammer, Percy," sê sy toe sy die kyk in my oë sien. "Maar ek kan nie daaroor praat nie. Ek ... ek kon jou nie na daai plek toe stuur nie. Dit sou dalk beteken het ek moes jou vir ewig groet."

"Vir ewig? Maar as dit net 'n somerkamp is ..."

Sy draai na die vuur, en ek sien sommer aan haar gesig as ek nog vrae vra, gaan sy begin huil.

Daardie nag het ek 'n glashelder droom.

Daar is 'n storm op die strand, en twee pragtige diere,

'n wit perd en 'n goue arend, probeer mekaar aan die rand van die water doodmaak. Die arend swiep af en klief die perd se neus met sy reusekloue oop. Die perd steier orent en kap na die arend se vlerke. Terwyl hulle baklei, rammel die grond en 'n monsteragtige stem lag iewers onder die aarde, por die diere aan om harder te veg.

Ek hardloop na hulle toe; ek weet ek kan keer dat hulle mekaar doodmaak, maar ek hardloop in stadige aksie. Ek weet ek gaan te laat wees. Ek sien die arend afduik, sy snawel op die perd se oopgesperde oë gemik, en ek skree: *Nee!*

Ek skrik wakker.

Buite woed regtig 'n storm, die soort storm wat bome laat breek en huise omwaai. Daar is geen perd of arend op die strand nie, net weerlig wat dit soos daglig laat lyk, en vyf meter hoë branders wat die duine soos kanonvuur bestook.

Met die volgende donderslag word my ma wakker. Sy sit grootoog regop en sê: "Orkaan."

Ek weet dis verspot. Long Island kry nooit orkane so vroeg in die somer nie. Maar dit lyk of die see dit vergeet het. Bo die gebrul van die wind hoor ek 'n gebulk in die verte, 'n woedende, gepynigde klank wat my hare laat orent staan.

Dan is daar 'n geluid veel nader, soos hamerhoue in die sand. 'n Desperate stem — iemand wat skree en aan die deur van ons huisie hamer.

My ma spring in haar nagrok uit die bed en gaan maak die deur oop.

Grover staan in die deurkosyn, afgeëts teen 'n agtergrond van gietende reën. Maar hy is nie … hy is nie heeltemal Grover nie.

"Heelnag gesoek," hyg hy. "Wat het julle besiel?"

My ma kyk vreesbevange na my – dit lyk of sy nie bang is vir Grover nie, maar vir die rede waarom hy hier is.

"Percy." Sy moet skree om haarself hoorbaar te maak bo die reën. "Wat het by die skool gebeur? Wat het jy my nie vertel nie?"

Ek staan gevries en kyk na Grover. Ek verstaan nie wat ek sien nie.

"*O Zeu kai alloi theoi!*" roep hy uit. "Die ding is kort op my hakke! Het jy haar nie *vertel* nie, Percy?"

Ek is te geskok om mooi te besef hy het pas in Antieke Grieks gevloek, en ek het hom perfek verstaan. Ek is te geskok om te wonder hoe Grover op sy eie hier gekom het, in die middel van die nag. Ek is geskok, want Grover het nie 'n broek aan nie – en waar sy bene moet wees … waar sy bene moet wees …

My ma kyk streng na my en praat in 'n stemtoon wat ek nog nooit gehoor het nie: "*Percy.* Vertel my *nou.*"

Ek stamel iets oor die ou tannies by die vrugtestalletjie, en juffrou Dodds, en my ma staar na my, haar gesig doodsbleek in die flitse van die weerlig.

Sy gryp haar handsak, gooi my reënjas vir my, en sê: "Klim in die kar. Albei van julle. *Roer julle!*"

Grover hardloop na die Camaro toe – maar hy hardloop nie regtig nie. Hy draf met 'n vreemde galoppie en 'n wiegende agterlyf. Skielik maak sy storie oor die spiersiekte in sy bene vir my sin. Ek verstaan nou hoe hy so vinnig kan hardloop en steeds mank loop.

Want waar sy voete moet wees, is nie voete nie. Daar is gesplete hoewe.

VIER

ᴢᴛᴄ

MY MA LEER MY HOE OM TEEN 'N BUL TE VEG

Ons jaag op donker, verlate agterpaaie deur die storm. Wind hamer teen die Camaro. Reën druis teen die voorruit. Ek weet nie hoe my ma enige iets sien nie, maar sy hou haar voet op die petrolpedaal.

Elke keer as 'n weerligstraal flits, kyk ek na Grover wat langs my op die agtersitplek sit en ek wonder of ek my varkies verloor het. Of dalk dra hy die een of ander harige soort broek. Maar nee, ek onthou daai reuk van 'n kleuterskooluitstappie na 'n plaas – lanolien, wat jy aan wol kry. Die reuk van nat plaasdier.

Al waaraan ek kan dink om te sê is: "So, jy en my ma … ken mekaar?"

Grover se oë flits na die truspieëltjie, al is daar geen karre agter ons nie. "Nie regtig nie," sê hy. "Ek bedoel, ons het nog nooit ontmoet nie. Maar sy weet ek het jou dopgehou."

"My dopgehou?"

"'n Ogie oor jou gehou. Seker gemaak jy's oukei. Maar ek het nie net gemaak of ek jou vriend is nie," voeg hy vinnig by. "Ek *is* jou vriend."

"Uhm … wat presies *is* jy?"

"Dit maak nie nou saak nie."

"Hoe kan dit nie saak maak nie? Van sy middellyf af ondertoe, is my beste vriend 'n donkie –"

Grover maak 'n skerp keelgeluid: "*Blaa-ha-ha!*"

Ek het hom al voorheen daardie geluid hoor maak, maar

ek het altyd aangeneem dis maar 'n senuweeagtige laggie. Nou besef ek dis eerder 'n geïrriteerde blêr.

"Bok!" roep hy uit.

"Wat?"

"Ek is 'n *bok* van my middellyf af ondertoe."

"Jy't gesê dit maak nie saak nie."

"*Blaa-ha-ha!* Daar is saters wat jou onder hulle hoewe sal vermorsel vir so 'n belediging!"

"Hokaai! Wag. Saters. Jy bedoel soos in … meneer Brunner se mites?"

"Was daai ou tannies by die vrugtestalletjie 'n *mite*, Percy? Was juffrou Dodds 'n *mite*?"

"So, jy erken daar was 'n juffrou Dodds?"

"Natuurlik."

"Maar hoekom –"

"Hoe minder jy weet, hoe minder monsters sal jy lok," sê Grover, asof dit die voor die hand liggendste ding op aarde is. "Ons het Mis oor die mense se oë gesit. Ons het gehoop jy sou dink die wraakgodin was net 'n hallusinasie. Maar dit het nie gewerk nie. Jy het begin besef wie jy is."

"Wie ek – wag 'n bietjie, wat bedoel jy?"

Die vreemde bulkgeluid klink weer iewers agter ons op, nader as die vorige keer. Wat ook al besig is om ons agterna te sit is steeds op ons spoor.

"Percy," sê my ma, "daar's te veel om te verduidelik en te min tyd. Ons moet jou op 'n veilige plek kry."

"Veilig van wat? Wie is agter my aan?"

"Ag, niemand belangriks nie," sê Grover, duidelik steeds suur oor die donkie-opmerking. "Net die Heer van die Dooies en 'n paar van sy bloeddorstigste onderdane."

"Grover!"

"Jammer, mevrou Jackson. Kan ons dalk vinniger ry, asseblief?"

Ek probeer verstaan wat aan die gang is, maar dit maak nie sin nie. Ek weet dis nie 'n droom nie. Ek het geen verbeelding nie. Ek sal nooit iets vreemds soos dié gedroom kry nie.

My ma draai skerp na links. Ons draai op 'n nouer paadjie af, jaag verby donker plaashuise en woudbedekte heuwels en bordjies teen wit houtheinings wat adverteer jy kan jou eie aarbeie pluk.

"Waarheen is ons op pad?" vra ek.

"Die somerkamp waarvan ek jou vertel het." My ma se stem is gespanne. Ek weet sy probeer om my onthalwe om nie bang te klink nie. "Die plek waarheen jou pa jou wou stuur."

"Die plek waarheen Ma nie wou hê ek moet gaan nie."

"Asseblief, skat," pleit my ma. "Dis moeilik genoeg. Probeer verstaan. Jy's in gevaar."

"Omdat drie ou tannies wol geknip het."

"Dit was nie ou tannies nie," sê Grover. "Dit was die skikgodinne. Weet jy wat dit beteken — die feit dat hulle aan jou verskyn het? Hulle doen dit net wanneer jy op die punt is om ... wanneer iemand op die punt is om dood te gaan."

"Wag 'n bietjie. Jy't gesê *jy*."

"Nee, ek het nie. Ek het gesê *iemand*."

"Jy't gesê *jy*. Soos in *ek*."

"Ek het bedoel *jy* soos in *iemand*. Nie *jy* jy nie."

"Ouens!" sê my ma.

Sy pluk die stuurwiel hard na regs, en ek kry 'n blik van die figuur wat sy pas misgery het — 'n donker, fladderende vorm wat nou agter ons in die storm verdwyn het.

"Wat was dit?" vra ek.

"Ons is amper daar," sê my ma en ignoreer my vraag.

"Nog omtrent 'n kilo en 'n half. Asseblief. Asseblief."

Ek weet nie waar *daar* is nie, maar ek betrap myself dat ek vorentoe leun in die kar, gretig dat ons by ons bestemming moet uitkom.

Buite is net reën en donkerte – die soort verlate platteland wat 'n mens op die mees afgeleë deel van Long Island kry. Ek dink aan juffrou Dodds en die oomblik toe sy verander het in die ding met skerp tande en leeragtige vlerke. My arms en bene word lam van uitgestelde skok. Sy was *regtig* nie 'n mens nie. Sy wou my doodmaak.

Dan dink ek aan meneer Brunner ... en die swaard wat hy vir my gegooi het. Voor ek Grover daaroor kan uitvra, spring die hare op my nek orent. Daar is 'n verblindende flits, 'n *boem!* wat jou tande laat klap, en ons kar ontplof.

'n Oomblik lank voel dit asof ek gewigloos is, asof ek platgedruk word, asof ek in olie gebraai word, asof ek met 'n tuinslang afgespuit word – alles gelyk.

Ek trek my voorkop van die agterkant van die bestuurdersitplek af weg en sê: "Auw."

"Percy!" skree my ma.

"Ek is oukei ..."

Ek skud my kop om van die dronk gevoel ontslae te probeer raak. Ek is nie dood nie. Die kar het nie regtig ontplof nie. Ons het van die pad afgery en in 'n sloot beland. Ons deure aan die bestuurderskant sit in die modder vas. Die dak het soos 'n eierdop oopgebreek en reën stroom in.

Weerlig. Dis die enigste verklaring. Ons is van die pad af geblaas. Langs my op die agtersitplek is 'n groot, roerlose bondel. "Grover!"

Hy lê vooroor, met bloed wat vrylik uit die kant van sy mond sypel. Ek skud sy harige heup terwyl ek dink: *Nee!*

Selfs al is jy half-plaasdier, jy is my beste pel en ek wil nie hê jy moet doodgaan nie.

Dan kreun hy: "Kos," en ek weet daar is hoop.

"Percy," sê my ma, "ons moet ..." Haar stem sterf weg.

Ek kyk agtertoe. In die flits van 'n weerligstraal, deur die modderbesmeerde agterruit, sien ek 'n figuur teen die kant van die pad wat na ons toe aangestrompel kom. My vel begin kriewel. Dit is 'n donker silhoeët van 'n reusagtige man, gebou soos 'n stoeier. Dit lyk of hy 'n kombers bo sy kop hou. Sy boonste helfte is fris en wollerig. Omdat sy hande bo sy kop opgelig is, lyk dit of hy horings het.

Ek sluk hard. "Wie is —"

"Percy," sê my ma, doodernstig. "Klim uit die kar."

My ma gooi haar volle gewig teen die bestuurderskant se deur. Dit haak in die modder vas. Ek probeer myne. Dit sit ook vas. Ek kyk desperaat op na die gat in die dak. Dit sou dalk 'n uitgang kon wees, maar die rante smeul en rook.

"Klim by die passasierskant uit!" sê my ma. "Percy — jy moet hardloop. Sien jy daai groot boom?"

"*Wat?*"

Nog 'n flits van 'n weerligstraal, en deur die smeulende gat in die dak sien ek watter boom sy bedoel: 'n reusagtige denneboom, so groot soos die Withuis se kersboom, op die kruin van die naaste heuwel.

"Dis die grenslyn," sê my ma. "As jy oor daardie bult is, sal jy 'n groot plaashuis onder in die vallei sien. Hardloop soontoe en moenie terugkyk nie. Skree om hulp. Moenie stop tot jy by die deur is nie."

"Ma kom saam."

Haar gesig is bleek, haar oë so treurig soos toe sy na die oseaan gekyk het.

"Nee!" skree ek. "Ma *moet* saamkom. Help my om Grover te dra."

"Kos!" kerm Grover, 'n bietjie harder.

Die man met die kombers oor sy kop kom steeds aangestrompel, terwyl hy grommende snorkgeluide maak. Toe hy nader kom, besef ek dit *kan nie* 'n kombers bo sy kop wees nie, want sy hande – groot, plomp hande – swaai langs sy sye. Daar is nie 'n kombers nie. Wat beteken die bonkige, harige massa wat te groot vir sy kop is … is sy kop. En die punte wat soos horings lyk …

"Dis nie vir *ons* wat hy wil hê nie," sê my ma. "Hy soek jou. Ek kan buitendien nie die grenslyn oorsteek nie."

"Maar …"

"Daar's nie tyd nie, Percy. Gaan. Asseblief."

Skielik word ek kwaad – kwaad vir my ma, vir Grover die bok, vir die ding met die horings wat op ons afgestrompel kom, stadig en doelgerig, soos 'n bul.

Ek klouter oor Grover en stoot die deur oop tot in die reën. "Ons gaan saam. Komaan, Ma."

"Ek sê mos –"

"Ma! Ek gaan Ma nie hier los nie. Help my met Grover!"

Ek wag nie dat sy antwoord nie. Ek sukkel buitentoe en sleep Grover uit die kar. Hy is nogal lig, maar ek sou hom nie baie ver kon gedra het as my ma my nie gehelp het nie.

Saam vou ons Grover se arms oor ons skouers en begin teen die heuwel uitsukkel; deur nat, heuphoogte gras.

Toe ek agtertoe loer, sien ek vir die eerste keer die monster mooi duidelik. Hy is lag-lag meer as twee meter lank, en sy arms lyk soos iets wat op die voorblad van die een of ander spiertiertydskrif hoort – bultende biseps en triseps en 'n spul ander seps wat soos bofballe onder sy vel ingeprop

is, met are wat soos webbe bo-oor rank. Sy enigste klere is
'n onderbroek – 'n spierwit Fruit-of-the-Loom-onnie, wat
nogal snaaks sou gewees het as dit nie was vir die boonste
helfte van sy lyf nie. Growwe bruin hare begin omtrent by sy
naeltjie en word digter by sy skouers langs.

Sy nek is 'n massa spiere en pels wat lei na sy enorme kop,
met 'n snoet so lank soos my arm, snotterige neusgate met 'n
glinsterende koperring daarin, wrede swart ogies, en horings –
enorme swart-en-wit horings met punte wat lyk asof iemand
die moeite gedoen het om dit met 'n potloodskerpmaker
skerp te maak.

Jip, ek herken die monster. Hy was in een van die eerste
stories wat meneer Brunner ons vertel het. Maar hy kan tog
nie regtig bestaan nie.

Ek knipper die reën uit my oë. "Dis –"

"Pasifaë se seun," sê my ma. "Ek wens ek het geweet hulle
wil jou so graag dood hê."

"Maar hy's 'n Min –"

"Moenie sy naam sê nie," waarsku sy. "Name het krag."

Die denneboom is steeds hopeloos te ver – ons is nog
skaars halfpad by die heuwel op.

Ek loer weer oor my skouer.

Die bulman buk oor ons kar en kyk by die venster in –
wel, eintlik kyk hy nie regtig nie. Hy snuffel eerder. Ek weet
nie eintlik hoekom nie, want ons is skaars twintig tree van
hom af.

"Kos?" kerm Grover.

"Sjjj," sê ek. "Ma, wat doen hy? Sien hy ons dan nie?"

"Hy sien en hoor baie sleg," sê sy. "Hy maak staat op
reuk. Maar hy sal kort voor lank uitwerk waar ons is."

Asof hy haar gehoor het, bulk die bulman verwoed.

Hy tel Gabe se Camaro aan die verskeurde dak op. Die onderstel knars en kreun. Hy lig die kar bo sy kop en smyt dit op die pad neer. Dit tref die nat teer met 'n slag en gly in 'n reën vonke omtrent agthonderd meter ver voordat dit tot stilstand kom. Die brandstoftenk ontplof.

Nie 'n skrapie nie, onthou ek Gabe se woorde.

Oeps.

"Percy," sê my ma. "Wanneer hy ons sien, gaan hy storm. Wag tot op die laaste nippertjie en spring dan uit die pad – reguit sywaarts. Hy's nie goed daarmee om van rigting te verander wanneer hy storm nie. Verstaan jy?"

"Hoe weet Ma al dié goed?"

"Ek is lankal bekommerd oor 'n aanval. Ek moes dit sien kom het. Ek was selfsugtig om jou naby my te hou."

"My naby Ma te hou? Maar –"

Nog 'n woedende bulk, en die bulman begin heuwel-op storm.

Hy het ons geruik.

Dis nog net 'n paar tree tot by die denneboom, maar die heuwel word steiler en gladder, en Grover word nie ligter nie.

Die bulman haal ons in. Nog 'n paar sekondes en hy's op ons.

My ma is seker al stokflou, maar sy tel Grover se volle gewig op haar skouers. "Gaan, Percy! Gee pad! Onthou wat ek gesê het."

Ek wil eerder by hulle bly, maar ek vermoed sy is reg – dis ons enigste kans. Ek hardloop na links, draai om en sien hoe die gedierte op volle vaart aankom. Haat gloei in sy swart oë. Hy ruik na vrot vleis.

Hy laat sak sy kop en storm, sy vlymskerp horings reg op my bors gemik.

Die vrees in my maag maak dat ek op die vlug wil slaan, maar dit sal nie help nie. Ek kan nooit vir dié ding weghardloop nie. So ek bly staan waar ek is, en op die laaste nippertjie spring ek opsy.

Die bulman kom soos 'n goederetrein verbygesnel, bulk dan van frustrasie en swaai om, maar nie in my rigting nie; dié keer pyl hy op my ma af, wat besig is om Grover op die gras neer te lê.

Ons is op die kruin van die heuwel. Aan die ander kant sien ek 'n vallei, nes my ma gesê het, en die geel gloed van 'n plaashuis deur die reën. Maar dis te ver. Ons sal dit nooit maak nie.

Die bulman snork en grou met sy pote in die grond. Hy gluur na my ma wat nou stadig ondertoe begin retireer, terug pad toe, in 'n poging om die monster weg te lok van Grover af.

"Hardloop, Percy!" sê sy. "Ek kan nie verder saam met jou gaan nie. Hardloop!"

Maar ek bly staan net daar, versteen van vrees, terwyl die monster haar bestorm. Sy probeer hom systap soos sy gesê het ek moet doen, maar die monster het sy les geleer. Sy hand skiet uit en hy gryp haar aan die nek terwyl sy probeer wegkom. Hy lig haar op terwyl sy probeer terugbaklei, in die lug skop en slaan.

"Ma!"

Sy vang my oog en kry dit reg om een laaste woord uit te wurg: "Gaan!"

Dan, met 'n woedende brul, sluit die monster se vuiste om my ma se nek, en sy verdamp reg voor my oë, smelt weg tot 'n lig, 'n glinsterende goue vorm, asof sy 'n hologram is. 'n Verblindende flits en sy is eenvoudig … weg.

"Nee!"

Woede vervang my vrees. Nuutgevonde krag brand in my ledemate – dieselfde energie wat deur my gestroom het toe juffrou Dodds kloue gekry het.

Die bulman het pas vir Grover ontdek wat hulpeloos in die gras lê. Hy buk oor hom en snuffel aan my beste vriend, asof hy van plan is om Grover ook op te tel en hom te laat verdamp.

Ek kan dit nie toelaat nie.

Ek stroop my rooi reënjas af.

"Hei!" bulder ek en waai die reënjas rond terwyl ek tot langs die monster hardloop. "Haai, koeikop! Boeliebiefbrein!"

"Raaarrr!" Die monster draai na my en skud sy massiewe vuiste.

Ek het 'n idee – 'n onnosel idee, maar dis seker beter as geen idee nie. Ek gaan staan met my rug teen die groot denneboom en swaai my jas voor die bulman. My plan is om op die laaste oomblik uit die pad te spring.

Maar dis nie wat gebeur nie.

Die bulman storm te vinnig, sy arms uitgestrek om my te gryp as ek eenkant toe probeer spring.

Tyd begin stadiger beweeg.

My bene verstyf. Ek kan nie opsy spring nie, so ek spring reguit boontoe. Ek gebruik die gedierte se kop as vastrapplek om my soos 'n duikplank boontoe te skiet. In die lug swaai ek om en land op sy nek.

Hoe het ek dit reggekry? Daar's nie regtig tyd om daaroor te wonder nie. 'n Breukdeel van 'n sekonde later tref die monster se kop die boom en die slag slaan byna my tande uit. Die bulman steier rond en probeer my afskud. Ek sluit my arms om sy horings om te keer dat ek afgegooi word.

Die donderweer blits en dreun nog eenstryk deur. Daar is reën in my oë. Die reuk van vrot vleis skroei my neusgate.

Die monster skud sy lyf en skop agterop soos 'n rodeobul. As hy slim was, het hy agteruit teen die boom vasgestorm en my platgedruk, maar ek begin besef dié ding het net een rat: vorentoe.

Intussen begin Grover kreun in die gras. Ek wil vir hom skree om stil te bly, maar ek word so wild rondgeslinger dat ek sweerlik my tong sal afbyt as ek dit waag om my mond oop te maak.

"Kos!" kerm Grover.

Die bulman swaai om, begin weer in die grond grou, en maak reg om te storm. Ek dink aan die manier hoe hy die lewe uit my ma gepers het, hoe hy haar in 'n flits van lig laat verdwyn het, en woede vloei soos hoë-oktaan brandstof deur my are. Ek gryp een horing met albei hande vas en pluk dit agtertoe met elke greintjie krag in my liggaam. Die monster verstyf, gee 'n verbaasde snork en dan – *knars!*

Die bulman skreeu en smyt my deur die lug. Ek land plat op my rug in die gras. My kop kap teen 'n klip. Toe ek regop sit, swem alles voor my oë, maar ek het 'n horing in my hande, 'n geriffelde beenwapen so groot soos 'n mes.

Die monster storm.

Sonder om te dink rol ek eenkant toe en kom op my knieë orent. Terwyl die monster verbydreun, steek ek die gebreekte horing in sy sy, reg onder sy harige ribbekas in.

Die bulman brul van pyn. Hy steier rond, gryp sy bors vas, en begin disintegreer – nie soos my ma in 'n flits van goue lig nie, maar soos sand wat verkrummel en stuk-stuk deur die wind weggewaai word, net soos juffrou Dodds uitmekaargespat het.

Die monster is weg.

Die reën het opgehou. Die storm rammel steeds, maar net in die verte. Ek ruik na nat bees en my knieë bewe. Dit voel of my kop wil bars. Ek is swak en bang en ek bewe van hartseer. Ek het pas my ma gesien verdwyn, reg voor my oë. Ek wil op die grond gaan lê en huil, maar Grover het my hulp nodig, so ek help hom sukkel-sukkel orent en steier met hom ondertoe, tot in die vallei, na die lig van die plaashuis. Ek huil, ek roep na my ma, maar ek hou vas aan Grover — ek sal hom nooit laat los nie.

Die laaste ding wat ek kan onthou, is hoe ek op 'n houtstoep inmekaarsak, opkyk na 'n dakwaaier wat bo my ronddraai, motte wat om 'n geel lig rondvlieg en die strak gesigte van 'n bebaarde man en 'n mooi meisie met krulhare soos Aspoestertjie, wat vreemd bekend lyk. Albei van hulle kyk af na my en die meisie sê: "Hy's die een. Hy moet wees."

"Stilte, Annabeth," sê die man. "Hy is nog by sy bewussyn. Bring hom in."

VYF

EK SPEEL KAART SAAM MET 'N PERD

Ek droom vreemde drome vol plaasdiere. Die meeste van hulle probeer my doodmaak. Die res soek kos.

Ek word 'n hele paar keer wakker, maar wat ek hoor en sien, maak geen sin nie, daarom maak ek my oë toe en slaap verder. Ek word bewus van 'n sagte bed, iemand wat vir my met 'n lepel iets voer wat soos botterspringmielies smaak, maar dis poeding. Die meisie met die blonde krulhare se gesig hang bo my rond, en sy grinnik terwyl sy druppels poeding van my ken afskraap.

Toe sy my oë sien oopgaan, vra sy: "Wat gaan tydens die somersonstilstand gebeur?"

Ek kry darem een woord uit: "Wat?"

Sy kyk versigtig rond, asof sy bang is iemand sal haar hoor. "Wat is aan die gang? Wat is gesteel? Ons het net 'n paar weke tyd!"

"Jammer," mompel ek. "Ek weet nie …"

Iemand klop aan die deur, en die meisie prop vinnig my mond vol poeding.

Die volgende keer toe ek wakker word, is die meisie weg.

'n Frisgeboude blonde ou wat soos 'n branderplankryer lyk, staan in die hoek van die vertrek en pas my op. Hy het blou oë – ten minste 'n dosyn van hulle – op sy wange, sy voorkop, die agterkant van sy hande.

***

Toe ek uiteindelik behoorlik wakker word, is daar niks vreemds om my nie, behalwe dat alles beter lyk as waaraan ek gewoond is. Ek sit op 'n dekstoel, op 'n yslike stoep wat uitkyk oor 'n weiveld vol groen heuwels in die verte. Die briesie ruik na aarbeie. Daar is 'n kombers oor my bene, 'n kussing agter my kop. Dis alles wonderlik, maar my mond voel asof 'n skerpioen daarin nesgemaak het. My tong is droog en aaklig en elke liewe tand pyn.

Op die tafel langs my is 'n drankie in 'n lang glas. Dit lyk soos koue appelsap, met 'n groen strooitjie en 'n papiersambreeltjie wat deur 'n bloedrooi kersie gesteek is.

My hand is so swak dat ek amper die glas laat val toe ek dit met my vingers beetkry.

"Versigtig," sê 'n bekende stem.

Grover leun teen die stoepreling. Dit lyk of hy 'n week laas geslaap het. Onder sy een arm is 'n skoenboks. Hy dra blou jeans, Converse-tekkies en 'n helderoranje T-hemp waarop *Kamp Halfbloed* staan. Net doodgewone ou Grover. Nie die bokseun nie.

So, dalk het ek 'n nagmerrie gehad. Dalk is my ma oukei. Ons hou nog vakansie en om die een of ander rede het ons by hierdie groot huis stilgehou. En ...

"Jy het my lewe gered," sê Grover. "Ek ... wel, die minste wat ek kon doen ... Ek het teruggegaan na die heuwel toe. Ek het gereken jy sal dié dalk wil hê."

Hy sit die skoenboks plegtig op my skoot neer.

Binne-in is 'n swart-en-wit bulhoring, die onderkant stekelrig waar dit afgebreek het, die punt vol droë bloedspatsels. Dit was nie 'n nagmerrie nie.

"Die Minotourus," sê ek.

"Uhm , Percy, dis nie 'n goeie idee —"

"Dis wat hulle dit in die Griekse mites noem, nè?" hou ek vol. "Die Minotourus. Halfman, halfbul."

Grover trap ongemaklik rond. "Jy was twee dae lank so uit soos 'n kers. Hoeveel onthou jy?"

"My ma. Is sy regtig ..."

Hy kyk af.

Ek staar oor die weiveld. Daar is lanings bome, 'n kronkelende stroompie, aarbeilande wat onder die blou lug uitgestrek lê. Die vallei is omring met golwende heuwels, en die hoogste een, reg voor ons, is die een met die reusedenneboom bo-op. Selfs dit lyk mooi in die sonlig.

My ma is weg. Die hele wêreld behoort swart en koud te wees. Niks behoort mooi te lyk nie.

"Ek is jammer," snuif Grover. "Ek is 'n mislukking. Ek — ek is die wêreld se vrotsigste sater."

Hy maak 'n kermgeluid en stamp sy voet so hard dat dit afval. Ek bedoel, die Converse-tekkie val af. Die binnekant is vol skuimrubber, behalwe vir 'n hoefvormige gat.

"Ag, Styx!" brom hy.

Donderwolke kom deur die blou lug aangerol.

Terwyl hy sukkel om sy hoef terug in die vals voet te kry, dink ek: Oukei, so dis dan hoe dit is.

Grover is 'n sater. Ek is amper seker as ek sy bruin krulhare afskeer, sal ek klein horinkies op sy kop ontdek. Maar ek is te miserabel om my te verwonder aan die feit dat saters regtig bestaan, of selfs Minotourusse. Dit alles beteken my ma is saamgepers tot niks, sy het in geel lig verander.

Ek is alleen. 'n Weeskind. Waar gaan ek van nou af bly? By Vrot Gabe? Nee. Nie 'n kat se kans nie. Dan bly ek eerder op straat. Ek sal maak of ek sewentien is en by die weermag aansluit. Ek sal 'n plan maak.

Grover snuif en snik. Die arme ou – arme bok, sater, watse ding ook al – lyk asof hy enige oomblik 'n vuishou verwag.

"Dit was nie jou skuld nie," sê ek.

"Ja, dit was. Ek was veronderstel om jou te *beskerm*."

"Het my ma jou gevra om my te beskerm?"

"Nee. Maar dis my werk. Ek is 'n bewaker. Altans … ek was."

"Maar hoekom …" Eensklaps voel ek duiselig en alles begin swem voor my oë.

"Jy moet rustig bly," sê Grover. "Hier."

Hy help my om my glas vas te hou en sit die strooitjie teen my lippe.

Eers laat die smaak my terugdeins, want ek het appelsap verwag. Dis glad nie wat dit is nie. Dit is sjokoladekoekies. Vloeibare koekies. En nie net enige koekies nie – my ma se tuisgemaakte blou sjokoladesplinterkoekies, warm en met baie botter daarin, die sjokolade nog besig om te smelt. Terwyl ek dit drink, voel my hele lyf warm en wonderlik, vol energie. My hartseer gaan nie weg nie, maar dit voel asof my ma liggies met haar hand oor my wang vee, my 'n koekie gee soos toe ek klein was, en sê alles gaan oukei wees.

Toe ek my oë uitvee, is die glas leeg. Ek staar daarna, vas oortuig ek het pas 'n warm drankie gedrink, maar die ysblokkies het nog nie eens gesmelt nie.

"Was dit lekker?" vra Grover.

Ek knik.

"Hoe het dit gesmaak?" Hy klink so weemoedig dat ek skoon skuldig voel.

"Jammer," sê ek. "Ek moes jou laat proe het."

Sy oë rek. "Nee! Dis nie wat ek bedoel nie. Ek … het maar net gewonder."

"Dis sjokoladesplinterkoekies," sê ek. "My ma s'n. En dis tuisgemaak."

Hy sug. "En hoe voel jy?"

"Asof ek Nancy Bobofit baie ver bo-oor 'n sokkerstadion kan gooi."

"Dis goed," sê hy. "Dis goed. Ek dink jy moet eerder nie nog daarvan drink nie."

"Wat bedoel jy?"

Hy vat die leë glas versigtig by my, asof dit dinamiet is, en sit dit weer op die tafel. "Komaan. Chiron en meneer D wag."

Die stoep strek reg rondom die plaashuis.

My bene voel jellierig toe ek so ver probeer loop. Grover bied aan om die Minotourushoring te dra, maar ek klou dit vas. Ek het op die harde manier vir hierdie aandenking betaal. Ek laat dit nie weer gaan nie.

Toe ons aan die teenoorgestelde kant van die huis kom, steek my asem in my keel vas.

Ons is seker aan die noordkus van Long Island, want aan dié kant van die huis strek die vallei al die pad tot by Long Island Sound, die riviermonding wat ongeveer twee kilometer hiervandaan in die verte glinster. Tussen hier en daar sien ek iets wat my brein eenvoudig nie kan verstaan nie. Oral is geboue wat lyk soos antieke Griekse argitektuur — 'n opelugpawiljoen, 'n amfiteater, 'n ronde arena — maar alles lyk splinternuut. Wit marmerpilare glinster in die son. In 'n sandput naby my speel 'n dosyn kinders en saters vlugbal. Hulle lyk oud genoeg om op hoërskool te wees. Kano's gly oor 'n kleinerige meer. Kinders in helderoranje T-hemde nes Grover s'n jaag mekaar rond tussen 'n groep hutte wat tussen die bome nestel. Party skiet teiken by 'n boogskietbaan.

Ander ry perd op 'n woudpaadjie, en as my oë my nie bedrieg nie het party van die perde vlerke.

Aan die onderpunt van die stoep sit twee mans oorkant mekaar by 'n kaarttafeltjie. Die blonde meisie wat vir my springmieliegeur poeding gevoer het, leun langs hulle teen die stoepreling.

Die man wat na my kant toe kyk, is kort en mollig. Hy het 'n rooi neus, groot, waterige oë en krulhare wat so swart is dat dit pers lyk. Hy lyk soos daai skilderye van engelbabatjies – wat noem 'n mens hulle? Robyne? Of nee, gerubyne. Dis reg. Hy lyk soos 'n gerubyn wat middeljarig geword het iewers in 'n woonwapark. Hy dra 'n Hawaii-hemp met 'n tiervelpatroon, en hy sou mooi ingepas het by een van Gabe se pokerpartytjies. En ek kry die gevoel dié ou sal selfs my stiefpa 'n ding of drie kon wys as dit by dobbel kom.

"Dis meneer D," prewel Grover vir my. "Hy's die kamphoof. Onthou jou maniere. Die meisie is Annabeth Chase. Sy's net een van die kampkinders, maar sy's al langer as enige iemand anders hier. En jy het klaar vir Chiron ontmoet ..."

Hy beduie na die ou wat met sy rug na my sit.

Die eerste ding wat ek raaksien, is die rolstoel waarin hy sit. Dan herken ek die tweedbaadjie, die yler wordende bruin hare, die stoppelbaard.

"Meneer Brunner!" roep ek uit.

Die Latynonderwyser draai om en glimlag vir my. Sy oë het daardie ondeunde glinstering wat dit partykeer in die klas kry wanneer hy uit die bloute 'n klastoets gee en al die antwoorde op die veelkeusevrae is *B*.

"A, fantasties, Percy," sê hy. "Nou is ons vier bymekaar vir bézique."

Hy bied vir my 'n stoel regs van meneer D aan, wat met

bloedbelope oë na my kyk en 'n diep sug gee. "Wel, ek moet dit seker maar sê. Welkom by Kamp Halfbloed. So ja. Moet net nie verwag ek moet uit my vel wees van blydskap om jou te sien nie."

"Uh, dankie." Ek skuif 'n entjie weg van hom af, want as daar een ding is wat die tyd saam met Gabe in die huis my geleer het, is dit om te besef wanneer 'n grootmens te diep in die bottel gekyk het. As meneer D en alkohol vreemdelinge vir mekaar is, is ek sweerlik 'n sater.

"Annabeth?" roep meneer Brunner die blonde meisie.

Sy tree vorentoe en meneer Brunner stel ons aan mekaar voor. "Dié jong dame het jou gesond gedokter, Percy. Annabeth, wil jy nie asseblief gaan kyk of Percy se bed reg is nie? Hy kan vir eers in hut elf slaap."

"Reg, Chiron," sê Annabeth.

Ek skat sy is omtrent so oud soos ek, dalk 'n paar sentimeter langer, en baie meer atleties gebou. Met haar sonbruin vel en blonde krulhare lyk sy omtrent presies soos ek reken 'n stereotipiese Kaliforniese meisie behoort te lyk – dis net haar oë wat die prentjie bederf. Dit is 'n ontstellende grys; mooi, maar intimiderend ook, asof sy die heeltyd probeer uitwerk wat die beste manier sal wees om my agterent in 'n geveg te skop.

Sy kyk na die Minotourushoring in my hande, en dan weer na my. Ek wag dat sy sê: *Haai, jy het sowaar 'n Minotourus doodgemaak!* of *Jislaaik, jy's fantasties!* of so iets.

In plaas daarvan sê sy: "Jy kwyl in jou slaap."

Dan draf sy weg oor die grasperk, met haar blonde hare wat agter haar aan vlieg.

"So," sê ek, gretig om die onderwerp te verander. "Meneer Brunner, werk Meneer hier?"

"Nie meneer Brunner nie," sê die voormalige meneer Brunner. "Ek is bevrees dit was 'n skuilnaam. Jy kan my Chiron noem."

"Oukei." En totaal verward kyk ek na die kamphoof. "Meneer D ... staan dit vir iets?"

Meneer D hou op om die kaarte te skommel. Hy kyk na my asof ek pas hardop 'n wind opgebreek het. "Jong man, name is kragtige goed. 'n Mens gebruik dit nie sommer links en regs sonder 'n goeie rede nie."

"O. Reg. Jammer."

"Ek moet sê, Percy," tree Chiron-Brunner tussenbeide. "Ek is bly om te sien jy lewe. Ek het baie lank laas huisbesoek by 'n potensiële kampganger afgelê. Dit sou nogal 'n teleurstelling gewees het as ek my tyd gemors het."

"Huisbesoek?"

"My jaar by die Yancy-akademie, om jou touwys te maak. Ons het saters by die meeste skole, natuurlik, om 'n ogie te hou. Maar Grover het my gewaarsku die oomblik toe hy jou ontmoet het. Hy kon aanvoel jy is iets spesiaals, so ek het besluit om self ondersoek in te stel en te help waar ek kan. Ek het die ander Latynonderwyser oorreed om ... wel, langverlof te neem."

Ek probeer die begin van die skooljaar onthou. Dit voel soos so lank terug, maar ek kan vaagweg onthou daar was 'n ander Latynonnie in my eerste week by Yancy. Toe het hy, sonder enige verduideliking, verdwyn en meneer Brunner het die klas oorgeneem.

"Meneer ... e ... Chiron ... so, jy was by Yancy net om vir my klas te gee?" vra ek.

Chiron knik. "Ek was eerlikwaar nie aan die begin seker oor jou nie. Ons het jou ma gekontak, haar laat weet ons hou 'n ogie oor jou ingeval jy reg is vir Kamp Halfbloed. Maar daar was nog so baie wat jy moes leer. Nietemin, hier is jy in een stuk, en dis altyd die eerste toets."

"Grover," sê meneer D ongeduldig, "wil jy speel of nie?"

"Ja, Meneer." Grover gaan sit bewend op die vierde stoel. Ek verstaan nie waarom hy so bang is vir 'n pokkel van 'n mannetjie met 'n tiervelpatroonhemp nie.

"*Weet* jy ooit hoe om bézique te speel?" *Meneer* D kyk agterdogtig na my.

"Ek is bevrees nie," sê ek.

"Ek is bevrees nie, Meneer," sê hy.

"Meneer," herhaal ek. Ek begin al hoe minder van die kamphoof hou.

"Wel," sê hy vir my, "dit is, saam met gladiatorgevegte en *Pac-Man*, een van die beste speletjies wat die mensdom ooit uitgevind het. Ek verwag van alle *beskaafde* jong manne om die reëls te ken."

"Ek is seker die seun kan leer," sê Chiron.

"Asseblief," sê ek, "sê net vir my, watse plek is dié? Wat doen ek hier, meneer Brun – Chiron – waarom het jy spesiaal by Yancy begin werk om vir my les te gee?"

Meneer D snork. "Ek het dieselfde vraag gevra."

Die kamphoof deel die kaarte uit. Grover krimp ineen elke keer as een op sy hopie land.

Chiron glimlag simpatiek vir my, nes hy altyd in die Latynklas gedoen het, asof hy wil sê dit maak nie saak hoe vrot my punte lyk nie, *ek* bly sy sterleerder. Hy verwag van *my* om die regte antwoord te gee.

"Percy," sê hy, "het jou ma jou niks vertel nie?"

"Sy't gesê …" Ek onthou haar treurige oë wat oor die see uitstaar. "Sy het vir my gesê sy was bang om my hiernatoe te stuur, al wou my pa hê sy moes dit doen. Sy het gesê as ek eers hier is, sal ek heel moontlik nooit weer kan weggaan nie. Sy wou my naby haar hou."

"Tipies," sê meneer D. "Dis hoe hulle gewoonlik doodgemaak word. Jong man, gaan jy 'n bod insit of nie?"

"Wat?" vra ek.

Ongeduldig verduidelik hy hoe om 'n bod in bézique in te sit, en ek doen dit.

"Ek is bevrees daar's te veel om te vertel," sê Chiron. "Ons gebruiklike oriënteringsvideo gaan nie genoeg wees nie."

"Oriënteringsvideo?" vra ek.

"Nee," besluit Chiron. "Wel, Percy. Jy weet jou vriend Grover is 'n sater. Jy weet —" hy beduie na die horing in die skoenboks — "dat jy 'n Minotourus doodgemaak het. En dis geen geringe prestasie nie, ou seun. Wat jy dalk nie weet nie, is dat daar sterk magte aan die werk is in jou lewe. Gode — die magte wat julle die Griekse gode noem — bestaan regtig."

Ek staar na die ander om die tafel.

Ek wag dat iemand moet uitroep: *Grappie!* Maar al wat gebeur, is dat meneer D uitroep: "Aha, 'n koninklike bruilof. Troef! Troef!" Hy kekkel van die lag terwyl hy sy punte bymekaartel.

"Meneer D," vra Grover skamerig, "as u dit nie gaan eet nie, mag ek asseblief daardie Diet Coke-blikkie kry?"

"Huh? Ja, oukei."

Grover byt 'n yslike hap uit die leë aluminiumblikkie en kou dit met 'n treurige gesig.

"Wag," sê ek vir Chiron. "Bedoel jy daar bestaan iets soos God?"

"Wel," sê Chiron. "God — hoofletter G. Dis 'n heel ander saak. Kom ons los die metafisiese buite rekening."

"Metafisiese? Maar jy het nou-net gepraat van —".

"Gode, meervoud — magtige wesens wat die kragte van die natuur en die mensdom se wel en wee bepaal: die onsterflike gode van Olimpus. Dis 'n kleiner aangeleentheid."

"Kleiner!"

"Ja, aansienlik. Die gode wat ons in die Latynklas bespreek het."

"Zeus!" sê ek. "Hera. Apollo. Praat jy van hulle?"

En daar is dit weer — die gedreun van donderweer in die verte, op 'n wolklose dag.

"Jong man," sê meneer D, "as ek jy is, sal ek regtig ophou om daardie name sommerso argeloos rond te gooi."

"Maar dis stories," sê ek. "Dis — mites, om weerlig en die seisoene en sulke goed te verklaar. Dis die soort goed wat mense geglo het voordat daar iets soos wetenskap was."

"Wetenskap!" Meneer D snork minagtend. "En sê my, Percy Jackson —"

Ek krimp ineen toe hy my regte naam sê. Ek het nog nie vir enige iemand hier rond gesê wat my naam is nie.

"— wat sal mense tweeduisend jaar van nou af van jou kastige 'wetenskap' dink?" gaan meneer D voort. "Hmm? Hulle gaan dit 'n spul primitiewe snert noem. Dis wat. O, ek is mal oor sterflinge — hulle het absoluut geen perspektief nie. Hulle dink hulle het so-o-o ver gevorder. En het hulle regtig, Chiron? Kyk na hierdie seun en sê my."

Ek hou nie regtig van meneer D nie, maar daar is iets aan die manier hoe hy my 'n sterfling noem, asof hy ... nie een is nie. Dis genoeg om my 'n knop in my keel te laat kry, en dit verklaar dalk waarom Grover net stip na sy kaarte staar, sy koeldrankblikkie kou en tjoepstil bly.

"Percy," sê Chiron, "dis jou keuse of jy wil glo of nie,

maar die feit bly staan, *onsterflik* beteken onsterflik. Kan jy jou vir 'n oomblik indink, om nooit dood te gaan nie? Om te bestaan, nes jy is, vir tyd en ewigheid?"

Ek is op die punt om te antwoord, sommerso sonder om te dink, dat dit na 'n heel gawe idee klink, maar Chiron se stemtoon laat my huiwer.

"Jy bedoel, of mense nou in jou glo of nie," sê ek.

"Presies," beaam Chiron. "As jy 'n god was, hoe sou jy daarvan gehou het om 'n mite genoem te word, 'n ou storie om weerlig te verklaar? Wat as ek vir jou sê, Percy Jackson, dat iemand *jou* eendag 'n mite sal noem, 'n storie wat uitgedink is om te verduidelik hoe seuntjies die verlies van hul ma verwerk?"

My hart dawer in my bors. Om die een of ander rede probeer hy my kwaad maak, maar ek gaan dit nie toelaat nie.

"Ek sal nie daarvan hou nie," sê ek. "Maar ek glo nie in gode nie."

"O, jy beter," brom meneer D. "Voor een van hulle jou dalkies met vuur verdelg."

"A-asseblief, Meneer," sê Grover. "Hy het pas sy ma verloor. Hy verkeer nog in skok."

"Hy kan bly wees," mompel Meneer D. "Dis nie aldag grappies om hierdie ellendige werk te doen nie, om iets te probeer uitrig met seuntjies wat nie eens glo nie!"

Hy swaai sy hand en 'n outydse wynglas verskyn op die tafel, asof die sonlig 'n oomblik lank verbuig het en die lug tot glas saamgeweef het. Die wynglas vul vanself met rooiwyn.

My mond val oop, maar Chiron kyk skaars op.

"Meneer D," waarsku hy, "onthou die reëls."

Meneer D kyk na die wyn en lyk kamma verbaas.

"Goeiste." Hy kyk op na die lug en roep: "Mag van die gewoonte! Jammer!"

Nog donderweer.

Meneer D swaai weer sy hand en die wynglas verander in 'n nuwe blikkie Diet Coke. Hy sug omgekrap, maak die blikkie oop, en bepaal hom weer by sy kaartspeletjie.

Chiron knipoog vir my. "Meneer D het sy pa 'n tydjie gelede aanstoot gegee. Hy't flikkers gegooi by 'n woudnimf wat verbode verklaar is."

"'n Woudnimf," herhaal ek terwyl ek steeds na die Diet Coke-blikke staar asof dit uit die buitenste ruimte kom.

"Ja," erken meneer D. "Vader verlekker hom daarin om my te straf. Die eerste keer, Prohibisie. Afskuwelik! Absoluut aaklige tien jaar! Die tweede keer — wel, sy was regtig mooi en ek kon nie wegbly nie — die tweede keer het hy my hierheen gestuur. Halfbloedheuwel. Somerkamp vir snuiters soos jy. 'Word 'n beter invloed,' het hy vir my gesê. 'Werk saam met jongmense eerder as om hul lewe te verwoes.' Ha! Absoluut onregverdig."

Meneer D klink ongeveer ses jaar oud, soos 'n seuntjie wat dikmond is omdat hy nie sy sin kry nie.

"En ..." stamel ek, "u pa is ..."

"Di immortales, Chiron," sê meneer D. "Ek dog jy het die seun die basiese dinge geleer. My pa is Zeus, natuurlik."

Ek probeer dink aan al die D-name in die mitologie wat ek ken. Wyn. Die vel van 'n tier. Die saters wat skynbaar almal hier werk. Die manier hoe Grover ineenkrimp, asof meneer D sy meester is.

"Jy's Dionusos," sê ek. "Die god van wyn."

Meneer D rol sy oë. "Wat sê hulle deesdae, Grover? Sê die kinders nog deesdae: *Wel, duh*?"

"J-ja, meneer D."

"In daai geval: *Wel, duh*, Percy Jackson! Wie het jy gedink is ek, Afrodite?"

"Jy's 'n god."

"Ja, kind."

"'n God. Jy."

Hy draai om en kyk reguit na my, en daar is 'n soort perserige vuur in sy oë, iets wat my laat vermoed dat hierdie kermende pokkeltjie van 'n man my maar net 'n klein blik van sy ware self laat sien. Ek sien visioene van druiweranke wat ongelowiges doodwurg; dronk krygers wat mal raak van veglus; matrose wat skreeu terwyl hulle hande in swempote verander en dolfynsnoete uit hulle gesigte groei. Ek weet as ek hom daartoe dryf, sal meneer D my nog veel erger dinge wys. Hy sal 'n siekte in my kop plant wat sal veroorsaak dat ek die res van my lewe in 'n dwangbaadjie in 'n rubberkamer moet deurbring.

"Wil jy my graag beproef, kind?" vra hy sag.

"Nee. Nee, Meneer."

Die vuur bedaar 'n bietjie. Hy draai terug na sy kaartspel. "Ek reken ek wen."

"Hokaai, nie so vinnig nie, meneer D," sê Chiron. Hy sit 'n vol stel neer en tel die punte bymekaar. "Dié pot is myne."

'n Oomblik lank is ek seker meneer D gaan Chiron met een kyk net daar in sy rolstoel laat verpoeier. Maar hy sug net deur sy neus, asof hy gewoond is daaraan dat die Latynonderwyser hom ore aansit. Hy staan op en Grover kom ook orent.

"Ek is moeg," sê meneer D. "Ek gaan 'n uiltjie knip voor vanaand se liedjieaand. Maar Grover, eers moet ons *weer* gesels oor jou minder as perfekte uitvoering van hierdie taak."

Sweetdruppels pêrel op Grover se gesig. "J-ja, Meneer."

Meneer D draai na my. "Hut elf, Percy Jackson. En jy beter jou gedra."

Hy verdwyn by die plaashuis in, met Grover agterna.

"Sal Grover oukei wees?" vra ek vir Chiron.

Chiron knik, al lyk hy nogal 'n bietjie bekommerd. "Ou Dionusos is nie regtig kwaad nie. Hy haat maar net sy werk. Hy is ... uhm, wel, jy kan seker sê hy's gehok, en hy kan dit nie verdra om nog 'n eeu te wag voordat hy mag terugkeer na Olimpus nie."

"Berg Olimpus," sê ek. "Wil jy vir my sê daar bestaan regtig so 'n plek?"

"Wel, ja, daar's die berg Olimpus in Griekeland. En dan is daar die tuiste van die gode, die versamelpunt van hul kragte, wat inderdaad op 'n tyd bo-op die berg Olimpus was. Dit word steeds Olimpus genoem, uit respek vir die ou weë, maar die paleis skuif soms rond, Percy, nes die gode self."

"Bedoel jy die Griekse gode is hier? Ek bedoel ... hier in Amerika?"

"Wel, hoe anders dan? Die gode beweeg saam met die hart van die weste."

"Die wat?"

"Komaan, Percy. Dit wat julle die 'Westerse beskawing' noem. Dink jy dis net 'n abstrakte beginsel? Nee, dis 'n lewende mag. 'n Kollektiewe bewussyn wat al duisende jare lank soos 'n helder vlam brand. Die gode is deel daarvan. Jy kan selfs sê hulle is die bron daarvan, of ten minste dat hulle so onlosmaaklik daarmee verbind is dat hulle hoegenaamd nie kan verdof nie, tensy die hele Westerse beskawing verdelg word. Die vuur het in Griekeland begin. Toe, soos jy goed weet — of soos ek hoop jy weet, aangesien jy darem my vak deurgekom het – het die hart van die vuur na Rome verskuif, en die gode ook. O, hulle het dalk verskillende name gekry – Jupiter vir Zeus, Venus vir Afrodite en so aan – maar dit het dieselfde magte gebly, dieselfde gode."

"En het hulle doodgegaan?"

"Doodgegaan? Nee. Het die Weste doodgegaan? Die gode het eenvoudig verskuif, na Duitsland, na Frankryk, na Spanje 'n ruk lank. Waar ook al die vlam die helderste gebrand het, daar was die gode. Hulle het 'n hele paar eeue in Engeland vertoef. Jy hoef maar net na die argitektuur te kyk. Mense vergeet nie die gode nie. Op elke plek waar hulle geheers het, die afgelope drieduisend jaar al, kan jy hulle sien in skilderye, in standbeelde, op die belangrikste geboue. En ja, Percy, natuurlik is hulle nou in julle Verenigde State. Kyk na julle simbool, die arend van Zeus. Kyk na die standbeeld van Prometheus by die Rockefeller-sentrum, die Griekse fasades van julle regeringsgeboue in Washington. Ek daag jou uit om enige Amerikaanse stad te soek waar die Olimpiërs nie op verskeie plekke prominent pryk nie. Of jy daarvan hou of nie – Amerika is nou die hart van die vlam. Dit is die grootste mag in die Weste. En daarom is Olimpus hier. En ons is hier."

Dit is alles te veel vir my, veral die feit dat *ek* skynbaar deel van Chiron se *ons* is, asof ek deel is van die een of ander klub.

"Wie is jy, Chiron? Wie ... wie is ek?"

Chiron glimlag. Hy verskuif sy gewig asof hy van plan is om uit sy rolstoel op te staan, maar ek weet dis onmoontlik. Sy onderlyf is verlam.

"Wie is jy?" sê hy peinsend. "Wel, dis 'n vraag waarop ons almal graag die antwoord wil weet, nie waar nie? Maar nou moet ons eers vir jou 'n bed in hut elf gaan kry. Daar sal nuwe vriende wees wat jy moet ontmoet. En oorgenoeg tyd vir lesse môre. Kom, daar's vanaand gebraaide malvalekkers by die kampvuur, en ek vrek daaroor."

En toe staan hy wel uit sy rolstoel op. Maar daar is iets vreemds aan die manier hoe hy dit doen. Sy kombers val van sy bene af, maar die bene self beweeg nie. Sy middellyf word al hoe langer, verrys bo sy belt uit. Eers dog ek hy dra 'n baie lang wit fluweelonderbroek. Maar terwyl hy aanhou verrys uit sy stoel, hoër as enige man, besef ek die fluweelonderbroek is glad nie 'n onderbroek nie; dit is die voorkant van 'n dier, spiere en senings onder growwe wit pels. En die rolstoel is nie 'n stoel nie. Dit is 'n soort houer, 'n enorme boks op wiele, en dit besit sweerlik die een of ander soort towerkrag, want daar's nie 'n manier hoe hy andersins daarin sou kon pas nie. 'n Been kom te voorskyn, lank en met knopknieë, met 'n groot hoef. Dan nog 'n voorbeen, dan die agterlyf, en toe is die boks leeg, net 'n metaaldop met 'n paar nagemaakte menslike bene daaraan vas.

Ek staar na die perd wat pas uit die rolstoel verrys het: 'n reusagtige wit hings. Maar waar sy nek moet wees, is die bolyf van my Latynonderwyser, soomloos vasgeheg aan die perd se onderlyf.

"Wat 'n verligting," sê die sentour. "Ek is al so lank daar binne vasgekluister, my vetlokke is al vas aan die slaap. Komaan, Percy Jackson. Kom ons gaan ontmoet die ander kampgangers."

SES

EK WORD OPPERHEERSER VAN DIE BADKAMER

Toe ek eers herstel het van die skokkende ontdekking dat my Latynonnie 'n perd is, vat hy my op 'n toer. Maar ek maak seker ek loop nie agter hom nie. Dit was al 'n paar keer my werk om die perdemis by Macy's se Dankseggingsparade op te tel, en ek is jammer, maar ek vertrou nie Chiron se agterkant soveel soos ek sy voorkant vertrou nie.

Ons stap verby die vlugbalbaan. Party van die kampgangers stamp aan mekaar. Een beduie na die Minotourushoring in my hand. "Dis *hy*," sê 'n ander een.

Die meeste kampgangers is ouer as ek. Hulle satervriende is groter as Grover, en almal trippel in oranje KAMP HALFBLOED-T-hemde rond, met niks anders om hulle kaal, harige agterstewe te bedek nie. Ek is nie gewoonlik skaam nie, maar die manier hoe hulle na my kyk, maak my ongemaklik. Dit voel of hulle verwag ek moet begin wawiele doen of iets.

Ek kyk terug na die plaashuis. Dit is baie groter as wat ek besef het — vier verdiepings hoog, hemelblou met 'n wit afwerking, soos 'n luukse vakansieoord by die see. Toe ek na die weerhaan op die dak kyk, 'n arend van koper, vang iets my oog. 'n Skaduwee in die heel boonste venster van die solderdak. Iets het die gordyn 'n oomblik lank laat beweeg, en ek kry die gevoel ek word dopgehou.

"Wat is daar bo?" vra ek vir Chiron.

Hy kyk op na waar ek beduie en sy glimlag verdof.

"Net die solder."

"Bly daar iemand?"

"Nee," sê hy met 'n besliste toon in sy stem. "Nie 'n lewende siel nie."

Ek kry die gevoel hy praat die waarheid. Maar ek is ook seker iets het agter die gordyn beweeg.

"Komaan, Percy," sê Chiron, sy lighartige stemtoon nou effens geforseerd. "Daar's nog baie om te sien."

Ons stap deur die aarbeilande, waar kampgangers mandjies vol aarbeie pluk terwyl 'n sater 'n liedjie op 'n panfluit speel.

Chiron vertel my die kamp kweek 'n goeie oes wat hulle na New Yorkse restaurante en na Olimpus uitvoer. "Dit dek ons kostes," verduidelik hy. "En die aarbeie verg byna geen moeite nie."

Hy sê meneer D het 'n effek op plante wat vrugte dra. Hulle groei soos onkruid as hy in die omtrek is. Dit werk die beste met wingerdranke, maar meneer D is verbied om dit te plant, so nou kweek hulle maar aarbeie.

Ek kyk hoe die sater op sy panfluit speel. Sy musiek laat strome goggas holderstebolder uit die aarbeiland padgee, asof hulle voor 'n veldbrand vlug. Ek wonder of Grover daardie soort towerkrag met musiek kan skep. Ek wonder of hy nog in die plaashuis is, besig om uitgetrap te word deur meneer D.

"Grover sal nie in te veel moeilikheid beland nie, sal hy?" vra ek vir Chiron. "Ek bedoel ... hy was 'n goeie bewaker. Regtig."

Chiron sug. Hy trek sy tweedbaadjie uit en drapeer dit oor sy perderug, soos 'n saal. "Grover het groot drome, Percy. Dalk groter as wat goed is vir hom. Om sy doel te bereik moet hy eers groot waagmoed toon deur as 'n bewaker te slaag – hy moet 'n nuwe kampganger vind en veilig na Halfbloedheuwel bring."

"Maar dis mos wat hy gedoen het!"

"Ek stem dalk met jou saam," sê Chiron. "Maar dis nie my plek om te oordeel nie. Dionusos en die Raad van Spleethoewige Oudstes moet besluit. Ek is bevrees hulle gaan dalk nie hierdie opdrag as 'n sukses beskou nie. Grover het jou immers in New York verloor. Toe was daar die ongelukkige … *lot* van jou ma. En die feit dat Grover bewusteloos was toe jy hom oor die grenslyn gesleep het. Die Raad sal dalk bevraagteken of Grover hoegenaamd enige tekens van dapperheid getoon het."

Ek wil protesteer. Niks wat gebeur het, was Grover se skuld nie. Ek voel ook baie, baie skuldig. As ek nie weggeglip het by die bushalte nie, sou hy dalk nie in die moeilikheid beland het nie.

"Hy sal 'n tweede kans kry, of hoe?"

Chiron sug. "Ek is bevrees dit *was* Grover se tweede kans. En die Raad was ook nie baie gretig om hom 'n tweede kans te gee nie, ná wat die eerste keer gebeur het, vyf jaar gelede. Olimpus weet, ek het hom aangeraai om langer te wag voor hy weer probeer. Hy's nog klein vir sy ouderdom …"

"Hou oud is hy?"

"Agt-en-twintig."

"Wat? En hy's in graad ses?"

"Saters word twee keer stadiger as mense groot, Percy. Grover is al die afgelope ses jaar die ekwivalent van 'n kind in graad vyf of ses."

"Dis aaklig."

"Nogal," stem Chiron saam. "Maar hoe dit ook al sy,

Grover het laat begin ontwikkel, selfs vir 'n sater, en hy is nog nie baie goed met woudtowery nie. Maar nou ja, hy wou opsluit sy droom najaag. Dalk sal hy nou op 'n ander loopbaanrigting besluit ..."

"Dis onregverdig," sê ek. "Wat het die eerste keer gebeur? Was dit regtig so erg?"

Chiron kyk vinnig weg. "Kom ons stap verder."

Maar ek is nog nie gereed om die onderwerp te laat vaar nie. Ek het iets besef toe Chiron van my ma se *lot* gepraat het, asof hy met opset die woord *dood* vermy het. Die begin van 'n idee – 'n piepklein, hoopvolle vlammetjie – begin in my kop vorm.

"Chiron," sê ek, "as die gode van Olimpus en al daai goed waar is ..."

"Ja?"

"Beteken dit die Onderwêreld bestaan ook?"

Chiron se gesig word donker.

"Ja." Hy aarsel, asof hy sy woorde versigtig kies. "Daar is 'n plek waarheen geeste ná die dood gaan. Maar vir eers ... tot ons meer weet ... wil ek jou aanraai om nie jou kop daaroor te breek nie."

"*Tot ons meer weet?* Wat bedoel jy?"

"Kom, Percy. Kom ek gaan wys jou die woud."

Toe ons nader gaan, besef ek hoe reusagtig die woud is. Dit neem bykans 'n kwart van die vallei in beslag, met bome so hoog en dik jy kan jou maklik verbeel die Inheemse Amerikaners was die laaste mense wat ooit hier was.

"Die woud wemel van geleenthede as jy jou geluk wil beproef, maar sorg dat jy gewapen kom."

"Watse geleenthede?" vra ek. "En watse wapen?"

"Jy sal sien. Vrydagaande speel ons vang-die-vlag. Het jy jou eie swaard en skild?"

"My eie —"

"Nee," sê Chiron, "seker nie. Ek skat 'n nommer vyf sal reg wees. Ek sal later 'n draai by die wapensmid maak."

Ek wil vra watter soort somerkamp het 'n wapensmid, maar daar is te veel ander dinge om aan te dink, so die toer gaan voort. Ons sien die boogskietbaan, die meer, die stalle (waarvan Chiron duidelik nie veel hou nie), die spiesgooiveld, die amfiteater waar liedjieaande gehou word, en die arena waar Chiron sê hulle swaard- en spiesgevegte hou.

"Swaard- en spiesgevegte?" vra ek.

"Hutkompetisies en daai soort goed," sê hy. "Nie dodelik nie. Gewoonlik nie. O ja, en daar is die eetsaal."

Chiron beduie na 'n buitepawiljoen met wit Griekse pilare, teen 'n heuwel wat oor die see uitkyk. Daar is 'n dosyn piekniektafels van klip. Geen dak nie. Geen mure nie.

"Wat doen julle as dit reën?" vra ek.

Chiron kyk na my asof my kop 'n bietjie raas. "Ons moet steeds eet, of hoe?"

Ek vra eerder nie verder uit nie.

Laastens wys hy my die hutte. Daar is twaalf van hulle, tussen die bome by die meer. Hulle is in 'n U-vorm gerangskik, met twee aan die basis en vyf in die rye aan weerskante. Dit is loshande die eienaardigste versameling geboue wat ek ooit gesien het.

Afgesien van die feit dat elkeen 'n groot kopersyfer bo die deur het (onewe getalle op links, ewe getalle op regs), lyk hulle heeltemal verskillend. Nommer nege het skoorsteenpype soos 'n kleinerige fabriek. Nommer vyf het tamatieranke teen die mure en 'n dak van regte gras.

Sewe lyk of dit van soliede goud gemaak is, wat so in die sonlig glinster dat 'n mens amper nie daarna kan kyk nie. Tussen die hutte is 'n oopte so groot soos 'n sokkerveld, met 'n hele klomp Griekse standbeelde, fonteine, blombeddings, en 'n paar basketbalnette (wat meer my soort ding is).

In die middel van die veld is 'n reusagtige vuurput met klippe rondom gepak. Al is dit 'n warm middag, smeul daar 'n vuur in die put. 'n Meisie van ongeveer nege jaar oud stook die vlamme, en karring met 'n stok tussen die kole.

Die twee hutte aan die punt van die veld, nommer een en twee, lyk soos grafkelders vir 'n man en vrou — groot wit marmerbokse met swaar pilare vooraan. Hut een is die grootste van die twaalf. Die gepoleerde bronsdeure glimmer soos 'n holograaf, sodat dit uit verskillende hoeke lyk of weerligstrale daaroor blits. Hut twee is op 'n manier meer grasieus, met slanker pilare wat met granate en blomme versier is. Teen die mure pryk afbeeldings van poue.

"Zeus en Hera?" raai ek.

"Korrek," sê Chiron.

"Hulle hutte lyk verlate."

"Verskeie van die hutte is. Dis waar. Niemand bly ooit in nommer een of twee nie."

Oukei. So elke hut het 'n verskillende god, soos 'n geluk-bringer. Twaalf hutte vir die twaalf Olimpiërs. Maar hoekom staan party leeg?

Ek gaan staan voor die eerste hut links, wat nommer drie gemerk is.

Dit lyk nie so groot en belangrik soos hut nommer een nie, maar dit is lank en laag en solied. Die buitemure is van growwe grys klip gebou, met stukke seeskulp en koraal daarin, asof die stukke klip net so uit die seebodem gekap is.

Ek loer by die oop deur in en Chiron sê: "O, ek sou dit nie doen as ek jy was nie!"

Voor hy my kan terugtrek, asem ek die souterige reuk binne die hut in, soos die wind op die strand by Montauk. Die binnemure gloei soos koraal. Daar is ses leë stapelbeddens met sylakens wat elkeen by die een hoek oopgetrek is. Maar daar is geen teken dat iemand al ooit daarop geslaap het nie. Die plek voel so hartseer en verlate, ek is skoon bly toe Chiron sy hand op my skouer sit en sê: "Kom, Percy."

Die meeste van die ander hutte wemel van die kampgangers.

Nommer vyf is helderrooi – 'n rêrige nare stukkie verfwerk, asof die kleur sommer met emmers en vuiste daarop gesmyt is. Op die dak glinster rye doringdraad. 'n Opgestopte wildevarkkop hang bo die deuropening, en dit voel of die dier se oë my volg. Binne kan ek 'n spul kinders sien wat soos regte wildewragtigs lyk, seuns en meisies. Hulle druk arm en stry en baklei onder mekaar terwyl harde rockmusiek blêr. Die rumoerigste van almal is 'n meisie van seker so dertien of veertien. Sy dra 'n Kamp Halfbloed-T-hemp, seker 'n XXXL-grootte, onder 'n kamoefleerbaadjie. Toe sy my sien, vertrek haar gesig in 'n gemene grynslag. Sy laat my dink aan Nancy Bobofit, maar die kampmeisie is baie groter en sy lyk baie rowwer en haar hare is lank en toutjiesrig, en bruin pleks van rooi.

Ek hou aan stap, terwyl ek uit die pad van Chiron se hoewe probeer bly. "Ons het nog geen ander sentours gesien nie," merk ek op.

"Nee," sê Chiron treurig. "Ek is bevrees ons is maar 'n wilde en barbaarse volk. Jy sal dalk van hulle in die wildernis teëkom, of by groot sportbyeenkomste. Maar jy sal hulle nie hier rond kry nie."

"Jy't gesê jou naam is Chiron. Is jy regtig …"

Hy glimlag af na my. "*Die* Chiron van die stories? Afrigter van Herkules en so aan? Ja, Percy, dis ek."

"Maar is jy nie *veronderstel* om dood te wees nie?"

Chiron aarsel, asof hy mooi daaroor nadink. "Ek weet eerlikwaar nie van veronderstel nie. Die waarheid is, ek *kan* nie dood wees nie. Sien, eeue gelede het die gode my wens bewaarheid. Ek kon voortgaan met die werk waarvoor ek lief is. Ek kon 'n leermeester van helde wees vir so lank as die mensdom my nodig het. Danksy daardie wens het ek baie dinge gekry … en moes ek baie dinge prysgee. Maar hier is ek nog, so ek kan seker maar aanneem my dienste word steeds benodig."

Drieduisend jaar lank 'n onderwyser? Dit sou nie regtig op my toptienlysie wees as ek vir enige iets kon wens nie.

"Raak dit nooit vervelig nie?"

"Nee, nee," sê hy. "Vreeslik neerdrukkend, partykeer, maar nooit vervelig nie."

"Hoekom neerdrukkend?"

Dit lyk of Chiron skielik weer effe hardhorend is.

"A, kyk," sê hy. "Annabeth wag vir ons."

***

Die blonde meisie wat ek by die Groot Huis ontmoet het, sit en lees 'n boek voor die laaste hut op links, nommer elf.

Toe ons by haar kom, kyk sy my krities op en af, asof sy steeds nie kan glo hoe baie ek kwyl nie.

Ek probeer sien wat sy lees, maar ek kan nie die titel uitmaak nie. Eers dink ek dis weer my disleksie. Dan besef ek die titel is Grieks. Ek bedoel, letterlik. Die letters lyk vir my Grieks. Dit lyk amper soos 'n argitektuurboek, want daar is prente van tempels en standbeelde en verskillende soorte pilare.

"Annabeth," sê Chiron, "ek het vanmiddag 'n boogskiet-meesterklas. Sal jy verder na Percy omsien, asseblief?"

"Reg so."

"Hut elf," sê Chiron vir my en beduie na die deur. "Maak jou tuis."

Van al die hutte lyk nommer elf die meeste na 'n dood-gewone ou somerkamphut, met die klem op *ou*. Die voor-deur is verweer en die bruin verf dop af. Bo die deur hang een van daardie doktersimbole, 'n gevleuelde staf met twee slange daarom gedraai. Wat noem mens dit nou weer? 'n Boodskapperstaf.

Binne is 'n swetterjoel jong mense, seuns en meisies, veel meer as die aantal slaapbeddens in die hut. Slaapsakke lê oor die vloer uitgesprei. Dit lyk soos 'n skoolgimnasium waar die Rooikruis inderhaas 'n noodsentrum opgerig het.

Chiron gaan nie in nie. Die deur is te laag vir hom. Maar toe die kampgangers hom sien, staan hulle almal op en buig eerbiedig.

"So ja," sê Chiron. "Voorspoed, Percy. Sien jou met aandete."

Hy galop weg in die rigting van die boogskietbaan.

Ek staan in die deuropening en kyk na die kinders. Hulle buig nie meer nie. Hulle staar my aan, som my op. Ek ken die storie. Ek moes dit al by genoeg skole beleef.

"Wel?" por Annabeth. "Waarvoor wag jy?"

So, natuurlik val ek oor my eie voete toe ek by die deur instap, en maak 'n lekker ou krater van myself. 'n Paar van die kampgangers proes van die lag, maar niemand sê iets nie.

"Percy Jackson, ontmoet hut elf," kondig Annabeth aan.

"Normaal of onbepaald?" vra iemand.

Ek weet nie wat om te sê nie, maar Annabeth antwoord: "Onbepaald."

Almal kreun.

'n Ou wat 'n bietjie ouer as die res is, tree vorentoe. "Toe nou, julle. Dis mos waarvoor ons hier is. Welkom, Percy. Jy kan daai plek op die vloer kry, daarso."

Die ou is seker so negentien, en hy lyk heel gaaf. Hy is lank en gespierd, met kortgeskeerde ligbruin hare en 'n vriendelike glimlag. Hy dra 'n oranje afmouhemp, 'n broek met afgesnyde pype, sandale en 'n leerhalssnoer met vyf verskillende kleure kleikrale daarin geryg. Die enigste ontstellende ding omtrent sy voorkoms is die dik wit litteken wat van net onder sy regteroor tot by sy kakebeen strek, soos 'n ou meswond.

"Dis Luke" sê Annabeth, en haar stem klink skielik anders. Ek loer na haar kant toe en ek kan sweer sy bloos. Sy sien ek kyk vir haar, en haar uitdrukking verhard weer. "Hy's voorlopig jou instrukteur."

"Voorlopig?"

"Jy's onbepaald," verduidelik Luke geduldig. "Hulle weet nie in watter hut om jou te sit nie, dis hoekom jy hier beland het. Hut elf verwelkom alle nuwelinge, alle besoekers. Natuurlik sal ons. Hermes, ons beskermheer, is die god van reisigers."

Ek kyk na die klein stukkie vloerspasie wat vir my gegee is. Ek het niks wat ek daar kan sit om dit as myne te merk nie; geen bagasie nie, geen klere nie, geen slaapsak nie. Net die Minotourushoring. Ek oorweeg dit om dít daar neer te sit, maar dan onthou ek Hermes is ook die god van diewe.

Ek kyk na die kampgangers om my se gesigte. Party is

stroef en agterdogtig, ander grinnik skaapagtig, en party lyk of hulle net wag vir 'n kans om my te besteel.

"Hoe lank gaan ek hier wees?" vra ek.

"Goeie vraag," sê Luke. "Totdat jy bepaal word."

"Hoe lank gaan dit vat?"

Al die kampgangers lag.

"Kom," sê Annabeth. "Ek gaan wys jou die vlugbalbaan."

"Ek het dit klaar gesien."

"Kom."

Sy kry my arm beet en sleep my buitentoe. Ek kan die kinders van hut elf agter my hoor lag.

Toe ons 'n paar meter weg is, sê Annabeth: "Regtig, Jackson, jy sal beter as dit moet doen."

"Wat?"

Sy rol haar oë en brom onderlangs: "Ek kan nie glo ek het gedink jy's die een nie."

"Wat is jou probleem?" Ek begin nou vies raak. "Al wat ek weet, is ek het die een of ander bul-ou doodgemaak en –"

"Moenie so praat nie!" sê Annabeth. "Weet jy hoeveel kinders by hierdie kamp wens hulle kon 'n kans soos jy kry?"

"Om doodgemaak te word?"

"Om teen die Minotourus te veg! Waarvoor dink jy word ons opgelei?"

Ek skud my kop. "Kyk, as die ding waarteen ek baklei het regtig *die* Minotourus was, die een in die stories …"

"Ja."

"Dan is daar net een."

"Ja."

"En hy's dood, soos in 'n ziljoen jaar terug al, nie waar nie? Theseus het hom in die labirint doodgemaak. So …"

"Monsters gaan nie dood nie, Percy. Hulle kan dood-gemaak word. Maar hulle gaan nie dood nie."

"O, dankie. Dit maak nou regtig sin."

"Hulle het nie siele soos ek en jy nie. Jy kan hulle 'n ruk lank verdryf, dalk selfs 'n hele leeftyd lank as jy gelukkig is. Maar hulle is oermagte. Chiron noem hulle argetipes. Ná 'n ruk vorm hulle weer."

Ek dink aan juffrou Dodds. "Jy bedoel, as ek een met 'n swaard doodgemaak het, per ongeluk –"

"Die Fu ... ek bedoel jou wiskundejuffrou? Dis reg. Sy's steeds iewers daar buite. Jy het haar net baie, baie kwaad gemaak."

"Hoe weet jy van juffrou Dodds?"

"Jy praat in jou slaap."

"Jy't haar amper iets genoem. 'n Furie? Dis hulle wat Hades se martelwerk vir hom doen, nè?"

Annabeth loer benoud na die grond, asof sy bang is dit gaan oopskeur en haar insluk. "Jy moet hulle nooit op die naam noem nie, nie eens hier by die kamp nie. Ons noem hulle die wraakgodinne, as ons hoegenaamd na hulle moet verwys."

"Kyk, is daar enige iets wat ons *mag* sê sonder dat die donderweer begin dreun?" Ek weet dit klink seker of ek onnodig sanik, maar dit skeel my op die oomblik bitter min. "En vir wat moet ek in hut elf bly? Hoekom bly almal so op 'n hoop? Daar oorkant is dan 'n hele klomp oop beddens."

Ek beduie na die eerste paar hutte, en Annabeth word bleek. "Jy kies nie sommer net 'n hut nie, Percy. Dit hang af wie jou ouers is. Of ... jou ouer."

Sy staar na my, asof sy wag ek moet iets snap.

"My ma is Sally Jackson," sê ek. "Sy werk by die lekkergoed-winkel in die Grand Central-stasie. Altans, sy het."

"Ek's jammer oor jou ma, Percy. Maar dis nie wat ek bedoel nie. Ek praat van jou ander ouer. Jou pa."

"Hy's dood. Ek het hom nooit geken nie."

"Nee, natuurlik nie."

"Nou hoe kan jy dan sê –"

"Want ek ken *jou*. Jy sou nie hier gewees het as jy nie een van ons was nie."

"Jy weet niks van my af nie."

"Nie?" Sy lig 'n wenkbrou. "Ek wed jou julle het baie rondgetrek van skool na skool. Ek wed jou jy's uit baie van daai skole geskop."

"Hoe –"

"Met disleksie gediagnoseer. Waarskynlik AGHS ook."

Ek probeer my verleentheid wegsteek. "Wat het dit met enige iets uit te waai?"

"Al daai dinge saam is omtrent 'n seker teken. Die letters vloei van die bladsye af wanneer jy lees, nè? Dis omdat jou brein vir Antieke Grieks aanmekaargesit is. En die AGHS – jy's impulsief, kan nie stilsit in die klaskamer nie. Dis jou slagveldreflekse. In 'n regte geveg hang jou lewe daarvan af. En wat die aandagprobleem betref, dis omdat jy te veel sien, Percy, nie te min nie. Jou sintuie is skerper as 'n gewone sterfling s'n. Natuurlik wil die onderwysers jou op medikasie hê. Die meeste van hulle is monsters. Hulle wil nie hê jy moet sien wie en wat hulle regtig is nie."

"Jy … dit klink of jy dieselfde ding deurgemaak het?"

"Die meeste van die kinders hier het. As jy nie soos ons was nie, sou jy nie die Minotourus kon oorleef nie, en nog minder die ambrosia en die nektar."

"Ambrosia en nektar?"

"Die kos en drank wat ons jou gegee het om jou beter te maak. Daai goed sou 'n normale ou se dood beteken het. Dit sou jou bloed in vuur verander het en jou beendere in sand en jy sou so dood soos 'n mossie gewees het. Aanvaar dit. Jy's 'n halfbloed."

'n Halfbloed.

Ek steier onder soveel vrae, ek weet nie waar om te begin nie.

Dan roep 'n hees stem: "Aitsa! En wat het ons hier? 'n Groentjie!"

Ek kyk om. Die meisie van die aaklige rooi hut kom na ons toe aangedrentel. Agter haar is drie ander meisies, almal net so groot soos sy, en met dieselfde wreedaardige voorkoms. Al vier van hulle dra kamoefleerbaadjies.

"Clarisse," sug Annabeth. "Vir wat gaan vryf jy nie jou spies blink of iets nie?"

"Goeie idee, ou prinsessie," sê die groot meisie. "Dan kan ek jou Vrydagaand daarmee deurboor."

"*Errete es korakas,*" sê Annabeth. Op die een of ander manier weet ek dit beteken "gaan na die kraaie", en ek kan aanvoel dis 'n erger vloek as wat dit klink. "Jy het nie 'n kans nie."

"Ons gaan julle vermorsel," sê Clarisse, maar haar oog spring. Dalk is sy nie regtig so seker sy kan haar dreigement deurvoer nie. Sy draai na my. "Wie's dié klein misgewas?"

"Percy Jackson," sê Annabeth, "ontmoet vir Clarisse, dogter van Ares."

Ek frons. "Soos ... die god van oorlog?"

Clarisse gluur my aan. "Het jy 'n probleem daarmee?"

"Nee," sê ek, nie meer so uit die veld geslaan nie. "Dit verklaar die reuk."

Clarisse grynslag. "Ons het 'n inlywingseremonie vir groentjies, Pissie."

"Percy."

"As jy so sê. Kom, dan wys ek jou."

"Clarisse —" probeer Annabeth keer.

"Hou daai wysneusie van jou hier uit, oukei?"

Annabeth lyk gepynig, maar sy bly stil. Ek wil nie regtig haar hulp hê nie. Ek is die nuwe outjie, so ek moet my reputasie verdien.

Ek oorhandig my Minotourushoring aan Annabeth en maak gereed om te baklei, maar voor ek my oë uitvee, het Clarisse my aan die nek beet en sleep sy my in die rigting van 'n betongebou wat ek sommer dadelik weet is die badkamer.

Ek skop en slaan. Dis nie die eerste keer dat ek in 'n bakleiery betrokke is nie, maar die groot meisie het hande soos yster. Sy sleep my by die meisiesbadkamer in. Aan die een kant is 'n ry toilette en aan die ander kant is 'n ry storthokkies. Dit ruik soos enige openbare badkamer, en ek dink — as dit enigsins *moontlik* is om te dink met Clarisse wat besig is om my hare uit my kop te ruk — as dié plek regtig aan die gode behoort, kan hulle darem wraggies seker beter toiletgeriewe bekostig.

Clarisse se vriendinne bulder van die lag, en ek probeer die krag vind wat ek gebruik het om teen die Minotourus te baklei, maar dis net nie daar nie.

"Dié mannetjie, Groot Drie-materiaal?" snork Clarisse terwyl sy my in die rigting van een van die toilette stamp. "Ek is seker. Kyk hoe onnosel lyk hy. Die Minotourus het hom seker vrek gelag."

Haar vriendinne proes.

Annabeth staan in die hoek en hou alles deur haar vingers dop.

Clarisse dwing my op my knieë en begin my kop in die toiletbak druk. Dit ruik soos verroeste pype en, wel, soos die soort goed wat in 'n toilet beland. Ek probeer my kop wegruk. Ek kyk na die vuil water en kners op my tande. Ek gaan nie toelaat dat iemand my kop daarin druk nie. Ek gaan nie.

Dan gebeur iets. Ek voel 'n pluk op die krop van my maag. Ek hoor die pype rammel en sidder. Clarisse se greep op my hare verslap. Water skiet uit die toilet, maak 'n boog oor my kop, en voor ek mooi weet wat aangaan, lê ek uitgestrek op die badkamerteëls met Clarisse wat agter my gil.

Ek draai om net toe water weer uit die toilet bars, en Clarisse so hard reg in die gesig tref dat sy op haar agterent beland. Die water bly op haar gerig asof dit uit 'n brandweerslang spuit, en dwing haar agtertoe, tot in 'n storthokkie.

Sy worstel teen die stroom water, snakkend na asem, en haar vriendinne kom nader om te help. Maar dan ontplof die ander toilette ook, en nog ses strome toiletwater skiet hulle agtertoe. Die storte trek ook los en begin water spuit, en die gesamentlike krag van die water is so erg dat die kamoefleerdragmeisies by die badkamer uitgedryf word. Hulle tol rond soos stukke rommel wat weggespoel word.

Die oomblik toe hulle by die deur uit is, bedaar die gevoel in my maag, en die water hou op spuit, net so vinnig as wat dit begin het.

Die hele badkamer is oorstroom. Annabeth het nie die water vrygespring nie. Sy is druipnat, maar sy is darem nie by die deur uitgestoot nie. Sy staan presies waar sy was, en staar geskok na my.

Ek kyk af en besef ek sit op die enigste droë kolletjie in die hele vertrek. Rondom my is 'n sirkel droë vloer. Daar is nie 'n druppel water op my klere nie. Niks.

Ek staan op, met bene wat bewe.

Annabeth sê: "Hoe het jy ..."

"Ek weet nie."

Ons stap deur toe. Buite lê Clarisse en haar vriendinne uitgestrek in die modder, en 'n groepie van die ander kampgangers staan en staar hulle aan. Clarisse se hare is oor haar gesig gesmeer. Haar kamoefleerbaadjie is sopnat en sy stink na dreinwater. Sy kyk met onverbloemde haat na my. "Jy is vrek, nuwe laaitie. Jy is morsdoodvrek."

Ek moet dit seker net ignoreer, maar ek sê: "Is jy lus om weer met toiletwater te gorrel, Clarisse? Maak eerder toe jou mond."

Haar vriendinne moet haar terughou. Hulle sleep haar terug na hut vyf, terwyl die ander kampgangers opsy staan om uit die pad van haar skoppende voete te bly.

Annabeth staar na my. Gril sy net vir die toiletwater, of is sy kwaad vir my omdat ek haar natgespuit het? Ek is nie seker nie.

"Wat?" vra ek. "Wat dink jy?"

"Ek dink," sê sy, "ek soek jou in my span as ons vang-die-vlag speel."

MY AANDETE GAAN IN ROOK OP

Nuus oor die onderonsie in die badkamer versprei dadelik soos 'n veldbrand. Oral waar ek gaan, beduie kampgangers na my en brom onderlangs oor toiletwater. Of dalk staar hulle net na Annabeth, wat nog min of meer kletsnat is.

Sy wys my nog 'n paar plekke: die metaalwerkklas (waar kinders hulle eie swaarde smee), die kuns-en-handwerkkamer (waar saters aan 'n yslike marmerstandbeeld van 'n bokman werk), en die kloutermuur, wat bestaan uit twee teenoorstaande mure wat woes skud, rotse op jou laat aftuimel, lawa spuit en teen mekaar begin kap as jy nie gou genoeg boontoe klim nie.

Op die ou end keer ons terug na die meer, waar die paadjie terug na die hutte lei.

"Ek het nou opleiding," sê Annabeth toonloos. "Aandete is halfagt. Volg net die res van jou hut na die eetsaal."

"Annabeth, ek's jammer oor die toilette."

"O."

"Dit was nie my skuld nie."

Sy kyk skepties na my, en ek besef dit *was* my skuld. Ek het water uit die toilette en storte laat skiet. Ek verstaan nie hoe nie. Maar die toilette het op my gereageer. Ek het een geword met die badkamerpype.

"Jy moet regtig met die Orakel gaan gesels," sê Annabeth.

"Wie?"

"Nie wie nie. Wat. Die Orakel. Ek sal vir Chiron vra."

Ek staar af in die meer, en wens iemand wil 'n slag vir my 'n reguit antwoord gee.

Ek het nie verwag iemand sal uit die bodem van die meer na my terugstaar nie, so my hart mis 'n slag toe ek twee tienermeisies kruisbeen aan die onderpunt van die kano's se vasmeerplek sien sit, amper vyf meter onder die water. Hulle dra blou jeans en glimmerende blou T-hemde, en hulle bruin hare dryf los rondom hulle skouers terwyl vissies heen en weer rondom hulle skiet. Hulle glimlag en waai vir my asof ek 'n lankverlore vriend is.

Ek weet nie wat om te doen nie, so ek waai terug.

"Loop maar lig vir hulle," waarsku Annabeth. "Najades is mal oor flirt."

"Najades," herhaal ek en voel geheel en al oorweldig. "Oukei, dis genoeg. Ek wil nou dadelik huis toe gaan."

Annabeth frons. "Verstaan jy nie, Percy? Jy *is* by die huis. Dis die enigste veilige plek op aarde vir kinders soos ons."

"Jy bedoel kinders wat nie lekker in hulle koppe is nie?"

"Ek bedoel kinders wat nie *mens* is nie. Of nie heeltemal mens nie. Halfmens."

"Halfmens en half-*wat*?"

"Ek dink jy weet."

Ek wil dit nie erken nie, maar ek is bevrees dis waar. Ek voel 'n krieweling in my ledemate, 'n gevoel wat ek soms gekry het as my ma van my pa gepraat het.

"God," sê ek. "Halfgod."

Annabeth knik. "Jou pa is nie dood nie, Percy. Hy's een van die Olimpiërs."

"Dis ... malligheid."

"Is dit? Wat is die algemeenste ding wat gode in die ou stories gedoen het? Hulle het op mense verlief geraak en kinders by hulle gekry. Dink jy hulle het die afgelope paar duisend jaar skielik opgehou daarmee?"

"Maar dis net –" Amper sê ek weer *mites*, maar dan onthou ek Chiron se waarskuwing dat *ek* dalk oor tweeduisend jaar as 'n mite beskou kan word. "Maar as die kinders hier … godekinders is –"

"Halfgode," sê Annabeth. "Dis die amptelike term. Of halfbloede."

"Wie is dan jou pa?"

Haar hande verstyf om die reling van die vasmeerplek. Ek kry dadelik die gevoel ek het 'n teer snaar aangeraak.

"My pa is 'n professor by West Point," sê sy. "Ek het hom laas gesien toe ek nog baie klein was. Sy vakgebied is die Amerikaanse geskiedenis."

"So, hy's 'n mens."

"Wat? Het jy aangeneem dis net manlike gode wat menslike vroue aantreklik kan vind? Lekker seksisties."

"So, wie is jou ma dan?"

"Hut ses."

"Bedoelende?"

Annabeth trek haar skouers terug. "Athena. Godin van wysheid en oorlog."

Oukei, dink ek. Dit maak seker sin.

"En my pa?"

"Onbepaald," sê Annabeth. "Soos ek mos al vir jou gesê het. Niemand weet nie."

"Behalwe my ma. Sy het geweet."

"Miskien nie, Percy. Gode maak nie altyd hulle identiteit bekend nie."

"My pa sou. Hy was lief vir haar."

Annabeth gee my 'n versigtige kyk. Ek kan sien sy wil my eerder nie ontnugter nie. "Dalk is jy reg. Dalk sal hy vir jou 'n teken stuur. Dis die enigste manier om vir seker te weet.

Jou pa moet vir jou 'n teken stuur om jou as sy seun op te eis. Partykeer gebeur dit."

"Bedoel jy partykeer gebeur dit *nie?*"

Annabeth vee met haar handpalm oor die reling. "Die gode is besig. Hulle het hope kinders en dis nie altyd te sê ... Wel, partykeer voel hulle maar net 'n veer vir ons, Percy. Hulle ignoreer ons."

Ek dink aan party van die kinders wat ek in die Hermes-hut gesien het, tieners wat bot en depressief gelyk het, asof hulle wag vir 'n foonoproep wat nooit gaan kom nie. Ek het sulke kinders by die Yancy-akademie geken, kinders wie se ryk ouers hulle by die kosskool aflaai omdat hulle nie tyd het vir hulle nie. Maar gode moet hulle tog beter gedra.

"So, ek het nie 'n keuse nie?" sê-vra ek. "Ek moet net hier bly sit? Vir die res van my lewe?"

"Dit hang af," sê Annabeth. "Party kampgangers bly net vir die somer. As jy 'n kind van Afrodite of Demeter is, het jy waarskynlik nie regtig 'n sterk krag nie. Die monsters sal jou dalk ignoreer, so jy kan wegkom met 'n paar maande someropleiding en die res van die jaar kan jy in die wêreld van die sterflinge woon. Maar vir party van ons is dit te gevaarlik om pad te gee. Ons bly heeljaar hier. In die wêreld van die sterflinge lok ons monsters. Hulle kan ons teenwoordigheid aanvoel. Hulle kom daag ons uit. Gewoonlik ignoreer hulle ons tot ons oud genoeg is om moeilikheid te maak – so tien of elf jaar oud – maar daarna vind die meeste halfgode hulle pad hierheen, of hulle word doodgemaak. 'n Paar kry dit reg om in die buitewêreld te oorleef en beroemd te word. Glo my, as jy van die name hoor, sal jy dit herken. Party besef nie eens hulle is halfgode nie. Maar daar is baie, baie min van hulle."

"So, monsters kan nie hier inkom nie?"

Annabeth skud haar kop. "Nie tensy hulle met opset in die woud losgelaat word of deur iemand aan die binnekant opgeroep word nie."

"Waarom sal iemand 'n monster wil oproep?"

"Oefengevegte. Poetse."

"Poetse?"

"Die punt is, die grense is verseël om sterflinge en monsters buite te hou. Van buite kyk sterflinge na die vallei en sien niks buitengewoons nie, net 'n aarbeiplaas."

"So ... jy's een van dié wat heeljaar bly?"

Annabeth knik. Sy trek 'n leerbandjie met vyf verskillende kleure kleikrale onder die kraag van haar T-hemp uit. Dit lyk nes Luke s'n, behalwe dat daar ook 'n goue ring deur hare geryg is.

"Ek is al hier vandat ek sewe is," sê sy. "Elke Augustus, op die laaste dag van die somersessie, kry jy 'n kraletjie omdat jy nog 'n jaar oorleef het. Ek is al langer as die meeste van die instrukteurs hier, en hulle is almal al op kollege."

"Hoekom het jy so jonk al hiernatoe gekom?"

Sy draai die ring aan haar halssnoer rond. "Niks met jou uit te waai nie."

"O." Ek staan 'n rukkie lank in ongemaklike stilte rond. "So ... ek kan padgee as ek wil?"

"As jy lus het om dood te gaan. Maar ja, jy kan gaan, met meneer D of Chiron se toestemming. Maar hulle sal nie toestemming gee voor die einde van die somer nie, behalwe ..."

"Behalwe?"

"Behalwe as jy 'n heldetaak kry. Maar dit gebeur amper nooit. Die vorige keer ..."

Haar stem sterf weg. Uit haar stemtoon kan ek aflei dat die vorige keer nie goed afgeloop het nie.

"Daar in die siekeboeg," sê ek, "toe jy daai goed vir my gevoer het ..."

"Ambrosia."

"Ja. Jy't my iets gevra oor die somersonstilstand."

Annabeth se skouers verstyf. "So, jy *weet* iets?"

"Wel ... nee. Maar by my ou skool het ek Grover en Chiron daaroor hoor praat. Grover het iets van die somersonstilstand genoem. Hy't iets gesê van 'n sperdatum, dat ons nie baie tyd het nie. Wat het hy bedoel?"

Sy klem haar vuiste saam. "Ek wens ek het geweet. Chiron en die saters, hulle weet, maar hulle wil my nie vertel nie. Iets is fout op Olimpus, iets groots. Laas toe ek daar was, het alles so *normaal* gevoel."

"Was jy op Olimpus?"

"Party van ons wat heeljaar hier bly – ek en Luke en Clarisse en 'n paar van die ander – het op 'n klasuitstappie gegaan, tydens die wintersonstilstand. Dis wanneer die gode hulle groot jaarlikse raadsitting hou."

"Maar ... hoe het julle daar gekom?"

"Met die trein, natuurlik. Jy klim by Penn-stasie af. In die Empire State-gebou is 'n spesiale hysbak na die seshonderdste verdieping." Sy kyk na my asof sy seker is ek behoort dit te weet. "Jy *is* tog 'n New Yorker, nie waar nie?"

"O, oukei." Sover ek weet, het die Empire State-gebou het honderd-en-twee verdiepings, maar ek besluit om dit eerder nie te noem nie.

"Kort ná ons besoek," gaan Annabeth voort, "het die weer vreemd geword, asof die gode begin stry het. Van toe af het ek 'n paar keer die saters in die geheim daaroor hoor praat.

Al wat ek kon aflei, is dat iets belangriks gesteel is. En as dit nie teen die somersonstilstand teruggegee word nie, gaan daar moeilikheid wees. Toe jy hier aangekom het, het ek gehoop ... ek bedoel – Athena kan met amper enige iemand oor die weg kom, behalwe Ares. En sy's natuurlik in 'n voortdurende wedywering met Poseidon gewikkel. Maar ek bedoel, afgesien daarvan, het ek gedink ons kan saamwerk. Ek het gedog jy weet dalk iets."

Ek skud my kop. Ek wens ek kon haar help, maar ek is te honger en moeg en my brein voel heeltemal te oorlaai om nog vrae te vra.

"Ek moet 'n heldetaak kry," brom Annabeth vir haarself. "Ek is *nie* te jonk daarvoor nie. As hulle my net wil vertel wat die probleem is ..."

Ek ruik braaivleisrook wat van iewers naby ons aangewaai kom. Annabeth hoor seker my maag grom. Sy sê ek moet solank gaan, sy kom later. Ek laat haar op die vasmeerplek agter, waar sy met haar vinger oor die reling bly teken, asof sy 'n oorlogsplan optrek.

Toe ek terug by hut elf kom, is almal besig om te gesels en grappies te maak terwyl hulle wag vir aandete. Vir die eerste keer sien ek 'n klomp van die kampgangers lyk nogal eenders: skerp neuse, hoë wenkbroue, ondeunde glimlagte. Hulle is die soort kinders wat onderwysers dadelik as moeilikheidmakers sal merk. Gelukkig steur niemand hulle juis aan my terwyl ek na my plekkie op die vloer toe stap en met my Minotourushoring daar neersak nie.

Die instrukteur, Luke, stap nader. Hy het ook die Hermes-familietrek. Dit word wel 'n bietjie bederf deur die litteken op sy linkerwang, maar sy glimlag is ongeskonde.

"Ek het vir jou 'n slaapsak gekry," sê hy. "En hier, ek het vir jou 'n paar toiletware uit die kampwinkel gesteel."

Dis moeilik om te raai of hy ernstig is oor die steelgedeelte.

"Dankie," sê ek.

"Geen probleem nie." Luke kom sit langs my, met sy rug teen die muur. "Rowwe eerste dag?"

"Ek hoort nie hier nie," sê ek. "Ek glo nie in gode nie."

"Jip," sê hy. "Dis hoe ons almal aan die begin was. En as jy eers in hulle begin glo? Glo my, dit word nie makliker nie."

Ek is verbaas oor die bitterheid in sy stem, want Luke lyk vir my soos 'n ou wat dinge rustig vat. Dit lyk of amper niks hom van stryk kan bring nie.

"So, jou pa is Hermes?" vra ek.

Hy haal 'n knipmes uit sy agtersak, en 'n oomblik lank is ek oortuig hy gaan my binnegoed daarmee uithaal, maar hy skraap net die modder van sy sandaal se sool af. "Jip. Hermes."

"Die boodskapper-ou met die vlerke aan sy voete."

"Einste. Boodskappers. Medisyne. Reisigers, handelaars, diewe. Enige iemand wat die paaie gebruik. Dis hoekom jy hier is, en hut elf se gasvryheid kan geniet. Hermes is nie kieskeurig oor wie hy help nie."

Luke bedoel seker nie om my met opset 'n nikswerd niemand te noem nie. Sy kop is seker maar net met 'n klomp ander dinge besig.

"Het jy al ooit jou pa ontmoet?" vra ek.

"Een keer."

Ek wag. As hy my daarvan wil vertel, sal hy seker. Maar skynbaar wil hy nie. Ek wonder of dit iets te doen het met hoe hy daardie litteken gekry het.

Luke kyk op en dwing 'n glimlag op sy gesig. "Moenie

bekommerd wees nie, Percy. Die kampgangers hier is meestal goeie mense. Ons is tog almal op 'n manier familie, nie waar nie? Ons sorg vir mekaar."

Dit lyk of hy verstaan hoe verlore ek voel, en ek is dankbaar daaroor, want 'n ouer ou soos hy – al is hy 'n instrukteur – behoort nie eintlik met 'n jong outjie soos ek pelle te maak nie. Maar Luke het my in die hut verwelkom. Hy het selfs vir my 'n paar toiletware gesteel, en dis die gaafste ding wat enige iemand nog vandag vir my gedoen het.

Ek besluit om hom die groot vraag te vra, die een wat my al heel middag pla. "Clarisse, van Ares, het 'n grap gemaak oor ek wat Groot Drie-materiaal is. Toe Annabeth ... sy't twee keer gesê ek is dalk 'die een'. Sy't gesê ek moet met die Orakel praat. Wat is die storie?"

Luke vou sy mes toe. "Ek haat profesieë."

"Wat bedoel jy?"

Sy gesig vertrek rondom die litteken. "Kom ons sê maar net ek het dinge vir al die ander opgefoeter. Die afgelope twee jaar, sedert my uitstappie na die Tuin van die Hesperides skeefgeloop het, het Chiron nog nooit weer enige heldetake toegelaat nie. Annabeth brand om uit te gaan in die wêreld. Sy het Chiron so verpes, hy het op die ou end vir haar gesê hy weet klaar wat haar lot is. Hy het 'n profesie van die Orakel gekry. Hy wou haar nie die hele aaklige ding vertel nie, maar hy het gesê Annabeth is nie bestem om op 'n heldetaak te gaan nie. Sy moet wag tot ... iemand spesiaals hier by die kamp aankom."

"Iemand spesiaals."

"Moenie jou kop daaroor breek nie," sê Luke. "Annabeth wil graag glo elke nuwe kampganger wat hier aankom, is die teken waarop sy gewag het. Toe nou, kom, dis etenstyd."

Die oomblik toe hy dit sê, blaas 'n horing in die verte. Op 'n manier weet ek dis 'n trompetskulp, al het ek nog nooit een gehoor nie.

"Elf, val in!" roep Luke.

Die hele hut, amper twintig van ons, stap buitentoe. Ons gaan staan in 'n ry, van die mees senior tot die mees junior, so ek is natuurlik heel laaste. Kampgangers kom uit die ander hutte ook te voorskyn, behalwe vir die drie leë hutte op die punt, en hut agt, wat in die daglig normaal gelyk het, maar wat nou met 'n silwer lig begin gloei terwyl die son ondergaan.

Ons stap in gelid by die heuwel op, tot by die eetsaal-pawiljoen. Saters kom uit die veld gestap en sluit by ons aan. Najades kom uit die meer te voorskyn. 'n Paar ander meisies kom uit die woud — en as ek sê hulle kom uit die woud, bedoel ek *reg* uit die woud. Ek sien een meisie, seker so nege of tien jaar oud, wat uit die kant van 'n esdoringboom lossmelt en by die heuwel opgehuppel kom.

Altesaam is daar seker so 'n honderd kampgangers, 'n paar dosyn saters en 'n dosyn verskillende nimfe en najades.

Fakkels brand teen die pilare wat in 'n kring gerangskik is. In die middel brand 'n vuur in 'n bronsvuurpan wat so groot is soos 'n bad. Elke hut het sy eie tafel, met 'n wit tafeldoek met pers omboorsel daaroor. Vier van die tafels is leeg, maar hut elf s'n is stampvol. Ek moet op die punt van 'n bankie inskuif met my een boud wat afhang.

Ek sien Grover sit by tafel twaalf saam met meneer D, 'n paar saters en 'n klompie mollige blonde seuntjies wat nes meneer D lyk. Chiron staan eenkant, want die piekniektafel is te klein vir 'n sentour.

Annabeth sit by tafel ses saam met 'n klomp atletiese

kinders wat vreeslik ernstig lyk, almal met dieselfde grys oë en heuningblonde hare.

Clarisse sit agter my by Ares se tafel. Sy het skynbaar herstel van haar onderonsie met die toiletwater, want sy lag en breek luidkeels winde op saam met haar vriendinne.

Uiteindelik stamp Chiron sy hoef teen die pawiljoen se marmervloer, en almal bly stil. Hy lig sy glas. "Op die gode!"

Almal lig hulle glase. "Op die gode!"

Woudnimfe tree vorentoe met skinkborde vol kos: druiwe, appels, aarbeie, kaas, vars brood en braaivleis! My glas is leeg, maar Luke sê: "Praat daarmee. Enige iets wat jy wil hê – sonder alkohol, natuurlik."

Ek sê: "Cherry Coke."

Die glas vul vanself met vonkelende, karamelkleurige vloeistof.

Dan kry ek 'n idee. "*Blou* Cherry Coke."

Die koeldrank word 'n woeste kobaltkleur.

Ek vat versigtig 'n slukkie. Perfek.

Ek drink 'n heildronk op my ma.

Sy's nie weg nie, sê ek vir myself. In elk geval nie vir ewig nie. Sy's in die Onderwêreld. En as daar regtig so 'n plek bestaan, gaan ek eendag ...

"Hier, Percy," sê Luke en gee vir my 'n skinkbord vol gerookte biefstuk aan.

Ek laai my bord vol. Net toe ek 'n groot hap wil vat, sien ek hoe iemand opstaan en 'n bord na die vuur in die middel van die pawiljoen dra. Is daar nagereg iewers?

"Kom," sê Luke.

Toe ek nader gaan, sien ek dat almal 'n deel van hulle kos vat en dit in die vuur gooi – die rypste aarbei, die sappigste stuk bief, die warmste, botterigste broodrolletjie.

Luke fluister in my oor: "Brandoffers vir die gode. Hulle hou van die reuk."

"Jy's nie ernstig nie."

Sy kyk maan my om dit ernstig op te neem, maar ek kan nie help om te wonder waarom 'n onsterflike, almagtige wese van die reuk van verbrande kos sal hou nie.

Luke stap tot by die vuur, laat sak sy kop, en gooi 'n tros vet rooi druiwe in. "Hermes."

Ek is volgende.

Ek wens ek het geweet watter god se naam om te sê.

Oplaas lewer ek maar 'n stille pleidooi: *Wie jy ook al is, vertel my. Asseblief.*

Ek skraap 'n groot sny van die biefstuk in die vuur.

Toe ek die rook ruik, laat dit my nie stik nie.

Dit ruik glad nie soos brandende kos nie. Dit ruik soos warm sjokolade en varsgebakte brownies, sissende braaivleis op 'n rooster, en wilde blomme en honderde ander wonderlike goed wat glad nie bymekaar behoort te pas nie, en tog ruik dit fantasties. Ek kan amper glo die gode kan van daardie rook leef.

Toe almal weer gaan sit het en klaar geëet het, stamp Chiron weer met sy hoef om ons aandag te trek.

Meneer D staan met 'n swaar sug op. "Ja, ek moet seker vir julle spul niksnutse hallo sê. Oukei, hallo. Ons hoof van aktiwiteite, Chiron, sê die volgende vang-die-vlag-uitdaging vind Vrydag plaas. Hut vyf is op die oomblik die kampioene."

'n Nare gejuig klink van Ares se tafel af op.

"Persoonlik," gaan meneer D voort, "skeel dit my regtig min, maar baie geluk. O ja, en ek moet julle meedeel ons het vandag 'n nuwe kampganger, Peter Johnson."

Chiron brom iets.

"E … Percy Jackson," korrigeer meneer D. "Dis reg. Hoera en jippie en al daai dinge. Oukei, skoert nou na julle simpel kampvuur toe. Toe, toe."

Almal juig. Ons stap almal af na die amfiteater, waar Apollo se hut 'n saamsingaand lei. Ons sing kampvuurliedjies oor die gode en braai malvalekkers en maak grappies, en snaaks genoeg voel dit nie meer asof enige iemand my aanstaar nie. Dit voel asof ek tuis is.

Later die aand, toe die vonke van die kampvuur in 'n sterbesaaide hemelruim boontoe krul, blaas die trompetskulp weer, en ons stap terug na ons hutte. Eers toe ek op my geleende slaapsak neersak, besef ek hoe moeg ek is.

My vingers krul om die Minotourushoring. Ek dink aan my ma, maar dis goeie gedagtes: Haar glimlag, die slaaptyd-stories wat sy vir my gelees het toe ek klein was, die manier hoe sy oor my hare gevryf het as sy my goeienag soen.

Toe ek my oë toemaak, voel ek dadelik hoe ek begin insluimer.

Dis die einde van my eerste dag by Kamp Halfbloed.

AGT
✢

ONS VANG DIE VLAG

Die volgende paar dae val ek in by 'n roetine wat amper normaal voel, as jy die feit kan miskyk dat ek lesse by saters, nimfe en 'n sentour kry.

Elke oggend het ek Antieke Grieks by Annabeth, en ons praat oor die gode en godinne in die teenwoordige tyd, wat nogal vreemd voel. Ek ontdek Annabeth was reg oor my disleksie: Antieke Grieks is nie vir my so moeilik om te lees nie. In elk geval nie moeiliker as om enige iets anders te lees nie. Ná 'n paar oggende kan ek deur 'n paar reëls van Homeros stotter, sonder te veel van 'n kopseer.

Die res van die tyd stel ek die een buitelugaktiwiteit ná die ander op die proef, om te probeer uitvind waarmee ek goed is. Chiron probeer sy bes om my te leer boogskiet, maar ek vind redelik vinnig uit ek is hopeloos met 'n pyl en boog. Hy kla nie, al moet hy op 'n kol 'n wegholpyl uit sy sterthare lostorring.

Voetwedlope? Ook nie my ding nie. Die woudnimf-instrukteurs skop stof in my oë. Hulle sê ek moenie bekommerd wees nie — hulle oefen al eeue lank om vir verliefde gode weg te hol. Maar dis nogtans ietwat van 'n verleentheid om stadiger as 'n boom te wees.

En stoei? Vergeet dit. Elke keer as ek op die mat beland, maak Clarisse maalvleis van my.

"Daar's nog baie waar daai vandaan kom, boetie," grom sy in my oor.

Die enigste ding waarin ek regtig uitblink, is roei, en dis

nie juis die soort heldhaftige vaardigheid wat mense verwag van die outjie wat die Minotourus verslaan het nie.

Ek weet die senior kampgangers en instrukteurs hou my dop, probeer besluit wie my pa is, maar dis nie so maklik nie. Ek is nie so sterk soos die Ares-kinders nie, of so goed met boogskiet soos die Apollo-kinders nie. Ek het nie Hefaistos se aanleg vir metaalwerk of — gode behoed my — Dionusos se slag met rankplante nie. Luke reken ek is dalk 'n kind van Hermes, wat amper als kan doen, maar nie vreeslik goed is met enige iets nie. Maar ek vermoed hy wil my net laat beter voel. Hy weet ook nie regtig wat om van my te dink nie.

En tog hou ek van die kamp. Ek raak gewoond aan die oggendmis oor die strand, die reuk van warm aarbeilande in die middag, selfs die vreemde geluide van monsters in die woud snags. Ek eet saans aandete saam met hut elf, skraap 'n deel van my kos in die vuur, en probeer 'n soort band met my pa voel. Daar is niks. Net daardie warm gevoel wat ek nog altyd gehad het, die herinnering aan sy glimlag. Ek probeer om nie te veel aan my ma te dink nie, maar ek wonder die heeltyd … As gode en monsters werklik bestaan, as al dié towergoed moontlik is, moet daar tog sekerlik 'n manier wees om haar te red, om haar terug te bring …

Ek begin Luke se bitterheid verstaan, en waarom hy skynbaar sy pa, Hermes, kwalik neem. Oukei, so dalk het gode belangrike dinge om te doen. Maar kan hulle nie darem net nou en dan inloer of iets nie? Dionusos kan Diet Coke uit die niet laat verskyn. Hoekom kan my pa, wie hy ook al is, nie 'n foon laat verskyn nie?

Donderdagmiddag, drie dae nadat ek by Kamp Halfbloed aangekom het, is dit tyd vir my eerste swaardgevegles. Almal van hut elf kom in die groot, ronde arena bymekaar, waar Luke ons instrukteur gaan wees.

Ons begin met basiese kap en sny, wat ons oefen op strooipoppe wat Griekse wapenrusting dra. Ek dink ek vaar oukei. Ten minste verstaan ek wat ek veronderstel is om te doen en my reflekse is goed.

Die probleem is, ek kry nie 'n swaard wat reg voel in my hande nie. Die goed is almal te swaar, of te lig of te lank. Luke probeer sy bes om vir my die regte een te help uitsoek, maar hy stem saam dat nie een van die oefenswaarde vir my werk nie.

Daarna skerm ons in pare. Luke kondig aan dat hy my maat gaan wees, aangesien dit my eerste keer is.

"Sterkte," sê een van die kampgangers vir my. "Luke is ons beste swaardvegter die afgelope driehonderd jaar."

"Hopelik laat hy my lig daarvan afkom," sê ek.

Die kampganger snork.

Luke wys my op die harde manier hoe om steekhoue uit te voer en af te weer en met die skild te keer. Met elke hou word ek al hoe erger gekneus en gekarnuffel. "Moenie jou waaksaamheid verslap nie, Percy," sê hy en klits my oor die ribbes met die plat kant van sy swaard. "Nee, nie so hoog nie!" *Dwaf!* "Vorentoe!" *Dwaf!* "Nou terug!" *Dwaf!*

Teen die tyd dat hy aankondig ons kan 'n blaaskans neem, is ek sopnat gesweet. Almal storm op die koeldrankyskas af. Luke gooi yswater oor sy kop uit, en dit lyk na so 'n goeie idee dat ek dieselfde doen.

Oombliklik voel ek beter. Krag sypel terug in my arms. Die swaard voel nie meer so vreemd in my hande nie.

"Oukei, almal, staan nader!" beveel Luke. "As Percy nie omgee nie, wil ek vir julle 'n klein demonstrasie gee."

Fantasties, dink ek. Kom ons kyk almal hoe Percy se alie geskop word.

Die Hermes-ouens kom staan in 'n kringetjie bymekaar. Dit lyk of hulle sukkel om nie te glimlag nie. Ek skat hulle was seker voorheen in my skoene en hulle kan nie wag om te sien hoe Luke my vir 'n slaansak gebruik nie. Hy vertel vir almal hy gaan 'n ontwapeningstegniek demonstreer: Hoe om die vyand se lem met die plat kant van jou eie swaard te draai sodat hy geen ander keuse het as om sy wapen te laat val nie.

"Dis moeilik," benadruk hy. "Ek was al aan die ontvang-kant daarvan. Julle lag nie vir Percy nie, hoor. Die meeste swaardvegters moet jare lank werk om dié tegniek onder die knie te kry."

Hy demonstreer in stadige aksie die beweging op my. Die swaard val klaterend uit my hand.

"Nou doen ons dit teen die gewone pas," sê hy toe ek my wapen opgetel het. "Ons hou aan skerm totdat een van ons dit regkry. Gereed, Percy?"

Ek knik en Luke val aan. Op die een of ander manier kry ek dit reg om te keer dat hy die hef van my swaard bykom. My sintuie word wawyd wakker. Ek sien sy aanvalle kom. Ek weer dit af. Ek tree vorentoe en probeer 'n hou inkry. Luke keer dit maklik, maar ek sien 'n verandering op sy gesig. Sy oë vernou, en hy begin my met meer krag aanval.

Die swaard word swaar in my hand. Die balans is nie reg nie. Ek weet dis net 'n kwessie van sekondes voor Luke met my klaarspeel, so ek besluit dis nou of nooit.

Ek probeer die ontwapeningstegniek.

My lem tref die basis van Luke s'n en ek draai my swaard, met my hele gewig wat dit ondertoe dryf.

Klang.

Luke se swaard ratel teen die klippe. Die punt van my lem is 'n paar sentimeter van sy onbeskermde bors af.

Die ander kampgangers is tjoepstil.

Ek laat sak my swaard. "Uhm, jammer."

'n Oomblik lank is Luke te verstom om te praat.

"Jammer?" Sy litteken-gesig breek oop in 'n grinnik. "By die gode, Percy, vir wat is jy jammer? Wys my weer hoe jy dit doen!"

Ek wil nie. Daardie kort uitbarsting van dolle energie is nou heeltemal skoonveld. Maar Luke hou vol.

Dié keer is ek nie eens amper opgewasse teen hom nie. Die oomblik toe ons swaarde ontmoet, tref Luke my hef en laat my wapen oor die vloer gly.

Ná 'n lang stilte sê een van die omstanders: "Was hy maar net gelukkig?"

Luke vee die sweet van sy wenkbroue af. Dit lyk of hy met heel nuwe oë na my kyk. "Dalk," sê hy. "Maar ek brand om te sien wat Percy met 'n behoorlik gebalanseerde swaard kan doen ..."

Vrydagmiddag sit ek en Grover by die meer, stokflou ná 'n lewensgevaarlike oefensessie op die kloutermuur. Grover het rats soos 'n bergbok boontoe geklim, maar die lawa het amper my einde beteken. My hemp is vol gate gebrand. Die haartjies op my voorarms is afgeskroei.

Ons sit op die vasmeerplek en kyk hoe die najades onder die water mandjies vleg. Uiteindelik skraap ek die moed bymekaar om vir Grover te vra hoe sy gesprek met meneer D verloop het.

Sy gesig word 'n nare skakering van geel.

"Oukei," sê hy. "Fantasties."

"So, jou loopbaan is nog op koers?"

Hy loer senuweeagtig na my. "Het … het Chiron jou gesê ek wil 'n soekerslisensie hê?"

"Wel … nee." Ek het geen benul wat 'n soekerslisensie is nie, maar dit voel nie nou soos die regte tyd om te vra nie. "Hy het net gesê jy't groot planne … en dat jy 'n bewakerstaak suksesvol moet voltooi. So, was jy suksesvol?"

Grover kyk af na die najades. "Meneer D het die uitslag voorbehou. Hy sê ek het nog nie misluk of geslaag met jou nie, so ons lot is steeds saamgebind. As jy 'n heldetaak kry en ek saamgaan om jou te beskerm, en ons albei kom lewend terug, dan sal hy die taak beskou as suksesvol afgehandel."

Ek skep sommer moed. "Wel, dis nie so sleg nie, of hoe?"

"Blaa-ha-ha! Hy kon my maar netsowel aangesê het om van nou af die stalle skoon te maak. Die kans dat jy ooit 'n heldetaak sal kry … en selfs al gebeur dit, waarom sal jy *my* wil saamvat?"

"Natuurlik sal ek wil hê jy moet saamkom!"

Grover staar stroef na die water. "Mandjies vleg … Dis seker lekker om 'n nuttige talent te hê."

Ek probeer hom verseker hy het hope talente, maar dit laat hom net nog neerslagtiger lyk. Ons gesels 'n rukkie lank oor roei en swaardlesse, en dan debatteer ons die voordele en nadele van verskillende gode. Ek vra hom oor die vier leë hutte.

"Nommer agt, die silwer een, behoort aan Artemis," sê hy. "Sy het mans afgesweer. So, dit beteken natuurlik geen kinders nie. Die hut is maar net 'n soort eregebaar. As sy nie een gehad het nie, sou sy vies gewees het."

"Ja, oukei. Maar die ander drie, op die punt. Is dit die Groot Drie?"

Grover lyk ongemaklik. Ek kan sien dis 'n sensitiewe onderwerp. "Nee. Een van hulle, nommer twee, is Hera s'n," sê hy. "Dis ook maar net daar sodat sy nie aanstoot moet neem nie. Sy's die godin van die huwelik, so natuurlik gaan sy nie verhoudings met sterflinge aanknoop nie. Dis haar man se werk. Wanneer ons van die Groot Drie praat, bedoel ons die drie magtige broers, die seuns van Kronos."

"Zeus, Poseidon, Hades."

"Reg. So, jy weet. Ná die groot geveg teen die Titane, het hulle die wêreld by hulle pa oorgeneem en lootjies getrek om te besluit wie kry wat."

"Zeus het die hemelruim gekry," onthou ek. "Poseidon die see, Hades die Onderwêreld."

"Jip."

"Maar Hades het nie 'n hut hier nie."

"Nee. Hy het ook nie 'n troon op Olimpus nie. Hy doen soort van sy eie ding daar in die Onderwêreld. As hy 'n hut hier gehad het ..." Grover ril. "Wel, kom ons sê maar net dit sou nie grappies gewees het nie."

"Maar Zeus en Poseidon – in die mites het altwee van hulle omtrent 'n miljuisend kinders gehad. Hoekom is hulle hutte leeg?"

Grover skuif sy hoewe ongemaklik rond. "Amper sestig jaar terug, ná die Tweede Wêreldoorlog, het die Groot Drie ooreengekom dat hulle nie meer helde gaan verwek nie. Hulle kinders was net te magtig. Hulle het te veel ingemeng met mense se sake, te veel verwoesting gesaai. Jy weet, die Tweede Wêreldoorlog was basies 'n stryd tussen die seuns van Zeus en Poseidon aan een kant, en die seuns van Hades aan die ander kant. Die oorwinnaars, Zeus en Poseidon, het Hades gedwing om saam met hulle 'n eed af te lê: geen verhoudings meer met sterflike vroue nie. Hulle het almal op die Styxrivier gesweer."

Donderweer rammel.

"Dis die ernstigste eed wat jy kan aflê," sê ek.

Grover knik.

"En het die broers hulle woord gehou — geen kinders nie?"

Grover se gesig word donker. "Sewentien jaar gelede het Zeus voor die versoeking geswig. Daar was 'n TV-ster met sulke hengse tagtigs-hare — hy kon dit net nie help nie. Toe hulle kind gebore is, 'n dogtertjie genaamd Thalia ... wel, die Styxrivier is ernstig oor beloftes. Zeus het lig daarvan afgekom omdat hy onsterflik is, maar 'n aaklige lot het sy dogter getref."

"Maar dis onregverdig! Dit was mos nie die dogtertjie se skuld nie."

Grover aarsel. "Percy, kinders van die Groot Drie se kragte is sterker as die ander halfbloede s'n. Hulle het 'n sterk aura, 'n reuk wat monsters lok. Toe Hades uitgevind het van die dogtertjie, was hy nie baie ingenome met Zeus wat sy eed verbreek het nie. Hades het die ergste monsters uit Tartaros vrygelaat om Thalia agterna te sit. 'n Sater is aangewys om haar bewaker te wees wanneer sy twaalf word, maar daar was niks wat hy kon doen nie. Hy het haar hierheen probeer vergesel saam met twee ander halfbloede met wie sy vriende gemaak het. Hulle het dit amper gemaak. Hulle het al die pad tot bo-op daardie heuwel gevorder."

Hy beduie oor die vallei, na die denneboom waar ek teen die Minotourus geveg het. "Al drie wraakgodinne was agter hulle aan, saam met 'n swetterjoel helhonde. Toe dit duidelik word hulle het dit nie 'n kans nie, het Thalia haar sater aangesê om die ander twee halfbloede na veiligheid te neem terwyl sy die monsters terughou. Sy was gewond en gedaan, en sy wou nie langer lewe soos 'n dier wat gejag word nie. Die sater wou haar nie agterlaat nie, maar hy kon haar nie van plan laat verander nie, en hy moes die ander beskerm. So, Thalia het vir oulaas teen die monsters te staan gekom, daar op die heuwel. Terwyl sy sterwend was, het Zeus haar jammer gekry. Hy het haar in daardie denneboom verander. Haar gees help om die grense van die vallei te beskerm. Dis waarom dit Halfbloedheuwel genoem word."

Ek staar na die denneboom in die verte.

Die storie laat 'n hol gevoel in my bors, en dit laat my skuldig voel ook. 'n Meisie van my ouderdom het haarself opgeoffer om haar vriende te red. Sy het 'n hele weermag monsters getrotseer. In vergelyking daarmee lyk my oorwinning oor die Minotourus nie juis na veel nie. Ek wonder, sou ek anders opgetree het as ek my ma kon red?

"Grover," sê ek, "het helde regtig al na die Onderwêreld gegaan as deel van hulle heldetake?"

"Partykeer," sê hy. "Orfeus. Herkules. Houdini."

"En het hulle al ooit iemand uit die dood teruggebring?"

"Nee. Nooit. Orfeus het dit amper reggekry … Percy, jy dink tog nie regtig —"

"Nee," jok ek. "Ek het maar net gewonder … So … 'n sater word altyd aangewys om 'n halfgod te bewaak?"

Grover kyk agterdogtig na my. Ek het hom duidelik nie oortuig dat ek regtig die Onderwêreld-idee laat vaar het nie. "Nie altyd nie. Ons gaan onder 'n dekmantel na baie skole en probeer die halfbloede uitsnuffel wat dalk groot helde kan word. As ons een met 'n baie sterk aura opspoor, soos 'n kind van die Groot Drie, laat ons Chiron weet. Hy probeer hulle dophou, want hulle kan rêrig reuseprobleme veroorsaak."

"En jy het my opgespoor. Chiron het gesê jy't gedink ek is dalk iets spesiaals."

Grover lyk asof ek hom pas in 'n lokval gelei het. "Ek het nie ... O, nee, luister, moenie so daaraan dink nie. As jy *was* — jy weet — sal jy *nooit* toegelaat word om op 'n heldetaak te gaan nie, en ek sal nooit my lisensie kry nie. Jy's waarskynlik 'n kind van Hermes. Of dalk selfs een van die minder belangrike gode, soos Nemesis, die god van wraak. Moenie jou kop daaroor breek nie, oukei?"

Ek kry die idee hy probeer homself gerusstel, eerder as vir my.

Daardie aand ná ete loop die opwinding in die kamp hoog.

Uiteindelik is dit tyd vir vang-die-vlag.

Toe die borde weggevat is, blaas die trompetskulp en ons almal staan by ons tafels.

Kampgangers gil en juig terwyl Annabeth en twee van haar broers met 'n banier by die pawiljoen ingehardloop kom. Dit is amper drie meter lank, glinsterend grys, met 'n skildery van 'n nonnetjiesuil bo 'n olyfboom. Aan die oorkant van die pawiljoen kom Clarisse en haar vriendinne met 'n ander banier ingehardloop, net so groot, maar bloedrooi, met 'n bebloede spies en 'n wildevark se kop daarop geverf.

Ek draai na Luke en roep bo die lawaai: "Is dit die vlae?"

"Jip."

"Lei Ares en Athena altyd die spanne?"

"Nie altyd nie," sê hy. "Maar dikwels."

"So, as 'n ander hut een vang, wat doen julle — verf die vlag oor?"

Hy grinnik. "Jy sal sien. Eers moet ons een in die hande kry."

"Aan wie se kant is jy?"

Hy gee my 'n skelm kyk, asof hy iets weet wat ek nie weet nie. In die lig van die fakkels laat die litteken op sy gesig hom amper boosaardig lyk. "Ons het 'n tydelike alliansie met Athena gesmee. Vanaand kry ons die vlag by Ares. En *jy* gaan ons help."

Die spanne word aangekondig. Athena het 'n alliansie met Apollo en Hermes, die twee grootste hutte, gevorm. Skynbaar is voorregte uitgeruil – storttye, taakroosters, die beste tydgleuwe vir aktiwiteite – om ondersteuning te kry.

Ares het alliansies met al die ander gevorm: Dionusos, Demeter, Afrodite en Hefaistos. Op die oog af is Dionusos se kinders baie goeie atlete, maar daar is net twee van hulle. Demeter se kinders het 'n voorsprong as dit by natuurvaardighede en buitelugdinge kom, maar hulle is nie baie aggressief nie. Oor Afrodite se seuns en dogters is ek nie vreeslik bekommerd nie. Hulle loop gewoonlik elke liewe aktiwiteit mis omdat hulle eerder na hulle weerkaatsing in die meer sit en staar en hulle hare mooimaak en skinderstories uitruil. Hefaistos se kinders is nie mooi nie, en daar is net vier van hulle, maar hulle is groot en fris omdat hulle heeldag in die metaalwerkklas doenig is. Hulle kan dalk 'n probleem wees. Dit laat natuurlik Ares se hut oor: 'n dosyn van die grootste, goorste, gemeenste kinders op die ganse aarde.

Chiron hamer met sy hoef op die marmervloer.

"Helde!" kondig hy aan. "Julle ken die reëls. Die spruit is die grenslyn. Die hele woud is julle speelveld. Alle toweritems is toelaatbaar. Die banier moet prominent vertoon word, en dit mag nie deur meer as twee spelers bewaak word nie. Gevangenes mag ontwapen word, maar hulle mag nie vasgebind of gemuilband word nie. Niemand mag doodgemaak of vermink word nie. Ek sal die skeidsregter en slagveldmedikus wees. Kry julle wapens!"

Hy sprei sy hande oop en eensklaps is die tafels vol toerusting: helms, bronsswaarde, spiese en beesvelskilde wat met metaal bedek is.

"Jislaaik!" sê ek. "Kan ons regtig al dié goed gebruik?"

Luke kyk na my asof ek mal is. "Tensy jy wil hê een van jou pelle in hut vyf moet jou soos 'n sosatie deurboor. Hier – Chiron het gereken dit sal vir jou pas. Jy gaan op grenspatrollie wees."

My skild is so groot soos die bord agter 'n basketbalnet, met 'n enorme boodskapperstaf in die middel. Dit weeg omtrent 'n miljoen ton. Ek sal lekker daarop sneeuplank kan ry, maar ek hoop regtig nie iemand verwag ek moet vinnig daarmee hardloop nie. My helm, soos al die helms aan Athena se kant, het 'n blou perdehaarpluim bo-op. Ares en hulle bondgenote het rooi pluime.

Annabeth skree: "Blou span, vorentoe!"

Ons juig en skud ons swaarde terwyl ons haar al met die paadjie langs volg wat na die suidelike deel van die woud lei. Die rooi span koggel ons luidkeels terwyl hulle noordwaarts vertrek.

Ek kry dit reg om Annabeth in te haal sonder om oor my toerusting te val. "Hei."

Sy hou aan marsjeer.

"So, wat's die plan?" vra ek. "Het jy enige toweritems wat jy vir my kan leen?"

Haar hand beweeg na haar sak, asof sy bang is ek het iets gesteel.

"Oppas net vir Clarisse se spies," sê sy. "Glo my, jy wil nie hê daai ding moet aan jou raak nie. Verder hoef jy nie bekommerd te wees nie. Ons gaan Ares se banier kry. Het Luke vir jou gesê wat jou taak is?"

"Grenspatrollie, wat dit ook al beteken."

"Dis maklik. Staan by die spruit, hou die rooies weg. Laat die res aan my oor. Athena het altyd 'n plan."

Met dié woorde gee sy pad sonder om vir my te wag.

"Oukei," brom ek. "Bly jy wou my in jou span hê."

Die aandlug is warm en klam. Die woud is donker, met vuurvliegies wat tussen die bome verskyn en verdwyn. Annabeth laat my stelling inneem langs 'n stroompie wat oor rotse kabbel, en dan spat sy en die res van die span uitmekaar, tussen die bome in.

Ek bly alleen agter, met my groot bloupluimhelm en my yslike skild, en voel soos 'n regte idioot. Die bronsswaard, nes al die ander swaarde wat ek tot dusver probeer het, se balans voel verkeerd. Die leer om die handvatsel trek aan my hand soos 'n kegelbal.

Wel, daar's seker nie regtig 'n kans dat iemand my gaan aanval nie, of hoe? Ek bedoel, Olimpus wil darem seker nie aanspreeklik gehou word as een van die kampgangers iets oorkom nie.

In die verte blaas die trompetskulp. Ek hoor 'n gegil en 'n geskree uit die woud, en die geluid van metaal teen metaal soos kinders veg. 'n Bloupluim-bondgenoot van Apollo kom soos 'n wildsbok verbygehardloop, plons deur die spruit en verdwyn in die vyand se gebied.

Fantasties, dink ek. Ek loop al die pret mis, soos gewoonlik.

Dan hoor ek 'n geluid wat 'n koue rilling langs my rug afstuur, 'n diep, hondagtige grom, iewers naby my.

Ek lig my skild instinktief. Dit voel asof iets my bekruip.

Die gegrom hou op. Ek voel die teenwoordigheid padgee.

Aan die ander kant van die spruit bars iets uit die struikgewas. Vyf Ares-krygers verskyn gillend en skreeuend uit die donkerte.

"Maak maalvleis van die klein helsem!" skree Clarisse.

Haar lelike varkogies gluur deur die splete van haar helm. Sy swaai 'n twee meter lange spies rond, met 'n getande metaalpunt waarop rooi lig flits. Haar broers en susters het net die standaard bronsswaarde wat ons almal gekry het – nie dat dit my beter laat voel nie.

Hulle storm deur die spruit. Daar is geen hulp in sig nie. Ek kan hardloop. Of ek kan myself teen die Ares-hut probeer verdedig.

Ek kry dit reg om die eerste ou se swaaihou te systap, maar dié spulletjie is nie so onnosel soos die Minotourus nie. Hulle omsingel my, en Clarisse steek met haar spies na my. My skild keer die punt weg, maar ek voel 'n pynlike tinteling regdeur my lyf. My hare spring orent. My skildarm word lam en die lug skroei.

Elektrisiteit. Haar simpel spies is elektries. Ek val terug.

Nog 'n Ares-ou stamp my teen die bors met die agterkant van sy swaard en ek tref die grond.

Hulle kan my skop tot daar net jellie van my oorbly, maar hulle is te besig om hulle besimpeld te lag.

"Gee hom 'n haarsny," sê Clarisse. "Gryp sy hare."

Ek kry dit reg om orent te kom. Ek lig my swaard, maar Clarisse slaan dit met haar spies opsy dat die vonke spat. Nou voel albei my arms lam.

"Jissie, julle," sê Clarisse. "Ek is so bang vir hierdie outjie. Rêrig bang."

"Die vlag is daai kant toe," sê ek vir haar. Ek probeer kwaad klink, maar ek is bevrees dis nie hoe dit uitkom nie.

"Ja," sê een van haar broers. "Maar die ding is, ons voel 'n veer vir die vlag. Ons het 'n appeltjie te skil met die vent wat ons hut onnosel laat lyk het."

"Glo my, julle kry dit baie goed reg sonder my hulp," sê ek. Dis seker nie die slimste ding om te sê nie.

Twee van hulle storm op my af. Ek tree terug tot in die spruit, en probeer my skild oplig, maar Clarisse is te vinnig. Haar spies tref my reg in die ribbes. As ek nie my gepantserde borsplaat gedra het nie, was ek op die plek 'n sosatie. Maar die elektriese punt skok nogtans omtrent my tande uit my mond. Een van haar hutmaats kap met sy swaard oor my arm, en dit los 'n behoorlike sny.

Om my eie bloed te sien laat my duiselig voel, warm en koud tegelyk.

"Geen verminking nie," kry ek uit.

"Oeps," sê die vent. "Nou gaan ek seker 'n week lank nie poeding kry nie."

Hy stamp my en ek land met 'n gespat in die spruit. Hulle lag. Ek skat sodra hulle nie meer die speletjie geniet nie, is dit klaarpraat met my. Maar dan gebeur iets. Dit voel of die water my sintuie wakker maak, asof ek pas 'n pakkie van my ma se dubbel-espresso-jellieboontjies verorber het.

Clarisse en haar hutmaats stap die water binne om my toe te takel, maar ek is reg vir hulle. Ek weet wat om te doen. Ek swaai die plat kant van my swaard teen die eerste ou se kop en slaan sy helm af. Ek tref hom so hard dat ek sy oë kan sien vibreer terwyl hy in die water neersyg.

Lelik Nommer Twee en Lelik Nommer Drie kom vir my. Ek moker een met my skild in die gesig en gebruik my swaard om die ander ou se perdehaarpluim morsaf te kap. Albei van hulle tree vinnig terug. Lelik Nommer Vier lyk nie baie gretig om aan te val nie, maar Clarisse gee nie so maklik op nie. Die punt van haar spies knetter met energie. Die oomblik toe sy na my steek, vang ek die skag van haar spies tussen die rand van my skild en my swaard vas, en ek breek dit soos 'n takkie middeldeur.

"A!" skree sy. "Jou verdomde idioot! Jou kadawerbek van 'n wurm!"

Sy wil seker nog erger dinge kwytraak, maar ek slaan haar met die hef van my swaard tussen haar oë en sy steier agtertoe uit die water.

Dan hoor ek 'n geskree, opgewonde gille, en ek sien hoe Luke na die grenslyn toe aangestorm kom met die rooi span se banier omhoog. Aan sy sy is 'n paar Hermes-ouens wat hom beskerm terwyl hy terugval, en agter hom is 'n paar Apollo's, wat die Hefaistos-kinders afweer. Die Ares-spulletjie kom orent, en Clarisse prewel 'n string duiselige vloekwoorde.

"Julle kroek!" skree sy. "Julle het gekroek!"

Hulle steier agter Luke aan, maar dis te laat. Almal storm op die spruit af terwyl Luke die grens na vriendelike terrein oorsteek. Ons kant bars los in 'n gejuig. Die rooi banier glinster en verander in silwer. Die wildevark en spies word vervang met 'n yslike boodskapperstaf, die simbool van hut elf. Almal in die blou span tel Luke op en begin hom op hulle skouers ronddra. Chiron kom uit die woud gegalop en blaas op die trompetskulp.

Die speletjie is verby. Ons het gewen.

Net toe ek by die feesvieringe wil aansluit, hoor ek Annabeth se stem, reg langs my in die spruit. "Nie sleg nie, held."

Ek kyk rond, maar daar is geen teken van haar nie.

"Waar die heng het jy so geleer veg?" vra sy. Die lug glinster en sy materialiseer langs my, met 'n Yankees-bofbalpet in haar hand, asof sy dit pas van haar kop afgehaal het.

Ek voel hoe ek kwaad word. Ek steur my nie eens aan die feit dat sy pas onsigbaar was nie. "Julle het dit aspris gedoen," sê ek. "Julle het my hier gesit omdat julle geweet het Clarisse sal agter my aankom, terwyl julle Luke gestuur het om die vlag te kry. Julle het alles haarfyn uitgewerk."

Annabeth trek haar skouers op. "Ek het jou mos gesê. Athena het altyd, altyd 'n plan."

"'n Plan wat my amper in my peetjie gestuur het."

"Ek het gekom so gou as ek kon. Ek was op die punt om in te spring, maar ..." Sy trek haar skouers op. "Jy het nie hulp nodig gehad nie."

Dan sien sy my gewonde arm. "Wat het daar gebeur?"

"Swaardwond," sê ek. "Wat anders?"

"Nee. Dit *was* 'n swaardwond. Kyk."

Die bloed is weg. Waar die groot sny was, is net 'n lang wit skraap, en dit begin ook al verdof. Terwyl ek kyk, verander dit in 'n klein litteken, en verdwyn.

"Ek ... ek verstaan nie," sê ek.

Dit lyk of Annabeth kliphard dink. Ek kan omtrent die ratjies in haar brein sien draai. Sy kyk af na my voete, en dan na Clarisse se stukkende spies. "Staan uit die water, Percy," sê sy.

"Wat —"

"Doen dit net."

Ek stap uit die spruit en dadelik voel ek tot die dood toe moeg. My arms begin weer lam voel. Die adrenalieninspuiting is weg. Byna-byna val ek om, maar Annabeth hou my regop.

"O, Styx," vloek sy. "Dis *nie* 'n goeie teken nie. Ek wou nie ... Ek het aangeneem dit sou Zeus wees ..."

Voordat ek kan vra wat sy bedoel, hoor ek weer daardie hondegrom, maar baie nader as die vorige keer. 'n Getjank weerklink deur die woud.

Die kampgangers se gejuig sterf onmiddellik weg. Chiron roep iets in Antieke Grieks, wat ek vreemd genoeg dadelik verstaan: *"Staan gereed! My boog!"*

Annabeth pluk haar swaard uit.

Op die rotse net bo ons is 'n swart hond so groot soos 'n renoster, met lawarooi oë en slagtande soos dolke.

Hy kyk reguit na my.

Niemand beweeg nie.

"Percy, hardloop!" skree Annabeth.

Sy probeer voor my inbeweeg, maar die hond is te vinnig. Die gedierte spring bo-oor haar — 'n enorme skaduwee met tande — en net toe dit my tref, terwyl ek agtertoe steier en die vlymskerp kloue deur my pantser voel skeur, is daar 'n reeks *twak*-geluide, soos bladsye wat die een ná die ander uit 'n boek geskeur word. 'n Tros pyle groei uit die hond se nek. Die monster val dood by my voete neer.

Wonder bo wonder lewe ek nog. Ek wil dit nie eens waag om onder die verskeurde oorblyfsels van my wapenrusting te kyk nie. My bors voel nat en warm, en ek weet ek het erg seergekry. Nog 'n sekonde, en die monster sou my in vyftig kilogram polonie verander het.

Chiron draf nader, 'n boog in sy hand, sy gesig stroef.

"Di immortales," sê Annabeth. "Dis 'n helhond uit die Velde van Straf. Hulle kan nie ... hulle is nie veronderstel om ..."

"Iemand het dit opgeroep," sê Chiron. "Iemand hier in die kamp."

Luke kom nader gestap, die banier in sy hand vergete, sy oomblik van glorie iets van die verlede.

"Dis Percy se skuld!" skree Clarisse. "Percy het die ding opgeroep!"

"Bly stil, kind," sê Chiron.

Ons kyk hoe die karkas van die helhond tot skaduwee wegsmelt, in die grond wegsypel tot dit verdwyn.

"Jy's gewond," sê Annabeth vir my. "Gou, Percy, klim in die water."

"Ek's oukei."

"Nee, jy is nie," sê sy. "Chiron, kyk hier."

Ek is te moeg om te stry. Ek stap terug in die spruit, met die hele kamp wat om my saamdrom.

Dadelik voel ek beter. Ek voel hoe die snye op my bors toegaan. Party van die kampgangers trek hulle asem in.

"Kyk, ek — ek weet nie hoekom nie," sê ek verskonend. "Ek is jammer ..."

Maar hulle kyk nie hoe my wonde genees nie. Hulle staar na iets bo my kop.

"Percy," sê Annabeth en beduie boontoe. "Uhm ..."

Teen die tyd dat ek opkyk, begin die teken reeds verdof, maar ek kan steeds die hologram van groen lig uitmaak, waar dit spin en gloei. 'n Spies met drie punte: 'n drietandvurk.

"Dit is bepaal," kondig Chiron aan.

Rondom my begin die kampgangers kniel, selfs die Areshut, al lyk hulle nie baie ingenome daaroor nie.

"My pa?" vra ek, heeltemal uit die veld geslaan.

"Poseidon," sê Chiron. "Aardskudder. Stormbringer. Vader van Perde. Heil, Perseus Jackson, seun van die Seegod."

NEGE

ᘐᑐᘗ

EK WORD 'N HELDETAAK AANGEBIED

Die volgende oggend skuif Chiron my na hut drie.

Ek hoef dit met niemand anders te deel nie. Daar is oorgenoeg plek vir al my goed: die Minotourushoring, een ekstra stel klere en 'n toiletsakkie. Ek kan op my eie by 'n etenstafel sit, al my aktiwiteite self kies, self besluit wanneer dit ligte-uit is en ek hoef vir net mooi niemand te luister nie.

En dis absoluut aaklig.

Net toe dit begin voel het of die ander my begin aanvaar, toe hut elf soos 'n tuiste begin voel het waar ek 'n normale kind kon wees – of so normaal soos jy kan wees as jy 'n halfbloed is – word ek afgesonder asof ek die een of ander vreemde siekte onder lede het.

Niemand sê iets oor die helhond nie, maar ek kry die gevoel hulle praat agter my rug daaroor. Die aanval het almal die skrik op die lyf gejaag. Dit het twee dinge duidelik gemaak: Een, dat ek die seun van die Seegod is. En twee, monsters sal enige iets doen om my dood te maak. Hulle sal selfs 'n kamp binneval wat nog altyd as veilig beskou is.

Die ander kampgangers bly so ver moontlik uit my pad. Hut elf is te benoud om swaardlesse saam met my te hê ná wat ek in die woud aan die Ares-spulletjie gedoen het, so my lesse saam met Luke word een-tot-een. Hy dryf my harder as ooit, en ek kom gereeld met lekker nare bloukolle daarvan af.

"Jy gaan soveel opleiding moontlik nodig hê," sê hy terwyl ons met swaarde en vlammende fakkels oefen. "Kom ons probeer nou weer daai adder-onthoof-hou. Nog vyftig keer."

Soggens leer Annabeth my steeds Grieks, maar dit lyk of haar kop iewers anders is. Elke keer as ek iets sê, gluur sy my aan asof ek pas my vinger hard reg tussen haar oë gedruk het.

Ná elke les brom sy binnensmonds terwyl sy wegstap. "Heldetaak ... Poseidon? ... So 'n verdomde ... Moet 'n plan maak ..."

Selfs Clarisse bly op 'n afstand, al maak haar giftige kyke dit so duidelik soos daglig dat sy my wil vermorsel omdat ek haar towerspies gebreek het. Ek wens sy wil op my gil of my met die vuis slaan of iets. Ek sal eerder elke dag in 'n bakleiery beland as om geheel en al geïgnoreer te word.

Ek weet iemand by die kamp kan my nie verdra nie, want een aand toe ek in my hut kom, is daar 'n sterflingkoerant onder die deur ingedruk, 'n kopie van die *New York Daily News*, oopgemaak by die Metro-blad. Dit vat my amper 'n uur om die artikel te lees, want hoe kwater ek word, hoe meer swem die woorde van die bladsy af.

MA EN SEUN STEEDS VERMIS NÁ FRATSMOTORONGELUK
DEUR EILEEN SMYTHE

Sally Jackson en haar seun, Percy, word steeds vermis 'n week ná hulle geheimsinnige verdwyning. Die gesin se erg verbrande '78-Camaro is Saterdag langs 'n stil pad in die noorde van Long Island gevind met die dak afgeskeur en die voorste as gebreek. Die motor het honderde meter deur die lug getol en oor die pad gegly voordat dit ontplof het.

Ma en seun was vir 'n naweekwegbreek by Montauk, maar het inderhaas padgegee, onder geheimsinnige omstandighede.

'n Klein hoeveelheid bloed is in die motor en naby die wrak gevind, maar daar was geen ander tekens van die vermiste Jacksons nie. Inwoners in die landelike gebied het glo niks buitengewoons ten tye van die ongeluk opgemerk nie.

Me. Jackson se eggenoot, Gabe Ugliano, beweer sy stiefseun, Percy Jackson, is 'n probleemkind wat uit verskeie kosskole geskop is en voorheen geweldadige neigings getoon het.

Die polisie wou nie sê of Percy daarvan verdink word dat hy iets met sy ma se verdwyning te doen het nie, maar die moontlikheid van vuil spel word nog nie uitgesluit nie. Onder is onlangse foto's van Sally Jackson en Percy. Die polisie versoek enige iemand met inligting om die volgende tolvrye nommer te skakel.

Die foonnommer is met swart koki omkring.

Ek bondel die koerant op en smyt dit eenkant toe. Dan plof ek op my bed in die middel van my leë hut neer.

"Ligte uit," sê ek miserabel vir myself.

Daardie nag het ek die ergste droom ooit.

Ek hardloop op die strand tydens 'n storm. Dié keer is daar 'n stad agter my. Nie New York nie. Die uitleg lyk anders, die geboue is verder uitmekaar, palmbome en lae heuwels in die verte.

Sowat honderd meter van my af baklei twee mans op die strand. Hulle lyk soos TV-stoeiers, gespierd, met 'n baard en lang hare. Albei dra 'n Griekse tuniek; een met blou omboorsel, die ander groen. Hulle gryp na mekaar, stoei, skop, stamp koppe, en elke keer as hulle mekaar beetkry, blits die weerlig, word die lug donkerder en loei die wind harder.

Ek moet hulle stop. Ek weet nie hoekom nie. Maar hoe harder ek hardloop, hoe meer dwing die wind my terug, totdat ek op een plek bly hardloop, met my hakke wat nutteloos in die sand maal.

Bo die gebrul van die branders kan ek die een met die blou kleed vir die een met die groen kleed hoor brul: *Gee dit terug! Gee dit terug!* Soos 'n kleuter wat oor 'n speelding baklei.

Die branders word groter, bars oor die strand, sproei sout oor my.

Ek gil: Hou op! Hou op baklei!

Die grond skud. 'n Gelag verrys van iewers onder die aarde, en 'n stem so diep en boosaardig dat dit my bloed in ys verander.

"Kom ondertoe, klein held," koer die stem. "Kom ondertoe!"

Die sand skeur onder my oop, en daar verskyn 'n bars wat tot in die middel van die aarde strek. My voet glip, en die donkerte sluk my in.

Ek word wakker, vas oortuig ek val.

Ek is steeds in my bed in hut drie. My lyf sê vir my dis oggend, maar dit is donker buite, en donderweer kom oor die heuwels aangerol. Daar is 'n storm aan die broei. Daardie deel was nie net 'n droom nie.

Ek hoor die getrippel van hoewe buite, en dan klop iemand aan die deur.

"Kom binne."

Grover kom ingedraf, met 'n bekommerde uitdrukking. "Meneer D wil jou sien."

"Hoekom?"

"Hy wil iemand doodm ... ek bedoel, dis dalk beter as hy jou self vertel."

Senuweeagtig trek ek aan en stap agter hom aan, vas oortuig ek is in groot moeilikheid.

Dae lank al verwag ek so half dat ek na die Groot Huis ontbied sal word. Noudat ek verklaar is tot 'n seun van Poseidon, een van die Groot Drie-gode wat nie veronderstel is om kinders te kry nie, is die blote feit dat ek lewe seker 'n misdaad. Die ander gode het seker koppe bymekaargesit oor hoe om my te straf omdat ek asemhaal, en nou is meneer D gereed om hulle uitspraak te lewer.

Bo die Long Island-riviermonding lyk die lug soos inksop wat begin kook. 'n Wasige gordyn reën kom in ons rigting aan. Ek vra vir Grover of ons 'n sambreel moet saamvat.

"Nee," sê hy. "Dit reën nooit hier tensy ons wil hê dit moet nie."

Ek beduie na die storm. "Nou wat de dinges is daai dan?"

Hy loer ongemaklik na die lug. "Dit sal om ons beweeg. Dis wat onweer altyd doen."

Ek besef hy is reg. In die week wat ek hier is, was dit nog nooit bewolk nie. Die paar reënwolke wat ek gesien het, het om die rande van die vallei beweeg.

Maar dié storm ... dié een is reusagtig.

By die vlugbalbaan speel die kinders van Apollo se hut 'n oggendwedstryd teen die saters. Dionusos se tweeling stap in die aarbeilande rond en laat die plante groei. Almal is maar met die gewone dinge besig, maar hulle lyk gespanne. Hulle oë bly op die storm gerig.

Ek en Grover stap tot op die voorstoep van die Groot Huis. Dionusos sit by die kaarttafeltjie in sy tierstreephemp met sy Diet Coke, nes die dag toe ek hier aangekom het. Chiron sit oorkant hom in sy vals rolstoel. Hulle speel teen onsigbare teenstanders — twee stelle kaarte sweef in die lug.

"Wel, wel," sê meneer D sonder om op te kyk. "Ons beroemde outjie."

Ek wag.

"Kom nader," sê meneer D. "En moenie verwag ek gaan voor jou buig nie, sterfling, net omdat ou Mosselbaard jou pa is."

'n Net weerlig rank deur die wolke. Donderweer skud die vensters van die huis.

"Bla, bla, bla," sê Dionusos.

Chiron maak of hy kamstig vreeslik geïnteresseerd is in die kaarte. Grover staan ineengekrimp by die stoepreling, met sy hoewe wat senuweeagtig rondtrap.

"As ek my sin kon kry," sê Dionusos, "sou ek elke molekule in jou liggaam in vlamme laat uitbars het. Dan sou ons die as kon opvee en van 'n hele hoop moeilikheid ontslae wees. Maar Chiron voel skynbaar dit druis in teen my taak by hierdie vervloekte kamp: Om seker te maak julle klein bogsnuiters kom niks oor nie."

"Ja, en spontane ontbranding is nogal iets ernstigs om oor te kom, meneer D," sê Chiron.

"Snert," sê Dionusos. "Die seun sal dit nie eens voel nie. Nietemin. Ek het ingestem om my te beteuel. Ek oorweeg dit om jou eerder in 'n dolfyn te verander, en jou terug te stuur na jou pa toe."

"Meneer D —" waarsku Chiron.

"Ja, oukei," brom Dionusos. "Daar is nog 'n ander opsie. Maar dis dodelik onnosel." Dionusos staan op, en die onsigbare spelers se kaarte val op die tafel neer. "Ek is op pad na Olimpus vir 'n noodvergadering. As die seun nog hier is wanneer ek terugkom, verander ek hom in 'n Atlantiese stompneusdolfyn. Verstaan julle mooi? En Perseus Jackson, as jy 'n greintjie gesonde verstand het, sal jy besef dit is 'n baie verstandiger opsie as wat Chiron reken jy behoort te doen."

Dionusos tel 'n speelkaart op, draai dit om, en dit word 'n plastiekreghoek. 'n Kredietkaart? Nee, 'n toegangskaart.

Hy klap sy vingers.

Dit lyk of die lug vou en verbuig rondom hom. Hy word 'n hologram, dan 'n wind, en dan is hy weg. Net die reuk van vars geparste druiwe bly agter.

Chiron glimlag vir my, maar hy lyk moeg en gespanne. "Sit, Percy, asseblief. En Grover."

Chiron sit sy kaarte op die tafel neer, 'n wenhand wat hy toe nooit kon speel nie.

"Sê my, Percy," vra hy, "wat het jy van die helhond gedink?"

Die naam alleen is genoeg om my te laat ril.

Chiron wil seker hê ek moet sê: *Nee wat, dit was niks. Ek eet helhondjies soos daai vir brekfis.* Maar ek is nie in die bui om te jok nie.

"Dit het my bang gemaak," sê ek. "As jy nie die ding geskiet het nie, was ek dood."

"Jy gaan erger dinge teëkom, Percy. Veel erger, voor jy klaar is."

"Klaar is ... met wat?"

"Jou heldetaak, natuurlik. Sal jy dit aanvaar?"

Ek loer na Grover, wat lyk of hy baie hard duim vashou.

"Uhm, maar ek weet nog nie wat dit is nie," sê ek.

Chiron se gesig vertrek. "Wel, dis die moeilike deel, die detail."

Donderweer rammel oor die vallei. Die stormwolke het teen dié tyd die strand bereik. Dit lyk of die lug en die see saam kook.

"Poseidon en Zeus," sê ek. "Hulle baklei oor iets wat kosbaar is … iets wat gesteel is, nè?"

Chiron en Grover kyk vir mekaar.

Chiron leun vorentoe in sy rolstoel. "Hoe weet jy dit?"

My gesig word warm. Vir wat kan ek nie my groot mond hou nie? "Die weer is al van Kersfees af vreemd, asof die see en die lug baklei. Toe praat ek met Annabeth, en sy het iets oor 'n diefstal gehoor. En … ek kry drome."

"Ek het dit geweet," sê Grover.

"Sjoes, sater," beveel Chiron.

"Maar dis sy heldetaak!" Grover se oë glinster van opwinding. "Dit moet wees!"

"Net die Orakel kan dit bepaal!" Chiron vryf oor sy stoppelbaard. "Nietemin, Percy, jy is reg. Jou pa en Zeus is gewikkel in hulle ergste stryery in eeue. Hulle baklei oor iets waardevols wat gesteel is. Om presies te wees: 'n weerligstraal."

Ek gee 'n senuweeagtige laggie. "'n Wat?"

"Dis nie 'n grap nie," waarsku Chiron. "Ek praat nie van die een of ander tinfoelie-bedekte kartonaffêre in 'n skoolkonsert nie. Ek praat van 'n halfmeter lange silinder van hoëgraad hemelbrons, met godegehalte plofstof aan albei kante."

"O."

"Zeus se meesterstraal," sê Chiron, wat nou lekker opgewerk is. "Die simbool van sy mag, die een waarop alle ander weerligstrale geskoei is. Die eerste wapen wat deur die Siklope gemaak is in die stryd teen die Titane, die strale wat die spits van die berg Etna afgeskeur het en Kronos van sy troon afgesmyt het; die meesterstraal met genoeg krag om sterflinge se waterstofbomme na flou vuurwerkies te laat lyk."

"En dis weg?"

"Gesteel," sê Chiron.

"Deur wie?"

"Deur jou."

My mond val oop.

Chiron hou sy hand op.

"Altans, dis wat Zeus dink. Tydens die wintersonstilstand, by die laaste raadsitting van die gode, het Zeus en Poseidon 'n meningsverskil gehad. Die gewone snert. *Ma Rhea het altyd meer van jou gehou. Lugrampe is skouspelagtiger as seerampe.* Daardie soort ding. Ná die tyd het Zeus besef sy meesterstraal is weg, reg onder sy neus gevat, uit die troonkamer. Hy het dadelik die skuld op Poseidon gepak. Nou 'n god kan nie 'n ander god se simbool van mag onregmatig in besit neem nie – nie direk nie. Die mees antieke goddelike wette verbied dit. Maar Zeus glo jou pa het 'n menslike held omgepraat om dit te doen."

"Maar ek het nie –"

"Wees geduldig en luister, kind," sê Chiron. "Zeus is om goeie rede agterdogtig. Die Siklope se smederye is onder die see, wat Poseidon 'n mate van invloed oor die makers van sy broer se weerlig gee. Zeus glo Poseidon het die meesterstraal gevat, en dat hy nou die Siklope in die geheim 'n hele arsenaal onwettige kopieë daarvan laat maak, wat gebruik kan word om Zeus te onttroon. Die enigste ding waaroor Zeus nie seker was nie, is watter held Poseidon gebruik het om die weerligstraal te steel. Maar nou het Poseidon jou openlik as sy seun opgeëis. Jy was die wintervakansie in New York. Jy kon maklik by Olimpus ingeglip het. Zeus is oortuig hy het die dief opgespoor."

"Maar ek was nog nooit by Olimpus nie! Zeus is mal!"

Chiron en Grover loer benoud na die lug. Dit lyk nie

of die wolke om ons padgee soos Grover belowe het nie. Hulle rol oor die vallei, soos die deksel van 'n doodskis wat oor ons toegestoot word.

"E … Percy?" sê Grover. "Ons gebruik nie die m-woord om die Heerser van die Hemelruim te beskryf nie."

"Dalk paranoïes," stel Chiron voor. "Maar hou in gedagte Poseidon het Zeus al voorheen probeer onttroon. As ek reg onthou, was dit vraag nommer agt-en-dertig in jou laaste eksamen …" Hy kyk na my asof hy wraggies verwag ek moet onthou wat vraag nommer agt-en-dertig was.

Hoe kan enige iemand my daarvan beskuldig dat ek 'n god se wapen gesteel het? Ek kan nie eens 'n sny pizza by een van Gabe se pokerpartytjies gaps sonder om uitgevang te word nie. Chiron wag op 'n antwoord.

"Iets met 'n goue net te doen?" raai ek. "Poseidon en Hera en 'n paar ander gode … hulle het Zeus vasgekeer of iets, en geweier om hom los te laat voor hy belowe het om 'n beter heerser te wees, of so iets?"

"Reg," sê Chiron. "En van toe af het Zeus nog nooit weer vir Poseidon vertrou nie. Poseidon ontken natuurlik dat hy die meesterstraal gesteel het. Hy voel vreeslik gegrief oor die beskuldiging. Die twee stry al maande lank, en dreig mekaar met oorlog. En nou het jy in die prentjie gekom — die spreekwoordelike laaste strooi."

"Maar ek is net 'n kind!"

"Percy," sê Grover, "as jy Zeus was, en jy het reeds gedink jou broer is van plan om jou te onttroon, en dan erken jou broer boonop hy het die heilige eed verbreek wat hy ná die Tweede Wêreldoorlog afgelê het, dat hy die pa is van 'n nuwe sterflingheld wat as 'n wapen teen jou gebruik kan word … Sal dit jou nie ook die heilige horriepiep gee nie?"

"Maar ek het niks gedoen nie. Poseidon – my pa – hy het nie regtig die meesterstraal laat steel nie, het hy?"

Chiron sug. "Die meeste verstandige waarnemers sal saamstem dat diefstal nie Poseidon se styl is nie. Maar die seegod is te trots om Zeus te probeer oortuig. Zeus dring daarop aan dat Poseidon die weerligstraal teen die somersonstilstand terugbesorg. Dis een-en-twintig Junie, oor tien dae. Poseidon eis op dieselfde datum 'n verskoning omdat hy 'n dief genoem is. Ek het gehoop diplomasie sal seëvier, dat Hera of Demeter of Hestia sin in die twee broers se koppe sal praat. Maar jou koms het Zeus se humeur laat opvlam. Nou wil nie een van die gode bes gee nie. Tensy iemand tussenbeide tree, tensy die meesterstraal gevind en voor die sonstilstand aan Zeus terugbesorg word, gaan daar oorlog wees. En weet jy hoe 'n volskaalse oorlog gaan lyk, Percy?"

"Sleg?" raai ek.

"Verbeel jou die wêreld in chaos. Die natuur in oorlog met homself gewikkel. Olimpiërs wat gedwing word om kant te kies tussen Zeus en Poseidon. Verwoesting. Slagting. Miljoene sterftes. Die Westerse beskawing sal verander in 'n slagveld wat die Trojaanse Oorlog na 'n waterballongeveg sal laat lyk."

"Sleg," herhaal ek.

"En jy, Percy Jackson, sal die eerste een wees wat Zeus se toorn sal voel."

Dit begin reën. Die vlugbalspelers hou op speel en staar verstom na die lug.

Ek het hierdie storm na Halfbloedheuwel gebring. Zeus straf die hele kamp net oor my. Ek is woedend.

"So, ek moet die simpel weerligstraal in die hande kry," sê ek. "En dit vir Zeus teruggee."

"Watter beter vredesoffer," sê Chiron, "as die seun van Poseidon wat Zeus se eiendom terugbesorg?"

"Maar as Poseidon dit nie het nie, waar is die ding?"

"Ek dink ek weet." Chiron se gesig is stroef. "Deel van 'n profesie wat ek jare gelede ontvang het ... wel, van die reëls maak nou vir my sin. Maar voordat ek meer kan sê, moet jy amptelik die heldetaak aanvaar. Jy moet die Orakel gaan raadpleeg."

"Hoekom kan jy nie vooraf vir my sê waar die weerligstraal is nie?"

"Want as ek dit doen, sal jy te bang wees om die uitdaging te aanvaar."

Ek sluk. "Oukei, goeie rede."

"So, stem jy in?"

Ek kyk na Grover, wat aanmoedigend knik.

Dis baie maklik vir hom. Dis vir my wat Zeus wil doodmaak.

"Nou goed," sê ek. "Dis seker beter as om in 'n dolfyn verander te word."

"Dan is dit tyd dat jy die Orakel raadpleeg," sê Chiron. "Gaan boontoe, Percy Jackson, na die solder. Wanneer jy terugkom, mits jy nog nie van jou kop af is nie, sal ons verder praat."

Vier stelle trappe lei boontoe na 'n groen valdeur.

Ek trek die koord. Die deur swaai ondertoe, en 'n houtleer klater in plek.

Die warm lug hier bo ruik na muf en verrotte hout en iets anders ... 'n reuk wat ek uit die biologieklas onthou. Reptiele. Die reuk van slange.

Ek hou my asem op en klim.

Die solder is vol ou gemors wat lyk of dit vroeër aan Griekse helde behoort het: wapenrustingstaanders vol spinnerakke; skilde wat op 'n tyd blink was maar nou vol roeskolle is; ou leertasse vol plakkers waarop ITHAKA, EILAND VAN CIRCE en LAND VAN DIE AMASONES staan. Een lang tafel is vol glasbottels met ingelegde goeters daarin – harige kloue, groot geel oë, verskeie ander liggaamsdele van monsters. Teen die muur pryk 'n stowwerige opgestopte trofee wat soos 'n reusagtige slangkop lyk, maar met horings en 'n volledige stel haaitande. Op die naamplaatjie onderaan staan: HIDRAKOP NOMMER 1, WOODSTOCK, NY, 1969.

By die venster, op 'n driepootstoeltjie, sit die grusaamste aandenking van almal: 'n mummie. Nie die soort wat in lappe toegedraai is nie, maar 'n vrouelyf wat uitgedor is. Sy dra 'n knoop-en-doop-sonrok, 'n hele spul krale, en 'n kopband oor lang swart hare. Die vel van haar gesig span dun en leeragtig oor haar skedel, en haar oë is glasige wit splete, asof die regte oë met albasters vervang is. Sy is beslis al baie lank dood.

Terwyl ek na haar kyk, kruip rillings teen my rug op. En dis nog voor sy regop sit op die stoel en haar mond oopmaak. 'n Groen mis stroom uit die mummie se mond, en kronkel in digte slierte oor die vloer, sissend soos twintigduisend slange. Ek val oor my eie voete in my haas om by die valdeur uit te kom, maar dit klap toe. In my kop hoor ek 'n stem, wat by een oor inseil en om my brein kronkel: *Ek is die gees van Delfi, spreker van die profesieë van Phoebus Apollo, slagter van die magtige Luislang. Staan nader, soeker, en vra.*

Ek is lus om te sê: *Nee dankie, verkeerde deur, ek was eintlik net op soek na die badkamer.* Maar ek dwing myself om 'n diep asemteug te neem.

Die mummie lewe nie. Sy is net 'n grusame bewaarplek vir iets anders, die krag wat nou rondom my in die groen mis rondkolk. Maar die teenwoordigheid voel nie boos nie – nie soos juffrou Dodds, my wiskundejuffrou, of die Minotourus nie. Dit voel meer soos die drie skikgodinne wat ek by die vrugtestalletjie langs die snelweg gesien brei het: antiek, magtig en beslis nie menslik nie. Maar ook nie juis besonder geïnteresseerd daarin om my dood te maak nie.

Ek skraap my moed bymekaar en vra: "Wat is my lot?"

Die mis begin digter saamkolk, dit versamel reg voor my en om die tafel met die ingelegde monsterledemate. Skielik is daar vier mans wat om die tafel sit en kaart speel. Hulle gesigte word duideliker. Dit is Vrot Gabe en sy pelle.

My vuiste klem saam, al besef ek hierdie pokerpartytjie kan nie die werklikheid wees nie. Dis 'n illusie, gemaak van mis.

Gabe draai na my en praat met die rasperstem van die Orakel: *Jy sal wes gaan, en die god wat gedraai het, trotseer.*

Sy pel aan die regterkant kyk op en sê met dieselfde stem: *Jy sal vind wat gesteel is, en daarmee terugkeer.*

Die ou op links gooi 'n paar pokerskyfies neer en sê: *Iemand wat jou 'n vriend noem, sal jou verraai in jou taak.*

Laastens lewer Eddie, ons gebou se opsigter, die ergste reël van almal: *En jy sal vergeefs dit probeer red wat die meeste saak maak.*

Die figure begin verdof. Eers is ek te verstom om iets te sê, maar toe die mis terugtrek, kolkend verander in 'n reusagtige groen slang en terugseil tot in die mond van die mummie, roep ek uit: "Wag! Wat beteken dit? Watter vriend? Wie gaan ek nie gered kry nie?"

Die stert van die misslang verdwyn in die mummie se

mond. Sy sak weer terug teen die muur. Haar mond gaan styf toe, asof dit honderd jaar laas oop was. Die solder is weer stil, verlate, niks meer as 'n vertrek vol aandenkings nie.

Ek kry die gevoel ek kan hier bly staan tot ek ook vol spinnerakke is, sonder om nog iets uit te vind.

My besoek aan die Orakel is verby.

"En?" vra Chiron vir my.

Ek sak op 'n stoel by die kaarttafeltjie neer. "Sy het gesê ek gaan kry wat gesteel is."

Grover sit vorentoe en kou opgewonde aan die oorblyfsels van 'n Diet Coke-blikkie. "Dis fantasties!"

"Wat presies het die Orakel gesê?" por Chiron. "Dis belangrik."

My ore kriewel steeds van die reptielagtige stem. "Sy ... sy het gesê ek sal wes gaan en 'n god trotseer wat gedraai het. Ek sal kry wat gesteel is en daarmee terugkeer."

"Ek het dit geweet," sê Grover.

Chiron lyk nog nie tevrede nie. "Nog iets?"

Ek wil hulle nie vertel nie.

Watter vriend gaan my verraai? Ek het nie juis hope vriende nie.

En die laaste reël – ek sal verniet dit probeer red wat die meeste saak maak. Watter soort Orakel gee vir my 'n taak en sê: *O ja, en so terloops, jy gaan misluk.*

Hoe kan ek dit erken?

"Nee," sê ek. "Dis min of meer al."

Hy bestudeer my gesig. "Nou goed, Percy. Maar jy moet een ding besef: Die Orakel se woorde het dikwels 'n dubbele betekenis. Moenie jou te veel daaroor verknies nie. Die ware betekenis is nie altyd vooraf duidelik nie."

Ek kry die gevoel hy weet ek steek iets weg, en hy probeer om my beter te laat voel.

"Oukei," sê ek, gretig om die onderwerp te verander. "So, waarheen moet ek gaan? Wie's dié god in die weste?"

"A, dink, Percy," sê Chiron. "As Zeus en Poseidon mekaar in 'n geveg verswak, wie sal voordele daaruit trek?"

"Iemand anders wat by hulle wil oorvat?" raai ek.

"Heeltemal reg. Iemand wat 'n wrok koester, wat ontevrede is met sy lot sedert die wêreld eeue gelede verdeel is, wie se koninkryk magtiger sal word indien miljoene sterf. Iemand wat sy broers haat omdat hulle hom gedwing het om te sweer dat hy nie nog kinders sal hê nie; 'n eed wat albei van hulle nou verbreek het."

Ek dink aan my drome, die bose stem wat van onder die grond gepraat het. "Hades."

Chiron knik. "Die Heerser van die Dooies is al moontlikheid."

'n Stukkie aluminium val uit Grover se mond. "Hokaai, wag 'n bietjie. W-wat?"

"'n Furie was agter Percy aan," herinner Chiron hom. "Sy het die jong man dopgehou tot sy seker was van sy identiteit, en toe probeer sy hom doodmaak. Furieë gehoorsaam net een god: Hades."

"Ja, maar — maar Hades haat *alle* helde," protesteer Grover. "Veral as hy uitgevind het Percy is 'n seun van Poseidon …"

"'n Helhond het in die woud beland," gaan Chiron voort. "Helhonde kan slegs uit die Velde van Straf opgeroep word, en iemand hier in die kamp moes dit gedoen het. Hades het seker 'n spioen hier. Hy vermoed seker Poseidon sal Percy gebruik om sy onskuld te bewys. Hades sal graag dié jong halfbloed wil doodmaak voor hy die heldetaak kan aanvaar."

"Fantasties," brom ek. "Nou's daar twee belangrike gode wat my wil dood hê."

"Maar 'n taak om …" Grover sluk. "Ek bedoel, kan die meesterstraal nie in Maine of iewers wees nie? Maine is 'n lekker plek dié tyd van die jaar."

"Hades het een van sy onderdane gestuur om die meesterstraal te steel," hou Chiron vol. "Hy het dit in die Onderwêreld versteek, want hy het goed geweet Zeus sou Poseidon verdink. Ek gaan nie eens probeer voorgee ek verstaan die Heer van die Dooies se motiewe ten volle nie, of waarom hy dié tyd van die jaar gekies het om 'n oorlog te begin, maar een ding is seker. Percy moet na die Onderwêreld reis om die meesterstraal te kry, en die waarheid te ontbloot."

'n Vreemde vuur brand in my maag. Die vreemdste van als is ek is nie bang nie. Dis afwagting. Die behoefte aan wraak. Hades het my nou al drie keer probeer doodmaak, met die Furie, die Minotourus en die helhond. Dit is sy skuld dat my ma in 'n ligflits verdwyn het. Nou probeer hy die skuld op my en my pa pak vir 'n diefstal wat ons nie gepleeg het nie.

Ek is reg om hom die stryd aan te sê.

Buitendien, as my ma in die Onderwêreld is …

Stadig oor die klippe, sê die deeltjie van my brein wat nog nie mal geword het nie. *Jy's 'n kind. Hades is 'n god.*

Grover bewe. Hy het intussen speelkaarte soos aartappel-skyfies begin eet.

Die arme ou moet saam met my 'n heldetaak aanpak, sodat hy sy soekerslisensie kan kry, wat dit ook al is. Maar hoe kan ek hom vra om hierdie taak te aanvaar, veral as die Orakel gesê het ek is bestem om te misluk? Dis mos selfmoord.

"Kyk, as ons weet dis Hades," sê ek vir Chiron, "hoekom kan ons nie net vir die ander gode vertel nie? Zeus of

Poseidon kan mos afgaan na die Onderwêreld en 'n paar koppe inmekaarfoeter."

"Vermoed en weet is verskillende dinge," sê Chiron. "Buitendien, selfs as die ander gode Hades verdink – en ek vermoed Poseidon verdink hom – kan hulle nie self die weerligstraal terugkry nie. Gode kan nie mekaar se gebied betree tensy hulle genooi is nie. Dis nog 'n antieke reël. Helde, aan die ander kant, het sekere voorregte. Hulle kan gaan waar hulle wil, uitdaag wie hulle wil, mits hulle dapper en sterk genoeg is om dit te doen. Geen god kan vir 'n held se dade aanspreeklik gehou word nie. Hoekom dink jy gebruik die gode mense om take vir hulle te verrig?"

"So, jy sê ek word gebruik."

"Ek sê net dis nie blote toeval dat Poseidon jou nou opgeëis het nie. Dis 'n waagstuk, maar hy is in 'n desperate situasie. Hy het jou nodig."

My pa het my nodig.

Emosies rol in my rond soos stukkies glas in 'n kaleidoskoop. Ek weet nie of ek gegrief of dankbaar of gelukkig of kwaad moet voel nie. Poseidon het my twaalf jaar lank geïgnoreer. Nou het hy my skielik nodig.

Ek kyk vir Chiron. "Jy't die heeltyd geweet ek is Poseidon se seun, nè?"

"Ek het my vermoedens gehad. Soos ek gesê het … ek het ook met die Orakel gesels."

Ek kry die gevoel daar's baie wat hy my nie oor sy profesie vertel nie, maar dit help seker nie om nou my kop daaroor te breek nie. Ek verswyg immers ook inligting.

"So, verstaan ek reg?" sê ek. "Ek is veronderstel om na die Onderwêreld te gaan en die Heerser van die Dooies te konfronteer."

"Jip," sê Chiron.

"Ek moet die kragtigste wapen in die heelal kry."

"Jip."

"En dit terug by Olimpus kry voor die somersonstilstand, oor tien dae."

"Reg."

Ek kyk na Grover, wat nog 'n speelkaart insluk.

"Het ek al genoem dat Maine baie lekker is dié tyd van die jaar?" sê hy floutjies.

"Jy hoef nie saam te gaan nie," sê ek vir hom. "Ek kan dit nie van jou verwag nie."

"O …" Hy skuif sy hoewe. "Nee … dis net dat saters en ondergrondse plekke … wel …"

Hy haal diep asem en vee die stukkies fyngekoude speelkaarte en aluminium van sy T-hemp af. "Jy het my lewe gered, Percy. As … as jy ernstig daaroor is dat ek moet saamkom, sal ek jou nie in die steek laat nie."

Ek voel so verlig dat ek wil huil, maar dit sal seker nie baie heldhaftig wees nie. Grover is die enigste vriend wat ek nog ooit vir meer as 'n paar maande gehad het. Ek is nie seker wat 'n sater teen die magte van die dood kan uitrig nie, maar ek voel beter noudat ek weet hy gaan saam met my.

"Dankie, G." Ek draai na Chiron. "So, waarheen gaan ons? Die Orakel het net gesê wes."

"Die ingang na die Onderwêreld is altyd in die weste. Die verskuif van tyd tot tyd, nes Olimpus. Op die oomblik is dit natuurlik in Amerika."

"Waar?"

Chiron lyk verbaas. "Ek dog dit sou so duidelik soos daglig wees. Die ingang na die Onderwêreld is tans in Los Angeles."

"O," sê ek. "Natuurlik. So, ons klim op 'n vliegtuig —"

"Nee!" piep Grover. "Percy, gebruik jou kop! Was jy al ooit in jou lewe op 'n vliegtuig?"

Ek skud my kop verleë. My ma het my nooit iewers heen gevat op 'n vliegtuig nie. Sy het gesê ons het nie geld daarvoor nie. Buitendien, haar ouers is in 'n vliegtuigongeluk dood.

"Percy, dink," sê Chiron. "Jy is die seun van die Seegod. Jou pa se bitterste teenstander is Zeus, Heerser van die Hemelruim. Jou ma het goed geweet jy moet dit eerder nie in 'n vliegtuig waag nie. Dan is jy in Zeus se domein. Jy sal nooit lewend terugkom aarde toe nie."

Bo ons knars weerlig. Donderweer bulder.

"Oukei," sê ek, vasbeslote om nie na die storm te kyk nie. "So ek moet grondlangs reis."

"Dis reg," sê Chiron. "Jy mag twee metgeselle saamvat. Grover is een. Die ander een het reeds aangebied om saam te gaan, as jy haar hulp sal aanvaar."

"Haai," sê ek, kamma verbaas. "Wie anders sal onnosel genoeg wees om 'n heldetaak soos dié aan te pak?"

Die lug agter Chiron glinster.

Annabeth word sigbaar. Sy prop haar Yankees-pet in haar agtersak.

"Ek wag al lank vir 'n taak, Jellievisbrein," sê sy. "Athena is glad nie Poseidon se grootste aanhanger nie, maar as jy die wêreld wil gaan red, is ek die beste persoon om te keer dat jy 'n gemors daarvan maak."

"Al moet jy nou self so sê," sê ek. "En ek skat jy't seker 'n plan, Wyse Meisie?"

Haar wange verkleur. "Wil jy my hulp hê of nie?"

Die waarheid is ek wil. Ek het al die hulp nodig wat ek kan kry.

"Drie van ons," sê ek. "Dit sal werk."

"Uitstekend," sê Chiron. "Die bushalte in Manhattan is die verste wat ons julle kan vat. Sommer vanmiddag nog. Daarna is julle op julle eie."

Weerlig flits. Reën druis neer op die landerye wat nooit veronderstel is om onder so 'n woeste storm deur te loop nie.

"Daar's nie tyd om te mors nie," sê Chiron. "Ek dink julle moet gaan pak."

TIEN

EK VERWOES 'N HELE BUS

Dit vat my nie lank om te pak nie. Ek besluit om die Minotourushoring in my hut te los, wat beteken 'n ekstra stel klere en 'n tandeborsel is al wat ek het om in die rugsak te prop wat Grover vir my gekry het.

Die kampwinkel leen vir my 'n bietjie gewone geld en twintig goue dragmas. Dié muntstukke is so groot soos gemmerkoekies en het afbeeldings van verskillende Griekse gode aan die een kant en die Empire State-gebou aan die ander kant. Die sterflinge se dragmas was in die ou tyd silwer, vertel Chiron ons, maar die Olimpiërs het niks minder as egte goud gebruik nie. Chiron reken die munte mag dalk handig te pas kom in niesterflingtransaksies – wat dit ook al beteken. Hy gee vir my en Annabeth elkeen 'n fles nektar en 'n lugdigte sak vol ambrosiavierkante, wat ons net in noodgevalle moet gebruik as ons ernstig beseer is. Dis godekos, herinner Chiron ons. Dit sal ons van amper enige besering genees, maar dit is dodelik vir sterflinge. Te veel daarvan sal 'n halfbloed baie koorsig maak. 'n Oordosis kan ons letterlik aan die brand laat slaan.

Annabeth bring haar betowerde Yankees-pet saam, wat sy glo vir haar twaalfde verjaardag by haar ma gekry het. Sy bring ook 'n boek oor klassieke argitektuur saam, geskryf in Antieke Grieks, om te lees wanneer sy verveeld is, en 'n lang bronsmes, in haar hempsmou versteek. Ek is seker die mes gaan ons in die moeilikheid laat beland die eerste keer as ons deur 'n metaalverklikker moet gaan.

Grover dra sy vals voete en sy broek, sodat hy soos 'n mens kan lyk. Hy dra ook 'n groen Rasta-styl mus, want as dit reën, val sy krulhare plat en dan kan jy die punte van sy horings sien. Sy helderoranje rugsak is vol afvalmetaal en appels om aan te peusel. In sy sak is 'n panfluit wat sy pappabok vir hom gemaak het, al ken hy net twee liedjies: Mozart se Klavierkonsert nommer 2 en Hilary Duff se "So Yesterday", wat albei vreeslik klink as jy dit op 'n pan-fluit speel.

Ons waai vir die ander kampgangers, kyk vir oulaas na die aarbeilande, die see en die Groot Huis, en dan stap ons teen Halfbloedheuwel op, na die groot denneboom wat vroeër Thalia, dogter van Zeus, was.

Chiron wag vir ons daar in sy rolstoel. Langs hom is die ou wat soos 'n branderplankryer lyk, wat ek gesien het toe ek in die siekeboeg gelê het. Volgens Grover is dié ou die kamp se veiligheidshoof. Hy het glo oë regoor sy lyf sodat hy nooit onkant betrap kan word nie. Maar vandag dra hy 'n chauffeurpak, so ek sien net ekstra kykers op sy hande, gesig en nek.

"Dis Argus," sê Chiron vir my. "Hy sal julle stad toe vat en ... uh ... wel, 'n ogie oor dinge hou."

Ek hoor voetstappe agter ons.

Luke kom by die heuwel opgehardloop met 'n paar tekkies in sy hand.

"Hei," roep hy. "Dankie tog, julle is nog nie weg nie."

Annabeth bloos, soos altyd as Luke in die omtrek is.

"Ek wou net sê voorspoed," sê Luke vir my. "En ek het gedink ... uhm ... dalk kan jy dié gebruik."

Hy gee vir my die tekkies, wat redelik normaal lyk. Dit ruik selfs soort van normaal.

Luke sê: *"Maia!"*

Wit voëlvlerke skiet agter die hakke uit, en ek skrik so groot dat ek dit laat val. Die skoene flap op die grond rond totdat die vlerke toevou en hulle verdwyn.

"Fantasties!" sê Grover.

Luke glimlag. "Hulle het my baie gehelp toe ek op my heldetaak was. Geskenk van my pa. Deesdae gebruik ek hulle natuurlik nie veel nie …" Sy uitdrukking word treurig.

Ek weet nie wat om te sê nie. Dis klaar so ongelooflik dat Luke ons kom groet het. Ek was bang hy's vies omdat ek die afgelope paar dae soveel aandag gekry het. Maar hier gee hy wraggies vir my 'n towergeskenk … Ek bloos amper so erg soos Annabeth.

"Jislaaik, man," sê ek. "Dankie."

"Hoor hier, Percy …" Luke lyk ongemaklik. "Baie van ons se hoop is op jou. So … maak vir my part 'n paar monsters vrek, oukei?"

Ons skud blad. Luke vryf Grover se kop tussen sy horings, en dan gee hy vir Annabeth 'n afskeidsdrukkie. Dit lyk of sy op die plek gaan omkap.

Toe Luke weg is, sê ek vir haar: "Jy hiperventileer."

"Is nie."

"Jy't hom toegelaat om die vlag te vang, al kon jy dit doen, nè?"

"Ag … ek weet wraggies nie wat my besiel om enige plek saam met jou te gaan nie, Percy."

Sy marsjeer aan die ander kant van die heuwel af, na waar 'n wit paneelwa langs die pad wag. Argus stap agter haar aan, met sy bos sleutels wat om sy vinger swaai.

Ek tel die vliëende skoene op en skielik besef ek 'n nare ding. Ek kyk vir Chiron. "Ek sal dit nie kan gebruik nie, nè?"

Hy skud sy kop. "Luke bedoel dit goed, Percy. Maar om in die lug op te styg … in jou geval sal dit nie 'n goeie ding wees nie."

Ek knik teleurgesteld, maar dan kry ek 'n idee. "Haai, Grover. Soek jy 'n toweritem?"

Sy oë helder op. "Ek?"

In 'n oogwink het ons die tekkies oor sy vals voete vasgeryg, en die wêreld se eerste vlieënde bok is gereed om op te styg.

"Maia!" roep hy.

Dit gaan oukei met die opstygslag, maar dan val hy om en sy rugsak sleep deur die gras. Die gevleuelde skoene bly op en af bokspring soos befoeterde perdjies.

"Oefen," roep Chiron agter hom aan. "Jy kort net 'n bietjie oefening!"

"Aaaa!" Grover vlieg op sy sy teen die heuwel af soos 'n grassnyer wat van die duiwel besete is, in die rigting van die paneelwa.

Voor ek hom kan volg, vat Chiron my arm. "Ek moes jou beter opgelei het, Percy," sê hy. "As ek net meer tyd gehad het. Herkules, Jason — almal van hulle het meer opleiding gehad."

"Dis oukei. Ek wens —"

Ek keer myself, want ek is op die punt om soos 'n regte bedorwe brokkie te klink. Ek wou sê ek wens my pa het vir my ook 'n toweritem gegee om my met my heldetaak te help, iets wat so goed is soos Luke se vlieënde skoene, of Annabeth se onsigbaarheidspet.

"Waar's my kop?" roep Chiron uit. "Ek kan jou nie hiersonder laat gaan nie."

Hy trek 'n pen uit sy baadjiesak en gee dit vir my. Dit is 'n gewone goedkoop balpuntpen, swart ink, afhaaldoppie.

"Sjoe," sê ek. "Dankie."

"Percy, dis 'n geskenk van jou pa. Ek het dit jare lank gehou, sonder dat ek geweet het dis vir jou wat ek wag. Maar die profesie is nou vir my duidelik. Jy is die een."

Ek onthou die klasuitstappie na die Metropolitaanse Kunsmuseum, waar ek juffrou Dodds laat ontplof het. Chiron het vir my 'n pen gegooi wat in 'n swaard verander het. Is hierdie dalk ...?

Ek haal die doppie af en die pen word al langer en swaarder in my hand. Binne 'n halfsekonde hou ek 'n glinsterende bronsswaard vas, met 'n tweesnydende lem, 'n greep wat met leer oorgetrek is en 'n plat hef met goue knope daarin. Dit is die heel eerste wapen wat gebalanseerd voel in my hand.

"Die swaard het 'n lang en tragiese geskiedenis waaroor ons nie hoef te praat nie," sê Chiron vir my. "Sy naam is Anaklusmos."

"Trekstroom," vertaal ek, verbaas dat die Antieke Grieks so maklik kom.

"Gebruik dit slegs vir noodgevalle," sê Chiron, "en net teen monsters. Geen held behoort sterflinge leed aan te doen nie, tensy dit natuurlik absoluut noodsaaklik is. Maar dié swaard sal buitendien niks aan hulle doen nie."

Ek kyk na die vlymskerp lem. "Hoe kan dit niks aan sterflinge doen nie? Dis dan so skerp?"

"Dis hemelbrons. Gesmee deur die Siklope, getemper in die hart van die berg Etna, afgekoel in die Letherivier. Dis dodelik vir monsters, vir enige gedierte uit die Onderwêreld, mits hulle jou nie eerste doodmaak nie. Maar die lem sal soos 'n illusie deur enige sterfling gly. Hulle is eenvoudig nie belangrik genoeg vir die lem om dood te maak nie.

En ek moet jou waarsku: As 'n halfgod kan jy deur hemelse én normale wapens doodgemaak word. Jy is twee keer meer weerloos."

"Goed om te weet."

"Sit nou die pen se doppie terug."

Ek raak met die pendoppie aan die swaard se punt en dadelik krimp Trekstroom weer tot 'n balpuntpen. Ek steek dit in my sak, effe benoud, want ek het 'n uitsonderlike talent om penne by die skool te laat wegraak.

"Jy kan nie," sê Chiron.

"Kan nie wat nie?"

"Die pen verloor nie," sê hy. "Dis betowerd. Dit sal altyd weer in jou sak verskyn. Probeer dit."

Ek is effe benoud, maar ek gooi die pen so ver as ek kan by die heuwel af en kyk hoe dit in die gras verdwyn.

"Dit kan dalk 'n paar oomblikke neem," sê Chiron vir my. "Kyk nou in jou sak."

Wraggies, die pen is daar.

"Oukei, dis *woes* cool," erken ek. "Maar wat as 'n sterfling sien hoe ek 'n swaard uittrek?"

Chiron glimlag. "Mis is 'n kragtige ding, Percy."

"Mis?"

"Ja. Lees *Die Iliade.* Dis vol verwysings daarna. Elke keer as goddelike of monsterelemente met die sterflike wêreld meng, skep dit Mis, wat mense se sig belemmer. Jy sal dinge sien nes dit is, omdat jy 'n halfbloed is, maar mense sal dinge heeltemal anders vertolk. Dis eintlik ongelooflik wat mense alles sal doen net om dinge by hulle weergawe van die werklikheid te laat inpas."

Ek sit Trekstroom terug in my sak.

Vir die eerste keer voel die heldetaak werklik. Ek gaan

sowaar Halfbloedheuwel agterlaat. Ek is op pad wes sonder enige volwasse toesig, enige Plan B, of selfs net 'n selfoon. (Chiron het gesê monsters kan selfone opspoor; as ons een gebruik, sal dit erger wees as om 'n noodfakkel in die lug op te stuur om te laat weet waar ons is.) Ek het geen wapen sterker as 'n swaard om monsters te verdryf en die Land van die Dooies te bereik nie.

"Chiron ..." sê ek. "As jy sê die gode is onsterflik ... ek bedoel, daar was 'n tyd voor hulle, of hoe?"

"Vier tydperke, om presies te wees. Die Tydperk van die Titane was die Vierde Tydperk, wat partykeer die Goue Era genoem word, wat beslis 'n misleidende naam is. Hierdie, die tyd van die Westerse beskawing en die heerskappy van Zeus, is die Vyfde Tydperk."

"So, hoe was dit ... voor die gode?"

Chiron pers sy lippe saam. "Selfs ek is nie oud genoeg om dit te kan onthou nie, kind, maar ek weet dit was 'n tyd van duisternis en barbaarsheid vir sterflinge. Kronos, die heerser van die Titane, het sy heerskappy die Goue Era genoem omdat mense onskuldig en vry van kennis geleef het. Maar dit was suiwer propaganda. Vir die koning van die Titane was die mensdom niks meer as 'n peuselhappie of 'n bron van goedkoop vermaak nie. Dit was eers tydens die vroeë heerskappy van Zeus, toe Prometheus die goeie Titaan vuur na die mensdom gebring het, dat jou spesie begin vordering maak het, en selfs toe is Prometheus as 'n radikale denker gebrandmerk. Zeus het hom swaar gestraf, as jy kan onthou. Natuurlik het die gode geleidelik ontdooi teenoor mense, en die Westerse beskawing is gebore."

"Maar die gode kan nie nou doodgaan nie, nè? Ek bedoel, solank die Westerse beskawing bestaan, bestaan hulle. So ...

selfs as ek misluk, kan niks gebeur wat so erg *is dat dit alles sal opmors nie, of hoe?*"

Chiron glimlag treurig vir my. "Niemand weet hoe lank die Era van die Weste sal duur nie, Percy. Die gode is onsterflik, ja. Maar onthou, die Titane was ook. *Hulle* bestaan steeds, toegesluit in hulle onderskeie tronke, gedwing om eindelose pyn en straf te verduur. Hulle kragte is minder, maar hulle lewe beslis nog. Mag die skikgodinne gee dat so 'n aaklige lot nooit die gode tref nie, of dat ons ooit terugkeer na die duisternis en chaos van die verlede. Al wat ons kan doen, kind, is om te doen wat ons bestem is om te doen."

"Dis nou te sê as ons weet waarvoor ons bestem is."

"Ontspan," sê Chiron vir my. "Hou kop. En onthou, jy kan dalk die grootste oorlog in die geskiedenis van die mensdom voorkom."

Toe ek aan die onderkant van die heuwel kom, kyk ek terug. Onder die denneboom wat op 'n tyd Thalia, dogter van Zeus, was, staan Chiron nou in sy volle perdmanvorm, sy boog omhoog in 'n saluut. Jip. Maar net jou tipiese somerkamp, waar jy afgesien word deur 'n tipiese sentour.

***

Argus ry met ons uit die platteland tot in die westelike deel van Long Island. Dit voel vreemd om weer op 'n snelweg te wees. Annabeth en Grover sit langs my asof ons maar net skoolpelle is wie se ouers rybeurte skool toe maak. Ná twee weke by Halfbloedheuwel voel die regte wêreld soos 'n fantasie. Ek betrap myself dat ek staar na elke McDonald's, elke kind agter in sy ouers se kar, elke advertensiebord en elke winkelsentrum.

"Tot dusver gaan dit oukei," sê ek vir Annabeth. "Amper twintig kilometer en nog nie 'n enkele monster nie."

Sy gee my 'n geïrriteerde kyk. "Jy tart die noodlot om so te praat, Seewierbrein."

"Herinner my gou weer — hoekom haat jy my so erg?"

"Ek haat jou nie."

"Dis nie hoe dit vir my lyk nie."

Sy vou haar onsigbaarheidspet op. "Kyk … ons is net nie veronderstel om met mekaar oor die weg te kom nie, oukei? Ons ouers is geswore teenstanders."

"Hoekom?"

Sy sug. "Hoeveel redes wil jy hê? Eenkeer het my ma Poseidon met sy meisie in Athena se tempel betrap, wat ongelooflik disrespekvol is. 'n Ander keer het Athena en Poseidon meegeding om die beskermheilige van die stad Athene te word. Jou pa het die een of ander simpel soutwaterfonteintjie as geskenk geskep. My ma het die olyfboom geskep. Die mense het gesien haar geskenk is beter, daarom het hulle die stad na haar vernoem."

"Hulle hou seker vreeslik baie van olywe."

"Ag, los dit net."

"As sy nou *pizza* uitgevind het — *dit* sou ek kon verstaan."

"Ek sê mos, los dit!"

Op die voorste sitplek glimlag Argus. Hy sê niks, maar een blou oog aan die agterkant van sy kop knipoog vir my.

In Queens is die verkeer rof. Teen die tyd dat ons in Manhattan kom, is dit sononder en begin dit reën.

Argus laai ons by die Greyhound-bushalte in die Upper East Side af, nie ver van my ma en Gabe se woonstel af nie. Teen 'n posbus is 'n natgereënde pamflet opgeplak met my foto daarop: *HET JY DIÉ SEUN GESIEN?*

Ek ruk dit af voor Annabeth en Grover dit kan sien.

Argus laai ons sakke af, maak seker ons het ons buskaartjies, en dan ry hy weg. Die oë agter sy kop gaan oop om ons dop te hou terwyl hy by die parkeerterrein uittrek.

Ek dink aan hoe naby ek aan ons ou woonstel is. Op 'n gewone dag sou my ma teen dié tyd al terug gewees het van die lekkergoedwinkel af. Vrot Gabe is seker op die oomblik daar, besig om poker te speel, en hy mis haar seker nie eens nie.

Grover tel sy rugsak op sy skouers. Hy tuur in die straat af, in die rigting waarin ek kyk. "Wil jy weet hoekom sy met hom getrou het, Percy?"

Ek staar na hom. "Lees jy my gedagtes of iets?"

"Net jou emosies." Hy trek sy skouers op. "Ek het seker vergeet om jou te sê saters kan dit doen. Jy't aan jou ma en jou stiefpa gedink, nè?"

Ek knik, en wonder wat Grover nog alles vergeet het om my te vertel.

"Jou ma het met Gabe getrou om *jou* onthalwe," sê Grover vir my. "Jy noem hom 'Vrot', maar jy weet nie regtig hoe erg dit is nie. Die ou se aura ... Jig. Ek kan hom al die pad tot hier ruik. Ek kan hom nog aan jou ruik, en jy was amper twee weke laas naby hom."

"Dankie," sê ek. "Waar's die naaste stort?"

"Jy moet dankbaar wees, Percy. Jou stiefpa ruik so walglik na mens dat hy die teenwoordigheid van 'n halfgod kan verdoesel. Die oomblik toe ek die binnekant van sy Camaro geruik het, het ek geweet: Gabe steek al jare lank jou reuk weg. As jy nie elke somer saam met hom gebly het nie, sou die monsters jou waarskynlik lankal uitgesnuffel het. Jou ma het by hom gebly om jou te beskerm. Sy was 'n slim vrou."

Sy moes baie lief gewees het vir jou om dit saam met daai vent uit te hou – as dit jou sal laat beter voel."

Dit laat my niks beter voel nie, maar ek dwing myself om dit nie te wys nie. Ek sal haar weer sien. Sy's nie weg nie.

Ek wonder of Grover steeds my emosies kan lees, deurmekaar soos dit is. Ek is bly hy en Annabeth is saam met my, maar ek voel skuldig omdat ek nie eerlik met hulle was nie. Ek het nie vir hulle vertel wat die eintlike rede is hoekom ek ja gesê het vir hierdie waansinnige heldetaak nie.

Die waarheid is, ek voel 'n veer of ek Zeus se weerligstraal kry, die wêreld red, of selfs my pa uit die moeilikheid help kry. Hoe meer ek daaraan dink, hoe meer neem ek Poseidon kwalik omdat hy nooit vir my kom kuier het nie, nooit my ma gehelp het nie, nooit eens daaraan gedink het om skoolgeld of huur te help betaal nie. Hy het my net opgeëis omdat hy iemand nodig het om iets gedoen te kry.

Al wat vir my belangrik is, is my ma. Hades het haar weggevat, en Hades gaan haar teruggee.

Iemand wat jou 'n vriend noem, sal jou verraai in jou taak, het die Orakel in my gedagtes gefluister. *En jy sal vergeefs dit probeer red wat die meeste saak maak.*

Ag, bly stil, sê ek.

Die reën hou nie op nie.

Ons is later moeg gewag vir die bus en ons begin 'n speletjie met een van Grover se appels speel. Ons kyk hoe lank ons die appel in die lug kan hou sonder om ons hande te gebruik. Annabeth is ongelooflik goed. Sy stamp die appel met haar knie, haar elmboog, haar skouers. Ek is self nie te sleg daarmee nie.

Die speletjie eindig toe ek die appel in Grover se rigting

stamp en dit te na aan sy mond kom. Met een groot bokbyt is ons speletjie verby – stronk, stingel en al.

Grover bloos. Hy probeer om verskoning vra, maar ek en Annabeth lê soos ons lag.

Uiteindelik kom die bus. Terwyl ons in die ry staan om op te klim begin Grover rondkyk. Hy snuif die lug asof hy sy gunstelingkos in die skoolkafeteria ruik – enchiladas.

"Wat is fout?" vra ek.

"Ek weet nie," sê hy gespanne. "Dalk is dit niks."

Maar ek kan sien dis nie niks nie. Ek begin ook oor my skouer loer.

Ek is verlig toe ons uiteindelik opklim en sitplekke bymekaar agter in die bus kry. Ons pak ons rugsakke weg. Annabeth slaan die heeltyd senuweeagtig met haar Yankees-pet teen haar been.

Terwyl die laaste passasiers opklim, klem Annabeth se hand skielik om my knie. "Percy."

'n Ou tannie het pas op die bus geklim. Sy dra 'n gekreukelde fluweelrok, kanthandskoene en 'n vormlose oranje wolhoedjie wat 'n skaduwee oor haar gesig gooi, en sy het 'n groot paisleyhandsak. Toe sy opkyk, glinster haar swart oë, en my hart mis 'n slag.

Dis juffrou Dodds. Ouer, meer verrimpeld, maar beslis dieselfde bose gesig.

Ek krimp ineen op my sitplek.

Agter haar klim nog twee tannies op: een met 'n groen hoed, een met 'n pers hoed. Afgesien daarvan lyk hulle presies soos juffrou Dodds – dieselfde kromgetrekte hande, paisleyhandsakke, gekreukelde fluweelrokke. Demoniese drielingoumatjies.

Hulle gaan sit in die voorste ry, reg agter die bestuurder.

Die twee teen die gangetjie kruis hulle bene oor die paadjie om 'n X te vorm. Dit lyk soos 'n heel terloopse ding om te doen, maar die boodskap is duidelik: Niemand gaan hier afklim nie.

Die bus trek by die halte uit, en ons vat die pad deur die nat strate van Manhattan. "Sy het nie lank dood gebly nie," sê ek en probeer keer dat my stem bewe. "Ek dog jy't gesê ek is dalk vir die res van my lewe van haar ontslae."

"Ek het gesê as jy *gelukkig* is," sê Annabeth. "Duidelik is jy nie."

"Al drie van hulle," kreun Grover. *"Di immortales!"*

"Dis oukei," sê Annabeth, wat beslis dink dat die rook trek. "Die Furieë. Die drie ergste monsters uit die Onderwêreld. Geen probleem nie. Geen probleem nie. Ons glip net by die venster uit."

"Die vensters kan nie oopmaak nie," kerm Grover.

"'n Agterste uitgang?" stel sy voor.

Daar is nie een nie. Selfs al was daar, sou dit nie gehelp het nie. Teen dié tyd is ons al in Ninth Avenue, op pad na die Lincoln-tonnel.

"Hulle sal ons nie aanval terwyl daar ooggetuies is nie," sê ek. "Sal hulle?"

"Sterflinge het nie goeie oë nie," herinner Annabeth my. "Hulle brein kan net verwerk wat hulle deur die Mis sien."

"Hulle sal drie ou tannies sien wat ons vermoor, nè?"

Sy dink daaroor. "Moeilik om te sê. Maar ons kan nie daarop reken dat sterflinge ons gaan help nie. Dalk 'n nooduitgang teen die dak …?"

Ons ry by die Lincoln-tonnel in en die bus word donker, behalwe vir die ry vloerliggies in die paadjie. Dit is onheilspellend stil sonder die geluid van die reën.

Juffrou Dodds staan op. In 'n toonlose stem, asof sy dit vooraf geoefen het, kondig sy vir die hele bus aan: "Ek moet die badkamer gebruik."

"Ek ook," sê die tweede suster.

"Ek ook," sê die derde suster.

"Ek het dit," sê Annabeth. "Percy, vat my pet."

"Wat?"

"Dis vir jou wat hulle soek. Raak onsigbaar en stap in die paadjie op. Laat hulle by jou verbygaan. Dalk kan jy voor kom en wegglip."

"Maar julle twee —"

"Daar is 'n kans dat hulle ons nie sal opmerk nie," sê Annabeth. "Jy's 'n seun van een van die Groot Drie. Jou reuk kan oorweldigend wees."

"Ek kan julle nie net hier los nie."

"Moenie oor ons bekommerd wees nie," sê Grover. "Gaan!"

My hande bewe. Ek voel soos 'n lafaard, maar ek vat die Yankees-pet en sit dit op.

Toe ek afkyk, is my lyf nie meer daar nie.

Ek begin in die paadjie opsluip. Ek vorder verby tien rye, dan duik ek op 'n leë sitplek neer, net toe die Furieë verbystap.

Juffrou Dodds gaan staan, snuif-snuif in die lug, en kyk reguit na my. My hart hamer in my bors.

Skynbaar sien sy niks. Sy en haar susters stap weg.

Ek is vry. Ek skarrel tot voor in die bus. Ons is nou amper deur die Lincoln-tonnel. Net toe ek die noodstopknoppie wil druk, hoor ek 'n angswekkende gekerm uit die agterste ry.

Die ou tannies is nie meer ou tannies nie. Hulle gesigte lyk nog dieselfde — hulle kan seker nie nog leliker word nie — maar hulle lywe het weggekrimp tot leeragtige bruin hekselywe met vlermuisvlerke en hande en voete wat in kloue vertrek is. Hulle handsakke het in vlammende swepe verander.

Die Furieë staan rondom Grover en Annabeth, en slaan met hulle swepe terwyl hulle sis: "Waar is dit? Waar?"

Die ander mense op die bus gil en krimp ineen op hulle sitplekke. Hulle sien beslis *iets*.

"Hy's nie hier nie!" skree Annabeth. "Hy's weg."

Die Furieë lig hulle swepe.

Annabeth pluk haar bronsmes uit. Grover gryp 'n blikkie uit sy kossak en maak reg om dit te gooi.

Wat ek volgende doen is so impulsief en gevaarlik, ek behoort as die amptelike gesig van AGHS-kinders regoor die wêreld aangewys te word.

Die busbestuurder se aandag is afgetrek, want hy probeer in die truspieëltjie sien wat aangaan.

Steeds onsigbaar gryp ek die stuurwiel by hom en pluk dit na links. Almal skreeu terwyl hulle na regs geslinger word, en ek hoor iets wat hopelik die geluid is van drie Furieë wat die bus se vensters tref.

"Hei!" skree die bestuurder. "Hei – hokaai!"

Hy stoei met die stuurwiel. Met 'n geknars van metaal stamp die bus teen die kant van die tonnel, en 'n reën vonke skiet agter ons uit.

Die bus hel gevaarlik oor terwyl ons by die tonnel uitjaag, terug in die reënstorm. Mense en monsters word in die bus rondgeslinger en karre word soos kegels uit die pad gestamp.

Op 'n manier kry die bestuurder 'n afrit. Ons skiet van die hoofweg af, deur 'n dosyn verkeersligte, en dan beland ons op een van die plattelandse New Jersey-paaie waar jy nie kan glo daar's soveel niks net oorkant die rivier van New York af nie. Op links is 'n woud, op regs is die Hudsonrivier, en dit lyk of die bestuurder in die rigting van die rivier mik.

Nog 'n fantastiese idee: Ek trek die noodrem.

Die bus kerm, tol 'n volle sirkel op die nat teer en tref die bome. Die noodligte gaan aan. Die deur vlieg oop. Die busbestuurder is eerste uit, met die passasiers wat gillend agterna kom en mekaar in die proses amper vertrap. Ek klim in die bestuurdersitplek en laat hulle verbykom.

Die Furieë kry hulle balans terug. Hulle klap met hulle swepe na Annabeth terwyl sy haar mes rondswaai en in Antieke Grieks vir hulle skree om pad te gee. Grover bestook hulle met blikkies.

Ek kyk na die oop deur. Ek kan vlug, maar ek kan nie my vriende agterlaat nie. Ek pluk die onsigbare pet af. "Haai!"

Die Furieë swaai om, ontbloot hulle geel slagtande vir my, en skielik lyk die uitgang na 'n uitstekende idee. Juffrou Dodds kom in die paadjie aangeskuifel, nes sy altyd in die klas gedoen het om my wiskundetoets terug te gee waarvoor ek weer 'n F-minus gekry het. Elke keer as sy haar sweep klap, dans rooi vlamme oor die leer.

Haar twee afskuwelike susters wip bo-op die sitplekke weerskante van haar en kom soos enorme, aaklige akkedisse na my toe aangeskarrel.

"Perseus Jackson," sê juffrou Dodds, met 'n aksent wat definitief van iewers verder suid as Georgia kom. "Jy het die gode aanstoot gegee. Jy gaan sterf."

"Ek het meer van jou gehou toe jy 'n wiskundeonnie was," sê ek vir haar.

Sy grom.

Annabeth en Grover beweeg versigtig agter die Furieë in, op soek na 'n plek om deur te glip.

Ek haal die balpuntpen uit my sak en haal die doppie af. Trekstroom word 'n glinsterende, tweesnydende swaard.

Die Furieë aarsel.

Juffrou Dodds het voorheen met Trekstroom se lem te doen gekry. Sy hou beslis nie daarvan om dit weer te sien nie.

"Gee jou oor," sis sy. "Jy sal ewige foltering gespaar word."

"Goeie probeerslag," sê ek vir haar.

"Percy, pasop!" skree Annabeth.

Juffrou Dodds se sweep klap om my swaardhand, terwyl die Furieë aan weerskante van haar op my afduik.

Dit voel of my hand in gesmelte lood toegedraai is, maar ek kry dit reg om Trekstroom nie te laat val nie. Ek slaan die Furie op links met die hef van die swaard, en sy val agtertoe in 'n sitplek. Ek draai om en kap na die Furie op regs. Die oomblik toe die lem haar nek tref, gil sy en ontplof in 'n stofwolk. Annabeth kry juffrou Dodds in 'n stoeigreep beet en ruk haar agtertoe terwyl Grover die sweep uit haar hande pluk.

"Sjoe!" skree hy. "Sjoe! Warm! Warm!"

Die Furie wat ek met die hef geslaan het, kom weer vir my, kloue uitgestrek, maar ek swaai Trekstroom en sy bars soos 'n piñata oop.

Juffrou Dodds probeer Annabeth van haar rug afkry. Sy skop, krap, sis en byt, maar Annabeth klou vir al wat sy werd is, terwyl Grover juffrou Dodds se bene met haar eie sweep vasmaak. Dan stamp hulle haar agtertoe in die paadjie. Juffrou Dodds probeer orent kom, maar daar is nie plek om haar vlerke te klap nie, so sy val die heeltyd om.

"Zeus gaan jou verdelg!" belowe sy. "Jou siel sal Hades s'n wees!"

"Braccas meas vescimini!" skree ek.

Ek is nie seker waar die Latyn vandaan kom nie. Ek dink dit beteken iets soos "byt my broek!"

Donderweer skud die bus. Die hare aan die agterkant van my nek spring orent.

"Klim uit!" skree Annabeth vir my. "Nou!"

Ek het geen aanmoediging nodig nie.

Ons storm buitentoe, waar die ander passasiers in 'n dwaal rondstrompel, op die busbestuurder skel, of in sirkels rondhardloop en skree: "Ons gaan doodgaan!" 'n Toeris met 'n Hawaii-hemp neem 'n foto van my voor ek die pendoppie weer op my swaard kan sit.

"Ons sakke!" besef Grover. "Ons het ons —"

BOEM!

Die bus se vensters ontplof terwyl die passasiers gillend vlug. Weerlig kloof 'n yslike krater in die dak, maar 'n woedende skreeu van binne sê vir my juffrou Dodds is nog nie dood nie.

"Hardloop!" sê Annabeth. "Sy laat versterkings kom! Ons moet padgee!"

In die gietende reën storm ons die woud blindelings binne, die brandende bus agter ons en net donkerte voor ons.

ELF

ONS BESOEK DIE TUINKABOUTER-EMPORIUM

Op 'n manier is dit nogal lekker om te weet daar's regtig iets soos Griekse gode, want dan kan jy die skuld op hulle pak as dinge skeefloop. Byvoorbeeld, wanneer jy wegstap van 'n bus wat pas deur monsterhekse aangeval en deur weerlig opgeblaas is, en dit reën ook nog, sal die meeste mense dink dis nou maar net nie jou dag nie; as jy 'n halfbloed is, verstaan jy dat die een of ander goddelike mag regtig jou dag probeer opfoeter.

So, hier is ons, ek en Annabeth en Grover, te voet in die woud aan die rivieroewer van New Jersey, met die gloed van New York se stadsliggies wat die naglug agter ons geel kleur, en die stank van die Hudsonrivier in ons neuse.

Grover bibber en balk, die pupille van sy groot bokoë op skrefies getrek en vreesbevange. "Drie wraakgodinne. Al drie op een slag."

Ek is ook nogal redelik geskok. Die ontploffing van die busvensters weerklink nog in my ore. Maar Annabeth jaag ons die heeltyd aan. "Komaan! Hoe verder ons wegkom, hoe beter."

"Al ons geld was op daai bus," herinner ek haar. "Ons kos en klere. Alles."

"Wel, as jy dalk nie besluit het om in te spring en saam te baklei nie —"

"Wat wou jy hê moes ek doen? Toelaat dat julle doodgemaak word?"

"Jy't nie nodig gehad om my te beskerm nie, Percy. Ek sou piekfyn gewees het."

"In skyfies opgekerf soos 'n stuk polonie," sê Grover, "maar piekfyn."

"Bly stil, bokseun," sê Annabeth.

Grover balk jammerlik. "Blikkies … 'n hele sak vol blikkies."

Ons ploeter voort deur modderige grond, tussen aaklige kromgetrekte bome deur wat na suur wasgoed ruik.

Ná 'n paar minute val Annabeth langs my in. "Kyk, ek …" Haar stem sterf weg. "Ek waardeer dit dat jy teruggekom het vir ons, oukei? Dit was regtig dapper."

"Ons is mos 'n span, dan nie?"

Sy bly nog 'n paar tree lank stil. "Dis net, as jy doodgaan … behalwe vir die feit dat dit nogal goor gaan wees vir jou, sal dit beteken die heldetaak is daarmee heen. Dis dalk my enigste kans om die regte wêreld te sien."

Die donderstorm begin uiteindelik opklaar. Die stadsgloed verdof agter ons, en laat ons in byna stikdonkerte agter. Al wat ek van Annabeth kan sien, is die dowwe glans van haar blonde hare.

"Jy's nog nooit weg by Kamp Halfbloed vandat jy sewe jaar oud is nie?" sê-vra ek.

"Nee … net vir kort uitstappies. My pa —"

"Die geskiedenisprofessor."

"Ja. Dit het nie uitgewerk vir my om by die huis te bly nie. Ek bedoel, Kamp Halfbloed *is* my huis." Sy praat nou vinnig, asof sy bang is iemand sal haar probeer stilmaak. "By die kamp oefen en oefen jy. En dis cool en als, maar die regte wêreld is waar die monsters is. Dis waar jy uitvind of jy goed is of nie."

As ek nie van beter geweet het nie, sou ek kon sweer ek hoor twyfel in haar stem.

"Jy's nogal goed met daai mes," sê ek.

"Dink jy so?"

"Ek dink enige iemand wat op 'n Furie se rug kan ry asof dit 'n ponie is, is nogal nie te sleg nie."

Ek kan haar nie regtig sien nie, maar ek vermoed sy glimlag dalk.

"Jy weet," sê sy, "dalk moet ek jou vertel … Iets snaaks daar op die bus …"

Wat ook al sy wou sê, word onderbreek deur 'n skril *toet-toet-toet*, soos die geluid van 'n uil wat gemartel word.

"Hei, my panfluit werk nog!" roep Grover uit. "As ek net 'n padvindliedjie kan onthou, kan ons dalk uit die woud kom."

Hy blaas nog 'n paar note, maar die wysie klink steeds baie soos Hilary Duff.

In plaas daarvan om 'n pad te vind, stap ek die volgende oomblik in 'n boom vas en kry 'n lekker eier van 'n knop op my voorkop.

Voeg by die lys van superkragte wat ek *nie* het nie: infra-rooi sig.

Nadat ons nog 'n kilometer of twee verder gestruikel en gevloek en sommer net pleinweg miserabel gevoel het, sien ek lig in die verte: die kleure van 'n neonteken. Ek ruik kos. Gebraaide, vetterige, lieflike kos. Ek besef nou eers ek het niks ongesonds geëet vandat ek by Halfbloedheuwel aangekom het nie, want daar lewe almal van druiwe, brood, kaas en ekstra-maer braaivleis wat die nimfe voorberei. Hierdie outjie het dringend 'n dubbele kaasburger nodig.

Ons hou aan stap totdat ons op 'n verlate stuk pad tussen die bome afkom. Aan die een kant is 'n vulstasie wat lyk of dit al jare terug al toegemaak het, 'n afgeskilferde advertensiebord wat 'n fliek uit die 1990's adverteer en een oop besigheid wat die bron van die neonlig en die lekker reuk is.

Dis nie 'n kitskosrestaurant soos ek gehoop het nie, maar so 'n vreemde kuriowinkeltjies langs die pad wat flaminke vir jou grasperk en hout-Indiane en sementbere en sulke goed verkoop. Die hoofgebou is 'n lang, plat pakhuis, omring deur hektare beeldhouwerk. Ek kan nie lees wat op die neonteken bo die hek staan nie, want as daar iets erger vir my disleksie is as gewone skrif, is dit skuinsskrif in rooi neonletters.

Vir my lyk dit soos: NATET EM SETUNIBAKOTEUR-MEPROIUM.

"Wat de dinges staan daar?" vra ek.

"Ek weet nie," sê Annabeth.

Sy is so lief vir lees, ek het vergeet sy is ook disleksies.

Grover vertaal: "TANTE EM SE TUINKABOUTER-EMPORIUM."

Weerskante van die ingang is inderdaad twee sement-tuindwergies, lelike goedjies met lang baarde, wat glimlag en waai, asof iemand besig is om 'n foto van hulle te neem.

Ek stap oor die straat, agter die reuk van hamburgers aan.

"Hei ..." waarsku Grover.

"Die ligte is aan daar binne," sê Annabeth. "Dalk is dit oop."

"Dalk verkoop hulle eetgoed ook," sê ek hoopvol.

"Eetgoed," sê sy en knik.

"Is julle twee mal?" vra Grover. "Die plek is vreemd."
Ons ignoreer hom.

Die voortuin is 'n woud standbeelde: sementdiere, sement-kinders, selfs 'n sementsater met 'n panfluit, wat Grover behoorlik die aapstuipe gee.

"Bla-ha-ha!" blêr hy. "Dit lyk nes my oom Ferdinand!"

Ons kom voor die deur van die pakhuis tot stilstand.

"Moenie klop nie," pleit Grover. "Ek ruik monsters."

"Jou neus is nog vol van daai Furieë se reuk," sê Annabeth. "Al wat ek ruik, is burgers. Is jy nie honger nie?"

"Vleis!" sê hy omgekrap. "Ek's 'n vegetariër."

"Jy eet kaas-enchiladas en koeldrankblikkies," herinner ek hom.

"Dis mos groente. Komaan. Kom ons waai. Hierdie standbeelde … kyk vir my."

Dan kraak die deur oop, en voor ons staan 'n lang Midde-Oosterse vrou – altans, ek aanvaar sy's Midde-Oosters, want sy dra 'n lang swart kleed wat alles behalwe haar hande bedek, en haar kop is heeltemal versluier. Haar oë glinster agter 'n gordyn van swart gaas, maar dis omtrent al wat ek kan uitmaak. Haar koffiekleurige hande lyk oud, maar goed versorg en elegant, so ek raai sy's 'n ouma wat op 'n tyd 'n beeldskone vrou was.

Haar aksent klink ook vaagweg Midde-Oosters.

"Kinders," sê sy, "dis mos al te laat om alleen buite te wees. Waar is julle ouers?"

"Hulle … uhm …" begin Annabeth sê.

"Ons is weeskinders," sê ek.

"Weeskinders?" vra die vrou. Die woord klink vreemd in haar mond. "Haai, hartjies! Tog sekerlik nie!"

"Ons het per ongeluk afgedwaal van ons woonwa," sê ek. "Ons sirkuswoonwa. Die ringmeester het gesê ons moet hom by die vulstasie kry as ons verdwaal, maar dalk het hy vergeet, of dalk het hy 'n ander vulstasie bedoel. Maar nou het ons verdwaal. Is dit kos wat ek ruik?"

"Ai, hartjies," sê die vrou. "Julle moet inkom, julle stomme kinders. Ek is tannie Em. Stap reguit deur na die agterkant van die pakhuis, asseblief. Daar's 'n eetplekkie."

Ons bedank haar en stap in.

Annabeth brom vir my: "Sirkuswoonwa?"

"Mens moet altyd 'n strategie hê, of hoe?"

"Jou kop is vol seegras."

Die pakhuis is volgepak met nog standbeelde — mense in allerhande verskillende posisies, met verskillende uitrustings en verskillende uitdrukkings op hulle gesig. Ek dink jy sal nogal 'n groot tuin moet hê om selfs net een van daai standbeelde daar te laat inpas, want hulle is omtrent almal lewensgroot. Maar ek dink bowenal aan kos.

Dis reg, noem my maar 'n idioot omdat ek sommer net so by 'n wildvreemde vrou se winkel instap omdat ek honger is, maar ek doen partykeer goed sonder om te dink. Plus, jy het nog nooit tannie Em se burgers geruik nie. Die aroma is soos laggas in 'n tandarts se stoel — dit laat alles anders verdwyn. Ek merk skaars Grover se benoude kreungeluidjies op, of die manier hoe dit lyk of die standbeelde se oë ons volg, of die feit dat tannie Em die deur agter ons gesluit het.

Ek wil net daai eetplek kry. En sowaar, daar is dit, aan die agterkant van die pakhuis. 'n Kitskostoonbank met 'n roosteroond, 'n koeldrankfontein, 'n pretzelverwarmer en outomaat wat nachokaas spuit. Alles waarvoor jy kan wens, plus 'n paar staalpiekniektafels voor die toonbank.

"Sit gerus," sê tannie Em.

"Fantasties," sê ek.

"Uhm," sê Grover huiwerig, "ons het nie geld by ons nie, Tannie."

Voor ek hom in die ribbes kan pomp, sê tannie Em: "Nee, nee, kinders. Geen geld nie. Dis mos buitengewone omstandighede, nie waar nie? Julle oulike weeskinders hoef nie te betaal nie."

"Dankie, Tannie," sê Annabeth.

Tannie Em verstyf asof Annabeth iets verkeerd gedoen het, maar dan ontspan die ou vrou dadelik weer, so dalk was dit net my verbeelding.

"In die haak, Annabeth," sê sy. "Jy het sulke pragtige grys oë, kind."

Ons gasvrou verdwyn agter die kostoonbank en begin kosmaak. Voor ons ons oë uitvee, bring sy vir ons plastiekskinkborde met dubbele kaasburgers, melkskommels en XXL-porsies slaptjips.

Ek is halfpad deur my burger voor ek onthou om asem te haal.

Annabeth slurp haar melkskommel.

Grover pik-pik aan die tjips, en loer na die waspapier waarmee die skinkbord uitgevoer is asof hy van plan is om daaraan te begin knibbel, maar hy lyk te senuweeagtig om te eet.

"Watse sisgeluid is daai?" vra hy.

Ek luister, maar ek hoor niks. Annabeth skud haar kop.

"Sisgeluid?" vra tannie Em. "Dalk hoor jy die olie in die braaier. Jy het skerp ore, Grover."

"Ek drink vitamiene. Vir my ore."

"Dis goed," sê sy. "Maar ontspan tog nou, asseblief."

"Hoe weet sy wat ons name is?" fluister Grover. "Ek is amper seker ons het dit nooit vir haar gesê nie!"

Ek rol net my oë vir hom.

Tannie Em eet niks. Sy het nie die doek oor haar kop afgehaal nie, nie eens om kos te maak nie, en nou sit sy vooroor, vingers inmekaargevleg, en kyk hoe ons eet. Dis 'n bietjie vreemd om te eet terwyl iemand vir my staar sonder dat ek haar gesig kan sien, maar ek voel versadig ná die burger, en 'n bietjie lomerig, en ek skat die minste wat ek kan doen, is om 'n bietjie met ons gasvrou te gesels.

"So, u verkoop tuinkabouters?" vra ek en probeer klink of ek regtig belang stel.

"O, ja," sê tannie Em. "En diere. En mense. Enige iets vir die tuin. Ons maak dit op bestelling ook. Tuinornamente is deesdae baie gewild."

"Kom baie mense hierlangs verby?"

"Nie so baie nie. Vandat die snelweg gebou is ... die meeste karre ry nie meer hier verby nie. Ek moet maar elke kliënt waardeer wat ek kry."

My nek tintel, asof iemand vir my kyk. Ek draai om, maar dis net 'n standbeeld van 'n jong meisie met 'n mandjie vol paaseiers. Die detail is ongelooflik, veel beter as wat jy in die meeste tuinbeelde sien. Maar iets is fout met die meisie se gesig. Dit lyk asof sy geskrik het, of selfs vreesbevange is.

"A," sê tannie Em treurig. "Jy sal sien party van my skeppings kom nie so goed uit nie. Hulle is redelik ontsier. Hulle verkoop nie. Die gesig is die moeilikste om reg te kry. Altyd die gesig."

"Maak Tannie self die beelde?" vra ek.

"O ja. Op 'n tyd het ek twee susters gehad wat my met die besigheid gehelp het, maar hulle het heengegaan, en nou's tannie Em op haar eie. Net ek en my beelde. Dis hoekom ek hulle maak, sien. Hulle hou my geselskap." Die hartseer in haar stem klink so diep en opreg dat ek nie kan help om jammer te voel vir haar nie.

Annabeth het opgehou met eet. Sy sit vorentoe en sê: "Twee susters?"

"Dis 'n aaklige storie," sê tannie Em. "Nie eintlik vir kinders se ore bedoel nie. Jy sien, Annabeth, 'n nare vrou was jaloers op my, lank gelede toe ek jonk was. Ek het ... 'n kêrel gehad, jy sien, en die slegte vrou was vasbeslote om 'n einde aan ons verhouding te maak. Sy het 'n vreeslike ongeluk veroorsaak. My susters het by my gebly. Hulle het my voortdurende teëspoed verduur vir so lank hulle kon, maar op die ou end het hulle heengegaan. Weggekwyn. Net ek het oorleef, maar teen 'n prys. So 'n prys."

Ek is nie seker wat sy bedoel nie, maar ek kry haar jammer. My ooglede word al hoe swaarder, my vol maag maak my vaak. Arme ou tannie. Wie sal so 'n gawe vrou wil seermaak?

"Percy?" Annabeth skud aan my om my aandag te kry. "Dalk moet ons gaan. Ek bedoel, die ... ringmeester wag seker al."

Sy klink gespanne. Ek is nie seker hoekom nie. Grover eet nou die waspapier wat op die skinkbord was, maar as tannie Em dit vreemd vind, sê sy niks.

"Sulke pragtige grys oë," sê tannie Em weer vir Annabeth. "Goeiste, ja, ek het lanklaas sulke grys oë soos daardie gesien."

Sy steek haar hand uit asof sy Annabeth se wang wil streel, maar Annabeth spring regop.

"Ons moet regtig gaan."

"Ja!" Grover sluk eers sy waspapier in en staan dan op. "Die ringmeester wag! Reg!"

Ek wil nie gaan nie. Ek voel versadig en gelukkig met die wêreld. Tannie Em is so gaaf. Ek wil nog 'n rukkie by haar bly.

"Asseblief, hartjies," pleit tannie Em. "Ek kry so min kans om 'n bietjie tyd saam met kinders deur te bring. Voor julle gaan, wil julle nie ten minste vir my poseer nie?"

"Poseer?" vra Annabeth agterdogtig.

"'n Foto? Ek sal dit gebruik om 'n nuwe groepsbeeld te maak. Kinders is so gewild. Almal hou van kinders."

Annabeth verskuif haar gewig van voet na voet. "Ek dink nie ons kan nie, Tannie. Kom nou, Percy —"

"Natuurlik kan ons," sê ek. Ek is geïrriteerd met Annabeth omdat sy so baasspelerig is, so ongeskik met 'n ou tannie wat ons pas verniet laat eet het. "Dis net 'n foto, Annabeth. Dit kan tog nie kwaad doen nie."

"Ja, Annabeth," spin die vrou. "Geen kwaad nie."

Ek kan sien Annabeth hou nie daarvan nie, maar sy laat toe dat tannie Em ons terug na die voordeur lei, uit tot in die tuin vol beelde.

Tannie Em lei ons na 'n parkbankie langs die klipsater. "Reg," sê sy. "Ek sal julle in julle regte posisies plaas. Die meisie in die middel, dink ek, en die twee jong manne weerskante van haar."

"Hier's nie veel lig vir 'n foto nie," merk ek op.

"Ag, dis oorgenoeg," sê tannie Em. "Genoeg dat ons mekaar darem kan sien, of hoe?"

"Waar's die kamera?" vra Grover.

Tannie Em staan terug, asof sy die skoot bewonder. "Goed, die gesig is die moeilikste. Kan julle asseblief vir my glimlag, al drietjies van julle? 'n Lekker breë glimlag?"

Grover loer na die saterbeeld langs hom en brom: "Dit lyk wraggies nes oom Ferdinand."

"Grover," raas tannie Em, "kyk diékant toe, hartjie."

Sy het steeds nie 'n kamera in haar hande nie.

"Percy —" sê Annabeth.

Die een of ander instink waarsku my om na Annabeth te luister, maar ek stry teen die vaak gevoel, die lekker lomerigheid wat deur die kos en die ou tannie se stem veroorsaak is.

"Gee net 'n oomblik kans," sê tannie Em. "Julle weet, ek sien nie so goed met dié vervloekte sluier nie ..."

"Percy, iets is fout," hou Annabeth vol.

"Fout?" Tannie Em begin die doek om haar kop losdraai. "Glad nie, hartjie. Ek het vanaand sulke edele geselskap. Wat kan tog fout wees?"

Grover snak na sy asem. "Dit *is* oom Ferdinand!"

"Moenie vir haar kyk nie!" skree Annabeth. Sy sit blitsvinnig haar Yankees-pet op haar kop en verdwyn. Haar onsigbare hande stamp my en Grover albei van die bankie af.

Ek lê plat en kyk na tannie Em se voete in haar sandale.

Ek kan hoor hoe Grover en Annabeth in verskillende rigtings wegskarrel. Maar ek is te deurmekaar om te beweeg.

Dan hoor ek 'n vreemde rasperige geluid bo my. My oë lig na tannie Em se hande, wat nou kromgetrek en vratterig lyk, met skerp bronskloue vir vingernaels.

Ek kyk amper hoër op, maar iewers op links skree Annabeth: "Nee! Moenie!"

Weer die rasperige geluid – die geluid van klein slangetjies reg bo my ... daar waar tannie Em se kop moet wees.

"Hardloop!" blêr Grover. Ek hoor hoe hy oor die gruis nael. *"Maia!"* skree hy om sy vlieënde tekkies aan die gang te kry.

Ek kan nie beweeg nie. Ek staar na tannie Em se kromgetrekte kloue, en probeer baklei teen die dofkop-beswyming waarin die ou vrou my gesit het.

"Wat 'n jammerte om so 'n aantreklike jong gesig te vernietig," sê sy vertroostend. "Bly by my, Percy. Al wat jy hoef te doen, is opkyk."

Ek stry teen die drang om te doen wat sy sê. In plaas daarvan kyk ek eenkant toe en sien een van daardie weerkaatsende glasballe wat mense in hulle tuin sit. Ek kan tannie Em se donker weerkaatsing in die oranje glas sien: haar hoofbekleedsel is weg, en haar gesig is 'n glimmerende bleek sirkel. Haar hare beweeg soos wriemelende slange.

Tannie Em.

Tannie "M".

Hoe kon ek so onnosel wees?

Dink, sê ek vir myself. Hoe is Medusa in die mite dood?

Maar ek kan nie dink nie. Iets sê vir my in die mite is Medusa deur my naamgenoot, Perseus, aangeval terwyl sy geslaap het. Sy's beslis nie nou aan die slaap nie. As sy wil, kan sy my gesig met daardie kloue van haar oopkloof.

"Die Grysoog-een het dit aan my gedoen, Percy," sê Medusa, en sy klink glad nie soos 'n monster nie. Haar stem nooi my om op te kyk, om simpatie te hê met die arme oumatjie. "Ek was 'n beeldskone vrou, maar Annabeth se ma, die vervloekte Athena, het my in hierdie gedrog verander."

"Moenie na haar luister nie!" roep Annabeth se stem iewers tussen die beelde. "Hardloop, Percy!"

"Stilte!" grom Medusa. Dan word haar stem weer 'n gerusstellende gespin. "Jy sien waarom ek die meisie moet vernietig, Percy. Sy is my vyand se dogter. Ek sal sorg dat daar net stof van haar standbeeld oorbly. Maar jy, liewe Percy, jy hoef nie te ly nie."

"Nee," prewel ek. Ek probeer my bene dwing om te beweeg.

"Wil jy regtig die gode help?" vra Medusa. "Verstaan jy wat op jou wag as jy hierdie onnosele heldetaak aandurf, Percy? En wat sal gebeur as jy die Onderwêreld bereik?

Moenie die Olimpiërs se pion wees nie, my hartjie. Dis beter om 'n standbeeld te wees. Minder pyn. Minder pyn."

"Percy!" Agter my is 'n gonsgeluid, soos 'n negentig-kilogram-kolibri wat op my afduik. Grover skree: "Koes!"

Ek draai om en daar is hy. Hy kom deur die naglug aangevlieg met sy gevleuelde skoene wat verwoed fladder – Grover, met 'n boomtak so groot soos 'n bofbalkolf in sy hand. Sy oë is styf toegeknyp, sy kop weggedraai. Hy gebruik net sy ore en neus om koers te hou.

"Koes!" skree hy weer. "Ek sal haar kry!"

Dit spoor my uiteindelik aan tot aksie. Soos ek Grover ken, gaan hy vir Medusa mis en my katswink slaan. En ek duik opsy.

Dwaf!

Eers is ek seker dis die geluid van Grover wat in 'n boom vasgevlieg het. Dan brul Medusa van woede.

"Jou ellendige sater," grom sy. "Nou gaan jy deel word van my versameling!"

"Daai was vir oom Ferdinand!" skree Grover.

Ek skarrel weg en gaan kruip tussen die beelde weg terwyl Grover afduik vir nog 'n hou.

Ka-dwaf!

"Arrrgh!" gil Medusa, met haar slanghare wat sis en spoeg.

Reg langs my sê Annabeth se stem: "Percy!"

Ek skrik so groot dat ek amper bo-oor 'n tuinkabouter spring. "Jissie! Moenie dit doen nie!"

Annabeth haal haar Yankees-pet af en word sigbaar. "Jy moet haar kop afkap."

"Wat? Is jy mal? Kom ons gee pad."

"Medusa is 'n bedreiging. Sy's boos. Ek sou haar self wou doodmaak, maar ..." Annabeth sluk, asof sy op die punt is om 'n moeilike besluit te neem. "Maar jy het 'n beter wapen. Buitendien, ek sal nie naby aan haar kan kom nie. Sy sal my met haar kloue aan flarde skeur oor my ma. Jy – jy het 'n kans."

"Wat? Ek kan nie –"

"Luister, wil jy hê sy moet nog onskuldige mense in standbeelde verander?"

Sy wys na 'n standbeeld van twee geliefdes, 'n man en vrou met hulle arms om mekaar, wat deur die monster in klip verander is.

Annabeth gryp 'n groen glasbal van 'n staander af. "'n Gepoleerde skild sou beter gewees het." Sy bekyk die bal krities. "Die konvekse oppervlak behoort die beeld te verwring. Die grootte van die weerkaatsing behoort met 'n faktor van –"

"Kan jy asseblief soos 'n normale mens praat?"

Sy gooi die glasbal vir my. "Oukei, kyk net na haar weerkaatsing in die glas. Moenie direk vir haar kyk nie."

"Hei, ouens!" gil Grover iewers bo ons. "Ek dink sy is bewusteloos."

"Raaaaargggh!"

"Of dalk nie," help Grover homself reg. Hy duik af vir nog 'n hou met die boomtak.

"Maak gou," sê Annabeth. "Grover se neus is fantasties, maar die een of ander tyd gaan hy in iets vasvlieg."

Ek haal my pen uit en ruk die doppie af. Trekstroom se bronslem kom te voorskyn.

Ek volg die sis- en spoeggeluide van Medusa se hare.

Ek hou my oë vasgenael op die glasbal sodat ek net Medusa se weerkaatsing kan sien, nie die ware jakob nie. Daar, in die groen getinte glas, is sy.

Grover vlieg nader vir nog 'n hou, maar dié keer vlieg hy effens te laag. Medusa gryp die stok en ruk hom van koers af. Hy tuimel deur die lug en kom met 'n pynlike "Oemf!" in die kliparms van 'n grysbeer te lande.

Medusa maak gereed om hom te bespring, maar ek roep: "Hei!"

Ek gaan nader aan haar, wat nie maklik is as jy 'n swaard en 'n glasbal vashou nie. As sy op my afstorm, gaan dit moeilik wees om myself te verdedig.

Maar sy laat my nader kom – tien meter, vyf meter.

Ek kan nou die weerkaatsing van haar gesig sien. Kan dit regtig *so* lelik wees? Die groen kolke van die glasbal verwring dit seker, laat dit erger lyk.

"Jy sal tog sekerlik nie 'n ou tannie leed aandoen nie, Percy," koer sy. "Ek weet jy sal nie."

Ek huiwer, gefassineer deur die gesig wat ek in die glas geweerkaats sien – die oë wat lyk of dit dwarsdeur die groen tint brand, en my arms lam maak.

Iewers uit die rigting van die sementbeer kreun Grover: "Percy, moenie vir haar luister nie!"

Medusa kekkel. "Te laat."

Met uitgestrekte kloue bespring sy my.

Ek kap boontoe met my swaard, hoor 'n sieklike *sjlok!* en dan 'n gesis soos wind wat uit 'n spelonk stroom – die geluid van 'n monster wat disintegreer.

Iets val op die grond langs my voet. Dit verg al my wilskrag om nie daarna te kyk nie. Ek voel iets warms en taais wat my sokkies binnesypel, sterwende slangetjies wat aan my skoenveters pluk.

"Oe, jiggie," sê Grover. Sy oë is steeds bottoe, maar ek skat hy kan seker die geborrel en gestoom hoor. "Superjiggie."

Annabeth kom staan langs my, haar oë boontoe gerig. In haar hand is Medusa se swart sluier. "Moenie beweeg nie," sê sy.

Baie, baie versigtig, sonder om af te kyk, kniel sy en drapeer die swart materiaal oor die monster se kop. Dan tel sy dit op. Groen sap druip steeds daaruit.

"Is jy oukei?" vra sy met 'n bewerige stem vir my.

"Jip," besluit ek, al voel ek lus om my dubbele kaasburger op te gooi. "Hoekom … hoekom het die kop nie saam met die res van haar verdwyn nie?"

"Sodra jy dit afkap, word dit oorlogsbuit," sê sy. "Nes jou Minotourushoring. Maar moenie die lap afhaal nie. Haar gesig kan jou steeds laat versteen."

Grover kerm terwyl hy van die grysbeerstandbeeld afklim. Daar is 'n groot skraap oor sy voorkop. Sy groen Rasta-mus hang aan een van sy bokhorinkies, en sy vals voete het van sy hoewe afgeval. Die towertekkies fladder doelloos om sy kop rond.

"Die Rooi Baron se moses," sê ek. "Goeie werk, my ou."

Hy grinnik verleë. "Maar dit was *regtig* nie pret nie, hoor. Wel, die deel waar ek haar met die stok geslaan het, was pret. Maar om in 'n moewiese betonbeer vas te vlieg? *Nie* pret nie."

Hy gryp die skoene uit die lug. Ek sit die doppie op my swaard. Saam strompel die drie van ons terug na die pakhuis. Agter die kostoonbank kry ons ou inkopiesakke waarin ons Medusa se kop toedraai. Ons sit dit op die tafel neer waar ons aandete geëet het, en plons op die stoele neer, te poegaai om te praat.

Op die ou end sê ek: "So, dié monster is Athena se handewerk?"

Annabeth flits 'n geïrriteerde na my toe. "Nee, eintlik

jou pa s'n. Onthou jy nie? Medusa was Poseidon se meisie. Hulle het besluit om in my ma se tempel te ontmoet. Dis hoekom Athena haar in 'n monster verander het. Medusa en haar twee susters wat haar gehelp het om die tempel binne te kom, het die drie gorgone geword. Dis waarom Medusa my in repies wou kerf, maar jou as 'n oulike standbeeld bewaar. Sy't steeds 'n ding vir jou pa. Jy herinner haar seker aan hom."

My gesig gloei. "O, so nou's dit *my* skuld dat ons Medusa teëgekom het."

Annabeth sit regop. Sy probeer my stem namaak: *"Dis net 'n foto, Annabeth. Dit kan tog nie kwaad doen nie."*

"Los dit net," sê ek. "Jy's 'n pyn."

"Jy's 'n irritasie."

"Jy's –"

"Hei!" val Grover ons in die rede. "Julle twee gaan my 'n migraine gee en saters *kry* nie eens migraines nie. Wat gaan ons met die kop doen?"

Ek staar na die ding. Een klein slangetjie hang by 'n gat in die inkopiesak uit. Op die sak staan: DANKIE DAT JY BY ONS KOOP!

Ek is kwaad, nie net vir Annabeth of haar ma nie, maar vir al die gode oor hierdie hele heldetaak. Dis hulle skuld dat ons van die pad af gefoeter het en in twee groot skermutselings betrokke was sommer op ons heel eerste dag weg van die kamp af. As dit so aangaan, gaan ons nie Los Angeles lewend haal nie, wat nog te sê voor die somersonstilstand.

Wat het Medusa nou weer gesê?

Moenie die Olimpiërs se pion wees nie, my hartjie. Dis beter om 'n standbeeld te wees.

Ek staan op. "Ek is nou terug."

"Percy," roep Annabeth agter my aan. "Wat gaan jy —"

Ek soek agter in die pakhuis rond tot ek Medusa se kantoor kry. In haar rekeningeboek is haar ses mees onlangse transaksies opgeteken, almal besendings wat na die Onderwêreld gestuur is om Hades en Persefone se tuin te versier. Volgens een vragbrief is die Onderwêreld se adres vir aflewerings DOA-musiekateljee, Wes-Hollywood, Kalifornië. Ek vou die vragbrief op en steek dit in my sak.

In die kasregister ontdek ek twintig dollar, 'n paar goue dragmas en 'n paar afleweringstrokies vir Hermes Express, elkeen met 'n leersakkie vir muntstukke daaraan vasgeheg. Ek soek in die kantoor rond tot ek 'n boks kry wat groot genoeg is.

Ek stap terug na die piekniektafel toe, pak Medusa se kop in die boks en vul die afleweringstrokie in:

Die Gode
Olimpus
600ste Vlak
Empire State-gebou
New York, NY

Met beste wense
PERCY JACKSON

"Hulle gaan nie daarvan hou nie," waarsku Grover. "Hulle gaan dink jy's astrant."

Ek gooi 'n paar goue dragmas in die leersakkie. Net toe ek dit toemaak, is daar 'n geluid soos 'n kas-register wat klingel. Die pakkie sweef van die tafel af en met 'n *plop!* verdwyn dit.

"Ek *is* astrant," sê ek.

Ek kyk na Annabeth, daag haar uit om my te kritiseer.

Sy doen dit nie. Dit lyk of sy vrede gemaak het met die feit dat ek 'n merkwaardige talent het om die gode vies te maak. "Nou toe," sê sy. "Ons kort 'n nuwe plan."

TWAALF

ONS KRY RAAD BY 'N POEDEL

Daardie nag is ons redelik miserabel.

Ons maak ons tuis in die woud, so honderd meter van die hoofpad af, in 'n moerasagtige oopte wat die plaaslike jongmense duidelik gebruik om partytjies te hou. Die grond is besaai met platgetrapte koeldrankblikkies en kitskospapiere.

Ons het kos en 'n paar komberse by tannie Em gevat, maar ons durf dit nie waag om 'n kampvuur aan te steek om ons klam klere droog te kry nie. Die Furieë en Medusa het vir oorgenoeg opwinding vir een dag gesorg. Ons wil nie nog iets nader lok nie.

Ons besluit om in skofte te slaap. Ek bied aan om eerste wag te hou.

Annabeth krul haar op die komberse op en begin snork die oomblik toe haar kop die grond raak. Grover fladder met sy vlieënde skoene tot in die laagste mik van 'n boom, leun met sy rug teen die stam, en staar op na die naglug.

"Slaap maar," sê ek vir hom. "Ek sal jou wakker maak as daar moeilikheid is."

Hy knik, maar hy maak nie sy oë toe nie. "Dit maak my hartseer, Percy."

"Wat? Die feit dat jy ja gesê het vir hierdie simpel heldetaak?"

"Nee. *Dit* maak my hartseer." Hy beduie na al die rommel op die grond. "En die lug. Kyk, jy kan nie eens die sterre sien nie. Hulle het die lug besoedel. Dis 'n aaklige tyd om 'n sater te wees."

"O, ja. Jy's natuurlik 'n groen-freak."

Hy gluur na my. "Net 'n mens sal *nie* een wees nie. Jou spesie is besig om die wêreld so vinnig te … ag, vergeet dit. Wat help dit tog om vir 'n mens te preek? Soos dinge nou aangaan, sal ek nooit vir Pan kry nie."

"Watse pan? Een om eiers in te –?"

"Pan!" roep hy verontwaardig uit. "Die groot god Pan! Waarvoor dink jy wil ek 'n soekerslisensie hê?"

'n Vreemde briesie ritsel deur die oopte, en laat 'n oomblik lank die stank van rommel en vullis verdwyn. Dit dra die reuk van bessies en wilde blomme en skoon reënwater, dinge wat op 'n tyd seker volop was in hierdie woud. Skielik voel dit of ek verlang na iets wat ek nooit geken het nie.

"Vertel my van die soekstorie," sê ek.

Grover kyk agterdogtig na my – seker bang ek terg hom.

"Die God van Wilde Plekke het tweeduisend jaar gelede verdwyn," vertel hy vir my. "'n Matroos naby die kus van Efese het 'n geheimsinnige stem van die land af hoor roep: 'Vertel vir hulle die groot god Pan is dood!' Toe mense die nuus hoor, het hulle dit geglo. Sedertdien plunder hulle Pan se koninkryk. Maar vir die saters was Pan ons heer en meester. Hy het ons en al die wilde plekke op aarde beskerm. Ons weier om te glo hy is dood. In elke generasie wy die dapperste saters hulle lewe daaraan om Pan te vind. Hulle soek regoor die aarde, verken al die wilde plekke, in die hoop dat hulle sal uitvind waar hy skuil en hom uit sy slaap opwek."

"En jy wil 'n soeker wees?"

"Dis my lewensdroom," sê hy. "My pa was 'n soeker. En my oom Ferdinand … die standbeeld wat jy by daai plek gesien het –"

"O, reg, jammer."

Grover skud sy kop. "Oom Ferdinand het geweet dis gevaarlik. My pa ook. Maar ek sal slaag. Ek sal die eerste soeker word wat lewend terugkeer."

"Wag 'n bietjie – die *eerste*?"

Grover haal sy panfluit uit sy sak. "Geen soeker het nog ooit teruggekeer nie. Sodra hulle vertrek, verdwyn hulle. Hulle word nooit weer lewend gesien nie."

"Nie een keer in tweeduisend jaar nie?"

"Nee."

"En jou pa? Het jy geen idee wat met hom gebeur het nie?"

"Glad nie."

"Maar jy wil steeds gaan," sê ek verstom. "Ek bedoel, dink jy regtig jy gaan die een wees wat vir Pan kry?"

"Ek moet dit glo, Percy. Elke soeker moet. Dis al wat keer dat ons moed verloor as ons sien wat mense aan die wêreld doen. Ek moet glo Pan kan steeds wakker gemaak word."

Ek staar na die oranje gloed van die lug en probeer verstaan hoe Grover 'n droom kan najaag wat so hopeloos lyk. Maar nou ja, doen ek nie maar dieselfde nie?

"Hoe gaan ons in die Onderwêreld kom?" vra ek vir hom. "Ek bedoel, watter kans het ons teen 'n god?"

"Ek weet nie," erken hy. "Maar daar by Medusa se plek, toe jy haar kantoor deursoek het, het Annabeth vir my gesê –"

"O ja, ek het vergeet. Annabeth het seker klaar 'n plan gemaak."

"Moenie so hard op haar wees nie, Percy. Sy het 'n moeilike lewe gehad, maar sy's 'n goeie mens. Ek bedoel, sy het my vergewe ..." Sy stem sterf weg.

"Wat bedoel jy?" vra ek. "Vergewe vir wat?"

Ewe skielik lyk dit of Grover vreeslik daarin belang stel om op sy panfluit te speel.

"Wag 'n bietjie," sê ek. "Jou eerste bewakerstaak was vyf jaar terug. Annabeth is al vyf jaar by die kamp. Sy was nie ... ek bedoel, jou eerste taak wat skeefgeloop het –"

"Ek kan nie daaroor praat nie," sê Grover, en aan sy bewende onderlip kan ek sien hy gaan begin huil as ek meer uit hom probeer kry. "Maar soos ek gesê het, daar by Medusa se plek, het ek en Annabeth saamgestem hier's iets vreemds aan die gang met hierdie heldetaak. Iets is nie pluis nie."

"Wel, duh. Ek word daarvan beskuldig dat ek 'n weerlig-straal gesteel het wat Hades gevat het."

"Dis nie wat ek bedoel nie," sê Grover. "Die Fu – die wraakgodinne het soort van teruggehou. Soos juffrou Dodds by Yancy ... Hoekom het sy so lank gewag voor sy jou probeer doodmaak het? En op die bus, hulle was nie so aggressief soos hulle kon wees nie."

"Hulle het vir my aggressief genoeg gelyk."

Grover skud sy kop. "Hulle het vir ons gekrys: 'Waar is dit? Waar?'"

"Hulle het van my gepraat," sê ek.

"Dalk ... maar ek en Annabeth, ons albei het die gevoel gekry hulle praat nie van iemand nie. Hulle het gevra: 'Waar is dit?' Dit het geklink of hulle van 'n voorwerp praat."

"Dit maak nie sin nie."

"Ek weet nie. Maar as ons iets omtrent hierdie taak verkeerd verstaan het, en ons het net nege dae oor om die meesterstraal te kry ..." Hy kyk na my asof hy hoop om antwoorde te kry, maar ek het niks.

Ek dink aan wat Medusa gesê het: Ek word deur die gode gebruik. Wat vir my voorlê, is erger as om versteen te word.

"Ek was nie heeltemal eerlik met jou nie," sê ek vir Grover. "Ek is min gespin oor die meesterstraal. Ek het ingestem om na die Onderwêreld te gaan sodat ek my ma kan terugbring."

Grover blaas 'n sagte noot op sy fluit. "Ek weet dit, Percy. Maar is jy seker dis die enigste rede?"

"Ek doen dit nie om my pa te help nie. Hy't nie 'n saak met my nie. Ek het nie 'n saak met hom nie."

Grover kyk af, daar bo van sy tak af. "Kyk, Percy, ek is nie so slim soos Annabeth nie. Ek is nie so dapper soos jy nie. Maar ek is nogal goed daarmee om emosies te lees. Jy's bly jou pa lewe. Jy voel goed omdat hy jou opgeëis het, en 'n deel van jou wil hom trots maak. Dis hoekom jy Medusa se kop Olimpus toe gepos het. Jy wou hê hy moet raaksien wat jy gedoen het."

"O? Wel, dalk werk sateremosies anders as menslike emosies. Want jy's verkeerd. Ek voel 'n veer wat hy dink."

Grover trek sy voete tot bo-op die tak. "Oukei, Percy. As jy so sê."

"Buitendien, ek het niks gedoen waaroor ek kan spog nie. Ons is skaars uit New York en hier sit ons, sonder enige geld en met geen manier om verder wes te reis nie."

Grover staar na die naglug, asof hy oor ons probleem nadink. "Kom *ek* vat die eerste waghoubeurt, toe?" sê hy. "Dan slaap jy 'n bietjie."

Ek wil protesteer, maar hy begin Mozart speel, sag en soet, en ek draai weg met oë wat brand. Ná 'n paar sekondes van Klavierkonsert nommer 2 is ek vas aan die slaap.

In my drome staan ek in 'n donker spelonk, voor 'n gapende put. Grys, mistige kreature borrel om my, fluisterende flardes rook wat ek op 'n manier weet is die geeste van die dooies.

Hulle trek aan my klere, probeer my terugtrek, maar ek voel genoodsaak om tot op die rand van die afgrond te stap.

Toe ek afkyk, word ek duiselig.

Die put gaap so groot en so totaal swart daar onder, ek weet dit is bodemloos. En tog kry ek die gevoel iets probeer vanuit die dieptes boontoe kom, iets reusagtigs en boos.

Die klein held, eggo 'n geamuseerde stem ver daar onder in die duisternis. *Te swak, te jonk, maar dalk sal jy voldoende wees.*

Die stem voel antiek — koud en swaar. Dit vou om my soos velle lood.

Hulle het jou mislei, seun, sê dit. *Onderhandel met my. Ek sal jou gee wat jy wil hê.*

'n Glimmerende beeld sweef bo die dieptes: my ma, gevries in die oomblik toe sy in 'n goue wolk gedisintegreer het. Haar gesig is vertrek van pyn, asof die Minotourus haar steeds wurg. Haar oë kyk reguit na my, pleitend: *Gaan!*

Ek probeer uitroep, maar my stem wil nie werk nie.

'n Koue gelag eggo vanuit die dieptes.

'n Onsigbare krag trek my vorentoe. Dit gaan my tot in die put sleep as ek nie sterk staan nie.

Help my verrys, seun. Die stem word hongerder. *Bring vir my die straal. Slaan 'n slag teen die verraderlike gode!*

Die geeste van die dooies fluister rondom my: *Nee! Ontwaak!*

Die beeld van my ma begin verdof. Die ding in die put laat sy onsigbare greep om my los.

Ek besef dit was nooit van plan om my in te trek nie. Die ding het my gebruik om homself te probeer *uittrek.*

Goed, prewel dit. *Goed.*

Ontwaak! fluister die dooies. *Ontwaak!*

Iemand is besig om my te skud.

My oë gaan oop, en dis dag.

"Wel-wel," sê Annabeth, "die zombie lewe."

Ek bewe van die droom. Ek kan nog die monster in die dieptes se greep om my bors voel. "Hoe lank het ek geslaap?"

"Lank genoeg dat ek vir jou ontbyt gemaak het." Annabeth gooi vir my 'n sak nachos-geur tjips van tannie Em se kostoonbank. "En Grover het gaan verken. Kyk, hy het 'n maatjie gekry."

My oë sukkel om te fokus.

Grover sit kruisbeen op 'n kombers met iets wollerigs op sy skoot, 'n vuil, skelpienk sagte speelding.

Nee. Dis nie 'n speelding nie. Dis 'n pienk poedel.

Die poedel kef agterdogtig vir my. Grover sê: "Nee, hy is nie."

Ek knip my oë verbaas. "Praat jy met daai ding?"

Die poedel knor.

"Hierdie *ding*," waarsku Grover, "is ons kaartjie weswaarts. So, wees gaaf met hom."

"Jy kan met diere praat?"

Grover ignoreer die vraag. "Percy, ontmoet vir Gladiola. Gladiola, Percy."

Ek staar na Annabeth, doodseker dat sy gaan uitbars van die lag omdat hulle die een of ander poets vir my bak. Maar sy lyk doodernstig.

"Ek gaan nie vir 'n pienk poedel hallo sê nie," sê ek. "Vergeet dit."

"Percy," sê Annabeth. "Ek het vir die poedel hallo gesê. Sê jy nou vir die poedel hallo."

Die poedel grom.

Ek sê vir die poedel hallo.

Grover verduidelik hy het Gladiola in die woud gekry en hulle het begin gesels. Die poedel het weggeloop van 'n ryk gesin in die omgewing, wat 'n beloning van tweehonderd dollar uitgeloof het as iemand hom terugbring. Gladiola wil nie regtig teruggaan nie, maar hy sal dit doen om Grover te help.

"Hoe weet Gladiola van die beloning?" vra ek.

"Hy het die pamflette gelees," sê Grover. "Duh."

"Natuurlik," sê ek. "Hoe dom van my."

"So ons vat Gladiola terug," sê Annabeth in haar beste planmaakstem, "ons kry die geld en koop kaartjies na Los Angeles. Eenvoudig."

Ek dink aan my droom — die fluisterstemme van die dooies, die ding in die dieptes en my ma se gesig wat glimmer terwyl dit in 'n goue wolk oplos. Dit alles wag dalk op my in die weste.

"Nie weer 'n bus nie," sê ek.

"Nee," stem Annabeth saam.

Sy beduie teen die heuwel af, na 'n treinspoor wat ek nie laasnag in die donkerte gesien het nie. "Daar's 'n stasie omtrent 'n kilometer daai kant toe. Volgens Gladiola vertrek die trein weswaarts teen twaalfuur vanmiddag."

EK TUIMEL NA MY DOOD

Ons bring twee dae op die trein deur, op pad weswaarts tussen heuwels deur, oor riviere, verby golwende landerye vol goue graan.

Ons word nie een keer aangeval nie, maar ek kan nie ontspan nie. Dit voel asof ons in 'n vertoonkas rondry, van bo en dalk van onder af dopgehou word, asof iets net wag vir die regte geleentheid.

Ek probeer my maar skaars hou, want my naam en foto is op die voorblaaie van 'n hele klomp plaaslike koerante. Die *Trenton Register-News* het 'n foto wat 'n toeris geneem het toe ek van die Greyhound-bus afgeklim het. Daar's 'n wilde kyk in my oë. My swaard is 'n metaalagtige glinstering in my hand, uit fokus. Dit kan netsowel 'n bofbalkolf of 'n hokkiestok wees.

Op die onderskrif by die foto staan:

Percy Jackson (12), wat vir ondervraging gesoek word ná die verdwyning van sy ma twee weke gelede in Long Island, verskyn hier op 'n foto waar hy vlug van die bus waar hy glo verskeie bejaarde vroulike passasiers lastig geval het. Die bus het langs 'n pad in die ooste van New Jersey ontplof kort nadat Jackson van die toneel af gevlug het. Volgens verslae van ooggetuies glo die polisie die seun het dalk saam met twee tienderjarige medepligtiges gereis. Sy stiefpa, Gabe Ugliano, het 'n kontantbeloning uitgeloof vir inligting wat daartoe sal lei dat hy gevang word.

"Toemaar," sê Annabeth vir my. "Die sterflingpolisie sal ons nooit in die hande kry nie." Maar sy klink nie regtig so seker van haar saak nie.

Die res van die dag stap ek op en af deur die lengte van die trein (want ek sukkel regtig om stil te sit), of staar by die vensters uit.

Eenkeer sien ek 'n familie sentours wat oor 'n koringveld galop, boë omhoog, op pad om iets vir aandete te gaan jag. Die klein seuntjiesentour, wat omtrent so groot soos 'n graadtweetjie op 'n ponie is, sien my raak en waai. Ek kyk in die treinkajuit rond, maar niemand anders sien dit raak nie. Almal se gesigte is in skootrekenaars of tydskrifte begrawe.

'n Ander keer, na die aand se kant toe, sien ek iets reusagtigs deur die woud beweeg. Ek kan sweer dis 'n leeu, maar leeus kom nie wild in Amerika voor nie, en dié gedierte is so groot soos 'n oorlogtenk. Sy pels glinster goud in die aandskemerte. Dan spring hy tussen die bome in en verdwyn.

Die geld wat ons gekry het as beloning omdat ons Gladiola die poedel terugbesorg het, was net genoeg om kaartjies tot by Denver te koop. Ons kon nie plek in die slaaptrok kry nie, so ons slaap maar in ons sitplekke. My nek word styf. Ek probeer om nie in my slaap te kwyl nie, want Annabeth sit reg langs my.

Grover snork en blêr die heeltyd en hou my uit die slaap. Eenkeer kriewel hy rond en sy vals voet val af. Ek en Annabeth druk dit vinnig terug voordat enige van die ander passasiers dit sien.

"So," vra Annabeth vir my toe ons Grover se tekkie weer op sy plek het. "Wie het jou hulp nodig?"

"Wat bedoel jy?"

"Nou-net, terwyl jy geslaap het, het jy gemompel: 'Ek sal jou nie help nie.' Van wie het jy gedroom?"

Ek is huiwerig om iets te sê. Dis die tweede keer dat ek van die bose stem uit die put gedroom het. Maar dit pla my so erg dat ek haar op die ou end maar vertel.

Annabeth bly lank stil. "Dit klink nie soos Hades nie. Hy verskyn altyd op 'n swart troon, en hy lag nooit."

"Hy het my ma vir my in 'n ruiltransaksie aangebied. Wie anders kan so iets doen?"

"Wel, seker ... as hy bedoel het: *Help my om uit die Onderwêreld te verrys.* As hy oorlog met die Olimpiërs wil hê. Maar hoekom sal hy jou vra om vir hom die meesterstraal te bring as hy dit reeds het?"

Ek skud my kop en wens ek het die antwoord gehad. Ek onthou wat Grover gesê het, dat dit gelyk het of die Furieë op die bus na iets gesoek het.

Waar is dit? Waar?

Dalk voel Grover my emosies aan. Hy snork in sy slaap, brom iets oor groente en draai sy kop.

Annabeth skuif sy pet reg om sy horings toe te maak.

"Percy, jy weet jy kan nie 'n ruiltransaksie met Hades aangaan nie. Hy's bedrieglik, harteloos en gulsig. Ek gee nie om of sy wraakgodinne dié keer nie so aggressief was nie —"

"Dié keer?" vra ek. "Bedoel jy jy't al voorheen met hulle te doen gekry?"

Haar hand skuif op na haar halssnoer. Sy vat-vat aan 'n wit kraletjie met 'n afbeelding van 'n denneboom daarop, een van haar einde-van-die-somer-krale. "Kom ons sê maar net ek het nie veel ooghare vir die Heer van die Dooies nie. Moenie in die versoeking gelei word om te probeer onderhandel vir jou ma nie."

"Wat sou jy gedoen het as dit jou pa was?"

"Dis maklik," sê sy. "Ek sou hom gelos het om te krepeer."

"Jy's nie ernstig nie?"

Annabeth se grys oë kyk reguit in myne. Sy het dieselfde uitdrukking op haar gesig as daardie dag in die woud by die kamp, toe die helhond verskyn en sy haar swaard uitgepluk het. "My pa haat my al van die dag toe ek gebore is, Percy," sê sy. "Hy wou nooit 'n baba gehad het nie. Toe hy my kry, het hy Athena gevra om my terug te vat en my op Olimpus groot te maak, want hy was te besig met sy werk. Sy was nie gelukkig daarmee nie. Sy't vir hom gesê helde moet deur sterflingouers grootgemaak word."

"Maar hoe … ek bedoel, ek skat jy's seker nie in 'n hospitaal gebore nie …"

"Ek het in 'n goue wiegie voor my pa se deur verskyn, van Olimpus af ondertoe gedra deur Zefuros die Westewind. 'n Mens sou dink my pa sou dit as 'n wonderwerk onthou, nie waar nie? Jy weet, dat hy darem 'n paar digitale foto's sou neem of so. Maar hy't altyd van my koms gepraat asof dit die ongerieflikste ding was wat ooit met hom gebeur het. Toe ek vyf word, is hy getroud en het hy heeltemal van Athena vergeet. Hy het 'n 'gewone' sterflingvrou gekry, en hulle het twee 'gewone' sterflingkinders gekry, en hulle bes gedoen om te maak of ek nie bestaan nie."

Ek staar by die treinvenster uit. Die ligte van 'n slapende dorp skuif verby. Ek wil graag vir Annabeth laat beter voel, maar ek weet nie hoe nie.

"My ma het met 'n walglike man getrou," sê ek vir haar. "Grover sê sy het dit gedoen om my te beskerm, om my in die reuk van 'n menslike familie weg te steek. Dalk was dit jou pa se plan ook."

Annabeth hou aan torring aan haar halssnoer. Sy knyp die goue ringetjie vas wat saam met die krale hang. Ek wonder of dit haar pa se ring is. Maar hoekom dra sy dit as sy hom so haat?

"Hy voel 'n veer vir my," sê sy. "Sy vrou – my stiefma – het my soos 'n frats laat voel. Sy wou nie hê ek moes met haar kinders speel nie. My pa het haar nie teëgegaan nie. Elke keer as iets gevaarliks gebeur het – jy weet, iets met monsters – sou hulle verwytend na my kyk, asof hulle wil sê: *Hoe durf jy ons gesin se lewe op die spel plaas?* Ek het later die skimp gevang. Hulle wou my nie hê nie. Ek het weggeloop."

"Hoe oud was jy?"

"Selfde ouderdom toe ek by die kamp aangesluit het. Sewe."

"Maar ... jy't tog seker nie op jou eie al die pad tot by Halfbloedheuwel gekom nie?"

"Nee, nie alleen nie. Athena het oor my gewaak, my na hulp gelei. Ek het 'n paar onverwagse vriende gemaak wat na my omgesien het, 'n rukkie lank."

Ek wil vra wat gebeur het, maar Annabeth lyk verlore in hartseer herinneringe. So, ek luister na die Grover se gesnork en tuur by die treinvenster uit na die donker velde van Ohio wat verbysnel.

Teen die einde van ons tweede dag op die trein, 13 Junie, agt dae voor die somersonstilstand, ry ons tussen goue heuwels deur en oor die Mississippirivier tot in St. Louis.

Annabeth rek haar nek om die Gateway Arch te sien wat vir my lyk soos die handvatsel van 'n yslike inkopiesak wat aan die stad vassit.

"Ek wil dit so graag doen," sug sy.

"Wat?" vra ek.

"Iets soos daai bou. Het jy al ooit die Partenon gesien, Percy?"

"Net op foto's."

"Eendag gaan ek dit met my eie oë sien. Ek gaan die grootste monument ooit vir die gode bou. Iets wat 'n duisend jaar lank gaan hou."

Ek lag. "Jy? 'n Argitek?"

Ek weet nie hoekom nie, maar dis nogal snaaks. Die blote gedagte dat Annabeth heeldag probeer stilsit en teken.

Haar wange verkleur. "Ja, 'n argitek. Athena verwag van haar kinders om dinge te skep, nie net af te breek nie, soos 'n sekere god van aardbewings waaraan ek kan dink."

Ek kyk na die bruisende bruin water van die Mississippi onder ons.

"Jammer," sê Annabeth. "Dit was naar van my."

"Kan ons dalk nie 'n bietjie saamwerk nie?" smeek ek. "Ek bedoel, het Athena en Poseidon nooit saamgewerk nie?"

Annabeth moet daaroor nadink. "Wel … die koets," sê sy huiwerig. "My ma het dit uitgevind, maar Poseidon het perde uit die kruine van branders geskep. So hulle moes saamwerk om dit volledig te maak."

"Dan kan ons ook mos saamwerk. Of hoe?"

Ons ry die stad binne, en Annabeth kyk hoe die Gateway Arch agter 'n hotel verdwyn.

"Seker," sê sy oplaas.

Ons trek by 'n stasie in. Die interkom kondig aan ons gaan drie uur lank vertoef voor die rit na Denver.

Grover rek hom uit. Voor hy nog behoorlik wakker is, sê hy: "Kos."

"Komaan, bokseun," sê Annabeth. "Besienswaardighede."

"Besienswaardighede?"

"Die Gateway Arch," sê sy. "Sê nou ek kry nooit weer 'n kans om tot bo te ry nie? Kom julle of nie?"

Ek en Grover kyk vir mekaar.

Eers wil ek nee sê, maar as Annabeth van plan is om te gaan, kan ons haar seker nie op haar eie laat gaan nie.

Grover trek sy skouers op. "Solank daar 'n kosstalletjie sonder monsters is."

Die Arch is amper twee kilometer van die stasie af. Laat-middag is die rye by die ingang nie so lank nie. Ons vleg deur die ondergrondse museum, kyk na ossewaens en ander ou goed uit die 1800's. Dis nie vreeslik opwindend nie, maar Annabeth vertel die heeltyd vir ons interessante feite oor hoe die Arch gebou is, en Grover gee die heeltyd vir my jellieboontjies, so ek is oukei.

Maar ek kyk die heeltyd rond, na die ander mense in die ry. "Ruik jy niks?" brom ek vir Grover.

Hy haal sy neus lank genoeg uit die pakkie jellieboontjies om die lug te snuif. "Ondergronds," sê hy en trek 'n nare gesig. "Ondergrondse lug ruik altyd na monsters. Dit beteken waarskynlik niks."

Maar iets voel vir my verkeerd. Ek kry die gevoel ons moenie hier wees nie.

"Ouens," sê ek. "Julle weet van die gode se simbool van mag, nè?"

Annabeth is besig om vir ons te vertel watter soort toerusting als gebruik is om die Arch te bou, maar sy hou op praat en kyk na my. "Ja?"

"Wel, Hade —"

Grover skraap sy keel. "Ons is in 'n openbare plek ..."

Jy bedoel, *ons vriend doer onder.*"

"Uhm, oukei," sê ek. "Ons vriend *ver* doer onder. Het hy nie 'n hoed soos Annabeth s'n nie?"

"Jy bedoel die Helm van Duisternis," sê Annabeth. "Ja, dis sy simbool van mag. Ek het dit langs sy sitplek gesien by die wintersonstilstandraadsitting."

"Was hy daar?" vra ek.

Sy knik. "Dis die enigste keer wanneer hy toegelaat word om Olimpus te besoek — die donkerste tyd van die jaar. Maar sy helm is baie kragtiger as my onsigbaarheidspet, as wat ek gehoor het waar is ..."

Grover knik. "Met daai helm kan hy duisternis word. Hy kan in skadu's wegsmelt of deur mure beweeg. Hy kan nie aangeraak of gesien of gehoor word nie. En hy kan vrees uitstraal wat so intens is dat dit jou mal kan maak of jou hart kan laat staan. Hoekom dink julle is alle rasionele wesens bang vir die donkerte?"

"Maar in daai geval ... hoe weet ons hy's nie nou hier nie, op hierdie oomblik, besig om ons dop te hou?" vra ek.

Annabeth en Grover kyk vir mekaar.

"Ons weet dit nie," sê Grover.

"Dankie, nou voel ek ook sommer stukke beter," sê ek. "Het jy nog blou jellieboontjies oor?"

Net toe ek weer my senuwees min of meer onder beheer het, sien ek die klein hysbakkie waarmee ons tot bo-op die Arch moet ry, en ek weet hier kom moeilikheid. Ek haat beknopte plekke. Dit maak my van my kop af.

Ons prop soos sardientjies in die hysbak saam met 'n groot, vet tannie en haar hondjie, 'n chihuahua met 'n rynsteenhalsband. Ek wonder of dit 'n gidshond-chihuahua is, want nie een van die wagte sê 'n woord oor die hond nie.

Ons begin boontoe beweeg, tot binne-in die Arch. Ek was nog nooit in 'n hysbak wat met 'n boog langs beweeg nie, en my maag is glad nie mal daaroor nie.

"Julle ouers nie hier nie?" vra die vet tannie.

Sy het kraalogies en skerp tande vol koffievlekke, en sy dra 'n slap denimhoed en 'n denimrok wat so vol bulte is dat sy lyk soos 'n lugballon wat in jeans geprop is.

"Hulle is onder," sê Annabeth. "Hoogtevrees."

"O, die arme goed."

Die chihuahua knor. Die vrou sê: "Toe nou, seuna, gedra jou." Die hond het kraalogies nes sy eienaar, intelligent en gemeen.

"Is sy naam Seuna?" vra ek.

"Nee," sê die vrou en glimlag vir my.

Aan die bokant van die Arch, laat die waarnemingsdek my dink aan 'n koeldrankblikkie met 'n volvloermat. Rye venstertjies bied 'n uitsig oor die stad aan die een kant en oor die rivier aan die ander kant. Die uitsig is nie sleg nie, maar as daar iets is wat ek meer verpes as 'n beknopte ruimte is dit 'n beknopte ruimte tweehonderd meter hoog in die lug. Ek kan nie wag om te gaan nie.

Annabeth babbel eenstryk deur oor strukturele onder-steuning, en hoe sy die vensters groter sou maak, en 'n deursigtige vloer sou ontwerp. Sy sou seker ure hier bo kon bly, maar gelukkig kondig 'n man in 'n uniform aan dat die waarnemingsdek oor 'n paar minute sluit.

Ek stuur Grover en Annabeth in die rigting van die uitgang en laat hulle in die hysbak klim. Net toe ek ook wil inklim, besef ek daar's klaar twee ander toeriste daar binne. Geen plek vir my nie.

Die man in die uniform sê: "Volgende karretjie, meneer."

"Ons sal uitklim," sê Annabeth. "En ons sal saam met jou wag."

Maar dit gaan als befoeter en nog meer tyd vat, so ek sê: "Nee, dis oukei. Sien julle ouens onder."

Grover en Annabeth lyk albei effe benoud, maar hulle laat die hysbakdeur toeskuif. Hulle karretjie verdwyn ondertoe.

Die enigste mense wat nou op die waarnemingsdek agterbly, is ek, 'n seuntjie en sy ouers, die man in die uniform en die vet tannie met haar chihuahua.

Ek glimlag ongemaklik vir die vet tannie. Sy glimlag terug, en haar vurktong flits tussen haar tande.

Wag 'n bietjie.

Vurktong?

Voor ek kan besluit of ek dit regtig gesien het, spring haar chihuahua af en begin vir my kef.

"Toe nou, seuna, toe nou," sê die vrou. "Dis mos nie nou 'n goeie tyd nie, of hoe? Met al dié gawe mense hier."

"Hondjie!" sê die seuntjie. "Kyk, 'n hondjie!"

Sy ouers trek hom terug.

Die chihuahua wys sy tande vir my. Skuim drup van sy swart lippe af.

"Nou toe, ou seun," sug die vet vrou. "As jy daarop aandring."

Ys begin in my maag vorm. "Uhm … het Tannie nou-net daai chihuahua ou seun genoem?"

"Chimera, hartjie," help die vet vrou my reg. "Nie 'n chihuahua nie. 'n Mens kan die twee nogal maklik verwar."

Sy rol haar denimmoue op, en daaronder is haar vel skubberig en groen. Toe sy glimlag, sien ek sy het skerp slagtande. Haar pupille is dwarssplete, soos 'n reptiel s'n.

Die chimera blaf harder, en met elke blaf word dit groter.

Eers word dit so groot soos 'n dobermann, dan 'n leeu. Die blaf sit om in 'n brul.

Die seuntjie gil. Sy ouers sleep hom in die rigting van die uitgang, waar die man in die uniform versteen staan en die monster aangaap.

Die chimera is nou so groot dat sy rug teen die dak skuur. Dit het die kop van 'n leeu met maanhare waarin stukke droë bloed vasgekoek is, die liggaam en hoewe van 'n reusagtige bok, en 'n slang vir 'n stert – 'n drie meter lange ratelslang wat reg uit die dierasie se wollerige agterent groei. Die rynsteenhalsband is steeds om sy nek, en dis nou maklik om die woorde op die sopbordgrootte naamplaatjie te lees: CHIMERA – HONDSDOL, VUURBLASER, GIFTIG – INDIEN GEVIND, SKAKEL TARTAROS – UITBREIDING 954.

Ek besef die doppie is nog op my swaard. My hande is lam. Ek staan drie meter van die chimera se bebloede bek af, en ek weet die oomblik as ek beweeg, gaan die gedierte my bespring.

Die slangvrou maak 'n sisgeluid wat amper soos 'n lag klink. "Jy kan besonder geëerd voel, Percy Jackson. Heer Zeus laat my selde toe om 'n held met een van my gebroedsels te toets. Onthou, ek is die Moeder van Monsters, die vreesaanjaende Echidna!"

Ek staar na haar. Al waaraan ek kan dink om te sê is: "Is dit dan nie 'n soort miervreter nie?"

Sy gee 'n verwoede tjank en haar gesig word groenbruin van woede. "Ek haat dit as mense dit sê! Ek haat Australië! Om daardie belaglike dier na my te vernoem. Daarvoor, Percy Jackson, sal my seun jou vernietig!"

Die chimera storm. Ek spring net betyds opsy, uit die pad van die happende tande.

Ek beland langs die gesin en die man in die uniform, wat nou almal gillend die deure van die nooduitgang probeer oopkry.

Ek kan nie toelaat dat hulle seerkry nie. Ek haal die doppie van my swaard af, hardloop na die oorkant van die dek, en skree: "Hei, Chihuahua!"

Die chimera swaai vinniger om as wat ek verwag het.

Voor ek my swaard kan swaai, gaan sy bek oop. Iets ruik soos die wêreld se grootste braaiplek, en 'n stroom vlamme skiet reguit na my toe.

Ek duik deur die ontploffing. Die mat bars in vlamme uit; die hitte is so intens dat dit my wenkbroue afskroei.

Waar ek 'n oomblik tevore nog gestaan het, is nou 'n gat in die kant van die Arch, met smeltende metaal wat om die rande smeul.

Fantasties, dink ek. Ons het pas 'n gat in 'n nasionale monument geblaas.

Trekstroom is nou 'n glimmerende bronsswaard in my hande, en terwyl die chimera omdraai, kap ek na sy nek.

Dit is 'n groot fout. Die lem spat in 'n vonkreën van die hondehalsband af weg. Ek probeer my balans herwin, maar ek konsentreer so hard om uit die pad van die leeu se vlammende bek te bly dat ek skoon van die slangstert vergeet, totdat dit soos 'n sweep deur die lug krul en sy slagtande in my kuit wegsink.

Oombliklik is my hele been aan die brand. Ek probeer Trekstroom in die chimera se bek steek, maar die slangstert kronkel om my enkels en pluk my onderstebo, en die swaard vlieg uit my hand, tol by die gat in die Arch uit, en af tot in die Mississippirivier.

Ek kry dit reg om orent te kom, maar ek weet ek het verloor. Ek het nie meer 'n wapen nie. Ek kan dodelike gif tot in my bors voel trek. Ek onthou Chiron het gesê Anaklusmos sal altyd na my terugkeer, maar daar is geen pen in my sak nie. Dalk het dit te ver geval. Dalk keer dit net terug as dit in penvorm was. Ek weet nie, en ek gaan nie veel langer leef om uit te vind nie.

Ek tree agteruit tot in die gat in die muur. Die chimera kom nader, grommend, met rook wat tussen sy lippe uitkrul. Die slangvrou, Echidna, kekkel. "Hulle maak ook nie meer helde soos vroeër jare nie, nè, ou seun?"

Die monster grom. Dit lyk of hy nie regtig haastig is om met my klaar te speel noudat ek verslaan is nie.

Ek loer na die man in die uniform en die gesin. Die seuntjie kruip agter sy pa se bene weg. Ek moet hierdie mense beskerm. Ek kan nie net ... doodgaan nie. Ek probeer dink, maar my hele lyf is aan die brand. My kop voel duiselig. Ek het geen swaard nie. Ek staan voor 'n massiewe, vuurspuwende monster en sy ma. En ek is bang.

Daar's nêrens anders om heen te gaan nie, so ek tree terug tot op die rand van die gat. Ver daar onder glinster die rivier.

As ek doodgaan, sal die monsters padgee? Sal hulle die mense uitlos?

"As jy die seun van Poseidon is," sis Echidna, "sal jy nie water vrees nie. Spring, Percy Jackson. Wys my dat die water jou nie leed sal aandoen nie. Spring en kry jou swaard terug. Bewys jou bloedlyn."

Ja, reg, dink ek. Ek het iewers gelees as jy van 'n paar verdiepings hoog in water spring, is dit so goed jy tref 'n teerpad. Van hier bo af sal ek my te pletter val.

Die chimera se bek gloei rooi; dit begin opwarm om nog

'n stroom vuur te blaas.

"Jy het nie geloof nie," sê Echidna vir my. "Jy vertrou nie die gode nie. Ek kan jou nie kwalik neem nie, klein lafaard. Dis beter dat jy nou sterf. Die gode het geen geloof nie. Die gif is in jou hart."

Sy is reg: Ek is besig om dood te gaan. Ek kan voel hoe my asemhaling stadiger word. Niemand kan my red nie, nie eens die gode nie.

Ek gee nog 'n tree agtertoe en kyk af na die water toe. Ek onthou die warm gloed van my pa se glimlag toe ek 'n baba was. Hy moes my gesien het. Hy moes my besoek het toe ek in my wiegie was.

Ek onthou die kolkende groen drietandvurk wat bo my kop verskyn het die nag toe ons vang-die-vlag gespeel het, toe Poseidon my as sy seun opgeëis het.

Maar hierdie is nie die see nie. Dis die Mississippi, reg in die middel van die VSA. Hier's nie 'n seegod nie.

"Sterf, ongelowige een," sê Echidna met 'n rasperstem, en die chimera blaas 'n stroom vlamme reg in my gesig.

"Vader, help my," prewel ek.

Ek draai om en spring. Met my klere in vlamme, met gif wat deur my are vloei, tuimel ek af na die rivier.

VEERTIEN

EK WORD 'N VOORTVLUGTIGE

Ek wens ek kon sê ek beleef die een of ander diep openbaring op pad ondertoe, dat ek vrede maak met my eie sterflikheid, lag in die aangesig van die dood, bla-bla-bla.

Die waarheid? My enigste gedagte is: Aaaaaarrrrggghhh!

Die rivier snel teen die spoed van 'n vragmotor nader. Wind ruk die lug uit my longe. En 'n deurmekaarspul van torings en wolkekrabbers en brûe tuimel reg voor my oë verby.

En dan: *Flaaa-boeeem!*

Verblindende wit borrels. Ek sink deur die skemerte, oortuig dat ek vyftig meter diep onder die modder gaan beland en niemand my ooit weer sal kry nie.

Maar dit was nie seer toe ek die water getref het nie. En nou val ek stadig, met borrels wat deur my vingers kielie. Ek kom geruisloos op die rivierbodem tot stilstand. 'n Baber so groot soos my stiefpa skiet in die skemer water weg. Wolke slik en aaklige rommel — bierbottels, ou skoene, plastieksakke — kolk rondom my op.

Eers op hierdie punt besef ek 'n paar dinge: Eerstens, ek het my nie so plat soos 'n pannekoek geval nie. Ek is nie verkool nie. Ek kan nie eens meer die chimera se gif in my are voel kook nie. Ek lewe, en dis 'n goeie ding.

Tweede gewaarwording: Ek is nie nat nie. Ek bedoel, ek kan die koelheid van die water voel. Ek kan sien waar die vlamme op my klere geblus is. Maar toe ek aan my eie hemp vat, voel dit kurkdroog.

Ek kyk na die gemors wat om my ronddryf en gryp 'n ou sigaretaansteker.

Kan nie wees nie, dink ek.

Ek klik die aansteker. Dit maak 'n vonk. 'n Klein vlammetjie verskyn, hier reg op die bodem van die Mississippi.

Ek gryp 'n deurdrenkte hamburgerpapier uit die stroom en dadelik word dit droog. Ek steek dit sonder enige moeite aan die brand. Die oomblik toe ek dit laat los, gaan die vlam dood. Die papier word weer 'n slymerige pappery. Dis vreemd.

Maar die vreemdste ding dring eers heel laaste tot my deur: Ek haal asem. Ek is onder water en ek haal weer normaal asem.

Ek staan amper heupdiepte in die modder. My bene voel jellierig. My hande bewe. Ek is veronderstel om dood te wees. Die feit dat ek nie is nie, voel soos 'n ... wel, 'n wonderwerk. Ek verbeel my 'n stem, 'n stem wat 'n bietjie soos my ma s'n klink: *Percy, hoe sê 'n mens?*

Uhm ... dankie. Onderwater klink dit soos in 'n video-opname, soos 'n veel ouer kind se stem. *Dankie ... Vader.*

Geen antwoord nie. Net die donker stroom gemors wat rivieraf dryf, die enorme babers wat verbygly, die flits van die ondergaande son op die wateroppervlak ver daar bo wat alles die kleur van toffie maak.

Waarom het Poseidon my gered? Hoe meer ek daaroor dink, hoe meer kry ek skaam. So, ek was 'n paar keer vantevore gelukkig. Teen 'n ding soos die chimera het ek nie 'n kans nie. Daai arme mense in die Arch is seker braaivleis. Ek kon hulle nie beskerm nie. Ek is nie 'n held nie. Dalk moet ek hier onder tussen die babers bly, laer as die laagste gemors op die seebodem.

Fwoemp-fwoemp-fwoemp. 'n Rivierboot se skroefwiel kom bo my verbygekarring, laat die slik rondkolk.

Daar, skaars twee meter voor my, is my swaard, met sy glinsterende bronshef wat uit die modder steek.

Ek hoor weer daardie vrouestem: *Percy, vat die swaard. Jou vader glo in jou.* Dié keer weet ek die stem is nie in my kop nie. Dis ook nie my verbeelding nie. Dit voel of haar woorde van oraloor kom, deur die water rimpel soos dolfynsonar.

"Waar is jy?" roep ek hardop uit.

Dan, deur die skemerte, sien ek haar – 'n vrou die kleur van water, 'n spook in die gety, swewend bo my swaard. Sy het lang, golwende hare, en haar oë, skaars sigbaar, is groen soos myne.

'n Knop vorm in my keel. "Ma?" sê-vra ek.

Nee, kind, net 'n boodskap, al is jou ma se lot nie so hopeloos as wat jy glo nie. Gaan na die strand in Santa Monica.

"Wat?"

Dit is jou vader se wens. Voor jy in die Onderwêreld afdaal, moet jy na Santa Monica gaan. Asseblief, Percy, ek kan nie lank bly nie. Die rivier hier is te smerig vir my teenwoordigheid.

"Maar …" Ek is seker die vrou is my ma, of ten minste 'n visioen van haar. "Wie – hoe het –"

Daar is soveel wat ek wil vra, maar die woorde pak saam in my keel.

Ek kan nie bly nie, dapper een, sê die vrou. Sy steek haar hand uit en ek voel die water teen my gesig vee, byna soos 'n liefkosing. *Jy moet na Santa Monica gaan! En, Percy, moenie die geskenke vertrou nie …*

Haar stem sterf weg.

"Geskenke?" vra ek. "Watter geskenke? Wag!"

Sy wend nog een laaste poging aan om te praat, maar die klank is weg. Haar beeld verdof. As dit my ma was, het ek haar weer verloor.

Dit voel of ek wil verdrink. Die enigste probleem is, ek is immuun teen verdrinking.

Jou vader glo in jou, het sy gesê.

Sy het my ook dapper genoem ... tensy sy met die babers gepraat het.

Ek stap deur die water tot by Trekstroom en gryp die hef vas. Die chimera is dalk steeds daar bo by sy vet slang van 'n ma, wagtend om klaar te speel met my. Die sterflingpolisie sal beslis teen dié tyd daar begin aankom, om te probeer uitpluis wie daai hengse gat in die Arch geblaas het. As hulle my kry, sal hulle beslis 'n paar vrae hê.

Ek druk die doppie op my swaard en steek die balpuntpen in my sak. "Dankie, Vader," sê ek weer vir die donker water.

Dan skop ek myself boontoe deur die modderwater en begin na die oppervlak swem.

Ek klim op die oewer uit, reg langs 'n drywende McDonald's-restaurant.

'n Straatblok verder is die Arch omsingel deur elke liewe noodvoertuig in St. Louis. Polisiehelikopters sirkel in die lug rond. Die skare toeskouers laat my dink aan Times Square op Oujaarsaand.

'n Dogtertjie sê: "Mamma! Daai seun het nou-net uit die rivier gestap."

"Ja, my skat," sê haar ma terwyl sy haar nek rek om die ambulanse dop te hou.

"Maar hy's droog!"

"Ja, my skat."

'n Nuusverslaggewer praat met 'n kamera: "... waarskynlik nie 'n terreuraanval nie, verneem ons, maar dis nog baie vroeg in die ondersoek. Die skade, soos julle kan sien, is baie ernstig. Ons probeer van die oorlewendes opspoor, om meer te probeer uitvind oor ooggetuies wat beweer iemand het uit die Arch geval."

Oorlewendes. Verligting stroom deur my. Dalk is die man in die uniform en die gesin veilig. Ek hoop Annabeth en Grover is oukei.

Ek probeer deur die skare beur om te sien wat agter die polisieversperring aangaan.

"... 'n tienerseun," sê 'n ander verslaggewer. "Kanaal Vyf het verneem dat veiligheidskameras 'n tienerseun toon wat wild op die waarnemingsdek begin tekere gaan, en vermoedelik die ontploffing veroorsaak het. Moeilik om te glo, John, maar dis wat ons hoor. Weer eens, geen bevestigde sterftes nie ..."

Ek tree agtertoe en probeer my kop laag hou. Ek moet 'n hele ent om die polisieversperring stap. Oral waar jy kyk, is polisiebeamptes en nuusverslaggewers.

Net toe ek begin hoop verloor dat ek ooit vir Annabeth en Percy gaan opspoor, hoor ek 'n bekende stem blêr: "Perrr-cy!"

Ek draai om en word beetgekry in Grover se beste beeromhelsing — of bokomhelsing. "Ons dog jy's op die harde manier Hades toe!" sê hy.

Annabeth staan agter hom en probeer kwaad lyk, maar selfs sy lyk verlig om my te sien. "Ons kan jou ook nie vir vyf minute alleen los nie! Wat het gebeur?"

"Ek het soort van geval."

"Percy! Tweehonderd meter?"

Agter ons roep 'n polisieman: "Gee pad voor!" Die skare staan opsy en 'n paar paramedici kom uitgedraf met 'n vrou op 'n draagbaar. Ek herken haar dadelik — die ma van die seuntjie wat op die waarnemingsdek was. "En toe was daar so 'n hond," sê sy, "'n reusagtige hond, 'n enorme vuurspuwende chihuahua —"

"Als reg, mevrou," sê die paramedikus. "Rustig nou. Jou gesin is piekfyn. Die medikasie sal nou-nou inskop."

"Ek's nie mal nie! 'n Seun het by die gat uitgespring en die monster het verdwyn." Dan sien sy my. "Daar's hy! Dis die seun!"

Ek draai vinnig om en sleep Grover en Annabeth agter my aan. Ons verdwyn in die skare.

"Wat gaan aan?" vra Annabeth. "Praat sy van die chihuahua op die hysbak?"

Ek vertel hulle die hele storie van die chimera, Echidna, my skouspelagtige duikslag, die vrou onder die water se boodskap.

"Jislaaik," sê Grover. "Ons moet jou by Santa Monica kry! As jou pa jou ontbied, kan jy hom nie ignoreer nie."

Voor Annabeth kan reageer, stap ons verby nog 'n verslaggewer wat 'n nuusberig uitsaai, en ek vries amper in my spore toe sy sê: "Percy Jackson. Dis reg, Danny. Kanaal Twaalf het verneem die seun wat die ontploffing veroorsaak het, voldoen aan die presiese beskrywing van die jong man wat deur die owerhede gesoek word ná 'n ernstige busongeluk in New Jersey drie dae gelede. Vir ons kykers tuis, hier is 'n foto van Percy Jackson."

Ons glip om die nuusbussie en duik by 'n stegie in.

"Eerste dinge eerste!" sê ek vir Grover. "Ons moet padgee uit hierdie stad!"

Op 'n manier kom ons terug by die stasie sonder dat iemand ons raaksien. Ons klim net betyds op die trein voor dit na Denver vertrek. Die trein rol wes terwyl die donkerte neerdaal, met polisieligte wat steeds agter ons teen St. Louis se stadsprofiel flikker.

VYFTIEN

'N GOD KOOP VIR ONS KAASBURGERS

Die volgende oggend, 14 Junie, sewe dae voor die sonstilstand, rol ons trein Denver binne. Die laaste keer toe ons in die eetsalon geëet het, was eergisteraand, iewers in Kansas. Ons het laas gestort toe ons by Halfbloedheuwel weg is, en ek is seker 'n mens kan dit agterkom.

"Kom ons probeer Chiron kontak," sê Annabeth. "Ek wil hom vertel van jou gesprek met die riviergees."

"Maar ons kan mos nie fone gebruik nie?"

"Ek praat nie van fone nie."

Ons drentel omtrent 'n halfuur lank in die stad rond, al is ek nie seker wat Annabeth soek nie. Die lug is warm en droog, wat nogal vreemd voel ná die humiditeit van St. Louis. Om elke hoek en draai voel dit of die Rotsgebergte vir jou staar, soos 'n getygolf wat op die punt is om oor die stad te spoel.

Op die ou end kry ons 'n doen-dit-self-motorwassery. Ons mik vir die stalletjie verste van die straat af, en hou ons oë oop vir polisievoertuie. Ons is drie tieners wat by 'n motorwassery rondhang sonder 'n motor; enige polisieman wat sy oliebolle werd is, sal kan raai ons vang nonsens aan.

"Wat doen ons nou eintlik?" vra ek, terwyl Grover die sproeierkop uit sy bêreplek haal.

"Dis vyf-en-sewentig sent," brom hy. "Ek het net vyftig sent oor. Annabeth?"

"Moenie vir my kyk nie," sê sy. "Die eetsalon het my uitgeroei."

Ek grawe my laaste bietjie kleingeld uit en gee vir Grover vyf-en-twintig sent, wat beteken ek het 'n volle vyf sent oor, en een dragma van Medusa se plek.

"Uitstekend," sê Grover. "Ons kon dit natuurlik met 'n spuitbottel gedoen het, maar die verbinding is nie so goed nie, en my arms word moeg van die gepomp."

"Waarvan praat jy?"

Hy gooi die muntstukke in en stel die knop sodat dit 'n fyn misreën moet maak.

"Irisboodskappe," sê Annabeth. "Die reënbooggodin Iris lewer boodskappe vir die gode af. As jy weet hoe om te vra, en as sy nie te besig is nie, sal sy dieselfde vir halfbloede doen."

"Ontbied jy die godin met 'n sproeierkop?"

Grover hou die sproeierkop in die lug en die water sis in 'n digte wit mis uit. "Tensy jy weet van 'n makliker manier om 'n reënboog te maak."

Sowaar, laatmiddaglig skyn deur die waterdamp en breek in kleure op.

Annabeth hou haar palm na my toe uit. "Dragma, asseblief."

Ek oorhandig dit.

Sy hou die muntstuk bo haar kop. "O, godin, aanvaar ons offer."

Sy gooi die dragma in die reënboog. Dit verdwyn in 'n goue glinstering.

"Halfbloedheuwel," versoek Annabeth.

'n Oomblik lank gebeur daar niks.

Dan kyk ek deur die mis na aarbeilande, en die Long Island-riviermonding in die vertel. Dit voel of ons op die stoep van die Groot Huis is. 'n Man met ligbruin hare, 'n kortbroek en 'n oranje afmouhemp staan met sy rug na ons by die stoepreling. Hy hou 'n bronsswaard vas en dit lyk of hy diep ingedagte na iets onder in die weiveld staar.

"Luke!" roep ek uit.

Hy swaai om, oë wyd gerek. As dit nie was vir die feit dat ek net die deel van hom kan sien wat in die reënboog verskyn nie, sou ek kon sweer hy staan hier reg voor my.

"Percy!" Sy geskende gesig bars oop in 'n glimlag. "En Annabeth, is jy ook daar? Dank die gode! Is julle ouens oukei?"

"Ons is … uhm … piekfyn," stotter Annabeth. Sy stryk verwoed die kreukels uit haar T-hemp en probeer die los hare uit haar gesig vee. "Ons het gedog – Chiron – ek bedoel –"

"Hy's onder by die hutte." Luke se glimlag verdwyn. "Ons het 'n bietjie moeilikheid met die kampgangers. Luister, is alles reg by julle? Is Grover orraait?"

"Hier's ek," roep Grover uit. Hy hou die sproeierkop eenkant toe en staan so dat Luke hom kan sien. "Watter soort moeilikheid?"

Net toe hou 'n groot Lincoln Intercontinental by die motorwassery stil met klipharde hip-hop wat uit die klankstelsel dawer. Terwyl die kar by die stalletjie langsaan intrek, vibreer die bas van die luidsprekers so erg dat die sypaadjie skud.

"Chiron moes – watse lawaai is dit?" skree Luke.

"Ek sal dit uitsorteer!" skree Annabeth terug, en lyk baie verlig dat sy 'n verskoning het om pad te gee sodat hy haar nie kan sien bloos nie. "Grover, komaan!"

"Wat?" vra Grover. "Maar –"

"Gee vir Percy die sproeierkop en kom hier!" beveel sy.

Grover brom iets oor meisies wat moeiliker is om te

verstaan as die Orakel van Delfi, dan gee hy vir my die sproeierkop en volg vir Annabeth.

Ek hou die sproeierkop so dat ek die reënboog aan die gang kan hou en steeds vir Luke sien.

"Chiron moes 'n bakleiery gaan stopsit," skree Luke vir my bo die musiek. "Dinge is nogal gespanne hier, Percy. Die nuus van die Zeus-Poseidon-stryery het uitgelek. Ons is nog nie seker hoe nie — seker dieselfde stuk slakslym wat die helhond opgeroep het. Nou begin die kampgangers kant kies. Dit begin lyk soos die Trojaanse Oorlog. Afrodite, Ares en Apollo steun vir Poseidon, min of meer. Athena staan bankvas agter Zeus."

Ek ril by die gedagte dat Clarisse se hut ooit aan my pa se kant moet wees. In die stalletjie langsaan hoor ek hoe Annabeth en 'n ou met mekaar stry, en dan word die musiek baie sagter gedraai.

"So, hoe vorder dinge daar?" vra Luke. "Chiron sal spyt wees hy't julle misgeloop."

Ek vertel hom min of meer alles, insluitende my drome. Dit voel so goed om hom te sien, om te kan voel of ek weer 'n paar minute lank terug by die kamp is, dat ek nie besef hoe lank ek gepraat het totdat die sproeimasjien begin piep nie. Ek besef daar's nog net 'n minuut oor voor die water afsny.

"Ek wens ek kon daar wees," sê Luke. "Ons kan ongelukkig nie van hier af help nie, maar luister … dit moet Hades wees wat die meesterstraal gevat het. Hy was daar by Olimpus tydens die wintersonstilstand. Ek moes 'n groepie tydens 'n uitstappie lei en ons het hom gesien."

"Maar Chiron sê die gode kan nie mekaar se toweritems direk vat nie."

"Dis waar," sê Luke. En hy lyk bekommerd oor iets.

"Maar nogtans ... Hades het die Helm van Duisternis. Hoe kan enige iemand by die troonkamer insluip en die meesterstraal vat? Jy sal onsigbaar moet wees."

Ons bly albei stil, totdat dit lyk of Luke besef wat hy pas gesê het.

"O, hei," protesteer hy. "Ek bedoel nie Annabeth nie. Ek en sy ken mekaar al 'n ewigheid. Sy sal beslis nie ... Ek bedoel, sy's soos my kleinsus."

Ek wonder of Annabeth van daardie beskrywing sal hou. In die stalletjie langsaan hou die musiek heeltemal op. 'n Man skree verskrik, motordeure klap toe en die Lincoln jaag met skreeuende bande by die motorwassery uit.

"Jy moet dalk gaan kyk wat aangaan," sê Luke. "Luister, dra jy daai vlieënde skoene? Ek sal beter voel as ek weet hulle het jou darem gehelp."

"O ... uh, ja!" Ek probeer om nie soos 'n regte leuenaar te klink nie. "Ja, hulle help regtig baie."

"Regtig?" Hy grinnik. "So hulle pas en als?"

Die water hou op spuit. Die mis begin verdwyn.

"Wel, pas julleself mooi op daar in Denver," roep Luke, en sy stem raak dowwer. "En sê vir Grover dit sal dié keer beter gaan! Niemand sal in 'n denneboom verander as hy net —"

Maar die mis is weg, en Luke se beeld vervaag tot niks. Ek is alleen in 'n nat, leë motorwasstalletjie.

Annabeth en Grover kom laggend om die hoek gestap, maar hulle bly stil toe hulle my gesig sien. Annabeth se glimlag verdwyn. "Wat het gebeur, Percy? Wat sê Luke?"

"Nie veel nie," jok ek, en my maag voel skielik so leeg soos Hut Drie. "Komaan, ons moet iets te ete soek."

'n Paar minute later sit ons by 'n tafel in 'n eetplek vol glinsterende chroom. Oral om ons is gesinne wat burgers eet en melkskommels en koeldrank drink.

Uiteindelik kom die kelnerin nader. Sy lig haar wenkbrou skepties. "Ja?"

"Uhm, ons wil middagete bestel," sê ek.

"Het julle kinders geld om daarvoor te betaal?"

Grover se lip bewe. Ek is bang hy gaan begin blêr, of erger nog, die linoleum begin eet. Annabeth lyk of sy gaan flou val van die hongerte.

Ek probeer dink aan 'n tranetrekstorie vir die kelnerin, maar dan skud 'n gedreun deur die gebou; 'n motorfiets so groot soos 'n olifantkalf het pas langs die sypaadjie ingetrek.

Almal in die eetplek hou op praat. Die motorfiets se koplig gloei rooi. Daar is vlamme op die brandstoftenk geverf, en aan weerskante daarvan is 'n haelgeweerholster, kompleet met haelgewere daarin. Die sitplekke is van leer — maar leer wat lyk soos … wel, mensvel.

Die ou op die motorfiets sal rofstoeiers na hulle mammas toe laat hol. Hy dra 'n rooi afmouhemp, swart jeans en 'n swart leerjas, met 'n jagmes teen sy been vasgegespe. Sy rooi sonbril vou om sy kop, en hy het die gemeenste, wreedaardigste gesig wat ek nog ooit gesien het — aantreklik, seker, maar boosaardig — met 'n gitswart borselkop en wange wat die letsels van baie, baie gevegte dra. Die vreemde ding is, dit voel of ek daardie gesig al iewers gesien het.

Toe hy by die eetplek ingestap kom, trek 'n warm, droë wind deur die plek. Al die mense staan op, asof hulle gehipnotiseer is, maar die motorfietsryer wuif ongeërg en hulle gaan sit weer. Almal gaan aan met hulle gesprekke. Die kelnerin se oë knip verbaas, asof iemand pas die agteruitspeelknoppie in haar brein gedruk het. Sy vra weer vir ons: "Het julle kinders geld om daarvoor te betaal?"

"Ek betaal vir hulle," sê die motorfietsryer. Hy gly by ons tafel in, wat hopeloos te klein is vir hom, en druk omtrent vir Annabeth teen die venster vas.

Hy kyk op na die kelnerin, wat hom aangaap, en vra: "Is jy steeds hier?"

Hy beduie na haar, en sy verstyf. Sy draai om asof iemand haar in die rondte getol het, en marsjeer terug kombuis toe.

Die motorfietsryer kyk na my. Ek kan nie sy oë agter die rooi donkerbril sien nie, maar nare gevoelens begin in my maag borrel. Woede, wrewel, bitterheid. Ek wil 'n muur met my vuiste moker. Ek wil met iemand baklei. Wie dink hierdie ou is hy?

Hy grinnik vir my. "So, jy's ou Seewier se laaitie, huh?"

Ek behoort seker verbaas te wees, of bang, maar in plaas daarvan voel dit of ek na my stiefpa, Gabe, kyk. Ek wil die vent se kop van sy lyf afskeur. "Wat het dit met jou uit te waai?"

Annabeth se oë flits waarskuwend vir my. "Percy, dit is —"

Die motorfietsryer lig sy hand.

"Dis oukei," sê hy. "'n Bietjie houding pla my nie. Solank jy onthou wie's baas. Weet jy wie ek is, broerskind?"

Dan tref dit my waarom die vent so bekend lyk. Hy het dieselfde wrede grynslag as party van die kinders by Kamp Halfbloed, dié in hut vyf.

"Jy's Clarisse se pa," sê ek. "Ares, god van oorlog."

Ares grinnik en haal sy donkerbril af. Waar sy oë moet wees, is net vuur — leë oogholtes wat soos miniatuur-kernontploffings gloei. "Dis reg, jou klein bog. Ek hoor jy't Clarisse se spies gebreek."

"Sy't daarvoor gesoek."

"Heel moontlik. Dis fyn-pikkewyn. My kinders moet self hulle dinge uitsorteer. Hoekom ek hier is — ek het gehoor julle drietjies is hier rond. Ek het 'n voorstelletjie vir julle."

Die kelnerin kom terug met skinkborde waarop hope kos gestapel is — kaasburgers, tjips, uieringe en sjokolade-melkskommels.

Ares gee vir haar 'n paar goue dragmas.

Sy kyk senuweeagtig na die muntstukke. "Maar hierdie is nie ..."

Ares haal sy yslike mes uit en begin sy vingernaels daarmee skoonmaak. "Iets fout, skattebol?"

Die kelnerin sluk, en gee pad met die goud.

"Jy kan dit nie doen nie," sê ek vir Ares. "Jy kan nie mense met 'n mes dreig nie."

Ares lag. "Is jy ernstig? Ek is mal oor dié land. Beste plek sedert Sparta. Dra jy nie 'n wapen nie, jou klein bog? Jy moet. Gevaarlike wêreld daar buite. En dit bring my by my voorstel. Ek wil hê jy moet vir my 'n guns doen."

"Watse guns kan ek vir 'n god doen?"

"Iets waarvoor 'n god nie self tyd het nie. Dis niks groots nie. Ek het my skild by 'n verlate waterpark hier in die stad vergeet. Ek was op pad na 'n ... afspraak met my meisie. Ons kuiertjie is onverwags kortgeknip. My skild het daar agtergebly. Ek wil hê jy moet dit vir my gaan haal."

"Hoekom gaan jy nie terug en gaan haal dit self nie?"

Die vuur in sy oogholtes gloei 'n bietjie warmer.

"Hoekom verander ek jou nie in 'n prêriehond en ry jou met my Harley vrek nie? Want ek is nie lus nie. 'n God gee jou 'n kans om jouself te bewys, Percy Jackson. Gaan jy bewys jy's 'n lafaard?" Hy leun vorentoe. "Of dalk baklei jy net wanneer daar 'n rivier is waarin jy kan duik, sodat jou pappa jou kan beskerm."

Ek wil hom met my vuis foeter, maar op 'n manier weet ek dis wat hy verwag. Ares se mag veroorsaak my woede. Hy sal mal wees daaroor as ek hom aanval. Ek wil hom nie die genoegdoening gee nie.

"Ons stel nie belang nie," sê ek. "Ons het klaar 'n heldetaak."

Ares se vurige oë laat my dinge sien wat ek nie wil sien nie — bloed en rook en lyke op 'n slagveld. "Ek weet alles van jou heldetaak, jou klein bog. Toe daai item gesteel is, het Zeus sy bestes uitgestuur om daarna te soek: Apollo, Athena, Artemis en vir my, natuurlik. As ek nie 'n magtige wapen soos daai kon uitsnuffel nie ..." Hy lek sy lippe af, asof die blote gedagte aan die meesterstraal hom honger maak. "Wel ... as ek dit nie kon kry nie, het jy nie 'n kans nie. Maar ek probeer jou nogtans die voordeel van die twyfel gee. Ek en jou pa het 'n lang geskiedenis. Ek is immers die een wat hom van my vermoedens oor ou Kadawerasem vertel het."

"Jy't vir hom gesê Hades het die weerligstraal gesteel?"

"Jip. Pak die skuld op iemand en begin 'n oorlog. Oudste een in die boek. Ek het dit dadelik besef. Op 'n manier behoort jy my te bedank vir dié ou heldetakie van jou."

"Dankie," brom ek.

"Hei, ek's 'n vrygewige ou. Doen net die ou joppie vir my, en ek sal jou help om weer in die pad te val. Ek sal 'n rit weswaarts vir jou en jou twee pelle reël."

"Ons vaar heel oukei op ons eie, dankie."

"Haai, regtig? Geen geld nie. Geen wiele nie. Geen idee waarteen julle te staan gaan kom nie. Help my, en dalk vertel ek jou iets wat jy behoort te weet. Iets omtrent jou ma."

"My ma?"

Hy grinnik. "Het ek nou jou aandag? Die waterpark is so twee kilometer wes hiervandaan, in Delancy. Jy kan dit nie mis nie. Soek die Tonnel van Liefde-rit."

"Wat het jou en jou meisie se afspraak kortgeknip?" vra ek. "Iets wat jou die skrik op die lyf gejaag het?"

Ares ontbloot sy tande, maar ek het al gesien hoe Clarisse daai einste dreigende ding doen. Daar is iets vals daaraan, amper asof hy senuweeagtig is.

"Jy kan bly wees dis met my wat jy te doen het, jou klein bog, en nie een van die ander Olimpiërs nie. Hulle sal nie so geduldig wees met jou onbeskofte maniere soos ek nie. Ek kry jou weer hier wanneer jy klaar is. Moenie my teleurstel nie."

Daarna word ek seker flou, of val in 'n beswyming, want toe ek weer my oë oopmaak, is Ares weg. Ek sou maklik kon dink die gesprek was net 'n droom, maar Grover en Annabeth se oë vertel 'n ander storie.

"Moeilikheid," sê Grover. "Ares het jou uitgesoek, Percy. Dit beteken groot moeilikheid."

Ek staar by die venster uit. Die motorfiets het verdwyn.

Weet Ares regtig iets oor my ma, of speel hy net speletjies met my? Noudat hy weg is, het al die woede uit my gesypel. Ares geniet dit om met mense se emosies te speel. Dit is sy krag – om die passie so hoog te laat opvlam dat dit jou vermoë om helder te dink beduiwel.

"Daar's sweerlik die een of ander vangplek," sê ek. "Vergeet van Ares. Kom ons gaan net."

"Ons kan nie," sê Annabeth. "Kyk, ek haat Ares net soveel soos enige iemand anders, maar jy ignoreer nie sommer net die gode tensy jy ernstige teëspoed soek nie. Hy't nie grappies gemaak toe hy gedreig het om jou in 'n knaagdier te verander nie."

Ek kyk af na my kaasburger, wat skielik nie meer so lekker lyk nie. "Hoekom het hy ons nodig?"

"Dalk is dit 'n probleem wat breinkrag verg," sê Annabeth. "Ares het krag. Dis al wat hy het. Selfs krag moet partykeer die knie buig voor wysheid."

"Maar dié waterpark ... hy't amper bang gelyk. Wat kan 'n oorlogsgod op die vlug laat slaan?"

Annabeth en Grover kyk bekommerd na mekaar.

"Ek is bevrees ons sal moet uitvind," sê Annabeth.

Die son sink reeds agter die berge weg teen die tyd dat ons die waterpark opspoor. Te oordeel aan die teken by die ingang, was die plek se naam op 'n tyd WATERLAND, maar party van die letters is al uitgeslaan, so nou staan daar WAT R A D.

Die hoofhek is met 'n slot toegesluit en daar is doringdraad bo-op. Binne kronkel droë waterglybane en waterwurms en pype heen en weer, tot in leë swembaddens. Ou toegangskaartjies en advertensies fladder op die teer rond. Met die nag wat nader kom, lyk die plek hartseer en vreesaanjaend.

"As Ares sy meisie hiernatoe bring vir 'n romantiese afspraak," sê ek terwyl ek opkyk na die doringdraad, "wil ek eerder nie weet hoe sy lyk nie."

"Percy," waarsku Annabeth. "Jy moet meer respek betoon."

"Vir wat? Ek dog jy haat vir Ares?"

"Hy's steeds 'n god. En sy meisie is baie wispelturig."

"Glo my, jy wil beslis nie haar voorkoms beledig nie," voeg Grover by.

"Wie is sy? Echidna?"

"Nee, Afrodite," sê Grover, effens dromerig. "Godin van liefde."

"Ek dog sy's getroud met iemand," sê ek. "Hefaistos."

"Wat is jou punt?" vra hy.

"O." Ek is skielik lus om die onderwerp te verander. "So, hoe gaan ons inkom?"

"Maia!" Vlerke kom uit Grover se skoene te voorskyn.

Hy vlieg oor die heining, doen 'n onbeplande bollemakiesie in die lug, en kom steierend en struikelend aan die ander kant te lande. Hy stof sy jeans af, asof hy die hele ding beplan het. "Kom julle ouens?"

Ek en Annabeth moet op die outydse manier oorklim. Ons druk die doringdraad vir mekaar plat terwyl ons bo-oor klim.

Die skaduwees word langer terwyl ons deur die park stap en die verskillende ritte bekyk. Hulle het name gehad soos Eiland van die Enkelbyters, die Wildewragtig en die Afkophoender.

Geen monsters bestorm ons nie. Niks maak die geringste geluid nie.

Ons kry 'n kuriowinkeltjie wat oop staan. Daar is steeds aandenkings op die rakke: sneeukoepels, potlode, poskaarte en rakke vol –

"Klere," sê Annabeth. "Skoon klere."

"Jip," sê ek. "Maar jy kan nie net –"

"Sê wie?"

Sy gryp 'n hele ry goed van die rakke af en verdwyn in die aantrekkamer. 'n Paar minute later verskyn sy in 'n Waterland-kortbroek oortrek met blommetjies, 'n groot rooi Waterland-T-hemp en Waterland-strandskoene. 'n Waterland-rugsak hang oor haar skouer, duidelik tjok-en-blok vol goed geprop.

"Te dinges daarmee." Grover trek sy skouers op. Kort voor lank lyk ons al drie van kop tot toon soos wandelende advertensies vir die vervalle pretpark.

Ons soek verder na die Tonnel van Liefde. Dit voel vir my of die hele park asem ophou. "So, Ares en Afrodite," sê ek in 'n poging om my aandag af te lei van die feit dat dit al hoe donkerder word, "het hulle 'n ding aan die gang?"

"Dis ou skindernuus, Percy," sê Annabeth vir my. "Drieduisend jaar oue skindernuus."

"Wat van Afrodite se man?"

"Wel, jy weet," sê sy. "Hefaistos. Die ystersmid. Hy's as baba vermink, nadat Zeus hom van Olimpus afgesmyt het. Hy's nie juis aantreklik nie, maar goed met sy hande en als, Breins en talent is nie regtig Afrodite se ding nie, jy weet."

"Sy hou meer van motorfietsryers."

"So iets."

"En weet Hefaistos van als?"

"O ja," sê Annabeth. "Hy't hulle eenkeer saam gevang. Ek bedoel, hulle letterlik in 'n goue net gevang, en al die gode genooi om hulle te kom uitlag. Hefaistos probeer hulle altyd verneder. Dis hoekom hulle op afgeleë plekke ontmoet, soos …" Sy stop en kyk reguit vorentoe. "Soos dié."

Voor ons is 'n leë swembad waarin 'n mens heerlik sal kan skaatsplank ry. Dit is ten minste vyftig meter in deursnee en gevorm soos 'n bak.

Om die rand staan 'n dosyn standbeelde van Kupido met vlerke oopgesprei en boë gereed om te skiet. Aan die oorkant gaap die opening van 'n tonnel, seker waar die water ingevloei het toe die swembad vol was. Op die teken daarbo staan: TONNEL VAN LIEFDE: DIE PLESIERRIT VIR ROMANTIESE SIELE.

Grover sluip nader aan die rand. "Ouens, kyk."

Op die bodem van die swembad is 'n pienk-en-wit tweesitplekboot gestrand, met 'n dakkie bo-oor en propvol hartjies geverf. Op die linkersitplek, glinsterend in die laaste lig, is Ares se skild, 'n gepoleerde sirkel van brons.

"Dis te maklik," sê ek. "So ons klim net af soontoe en vat dit?"

Annabeth laat haar vinger oor die voetstuk van die naaste Kupido-standbeeld gly.

"Hier is 'n Griekse letter uitgekerf," sê sy. "Eta. Ek wonder ..."

"Grover," vra ek, "ruik jy enige monsters?"

Hy snuif die lug. "Niks."

"Is jy seker? Is dit regtig niks, of is dit weer soos in die Arch waar jy nie vir Echidna geruik het nie?"

Grover lyk seergemaak. "Ek het jou gesê, dit was ondergronds."

"Oukei, jammer." Ek haal diep asem. "Ek gaan ondertoe."

"Ek kom saam." Grover klink nie te opgewonde nie, maar ek kry die gevoel hy probeer vergoed vir wat in St. Louis gebeur het.

"Nee," sê ek vir hom. "Ek wil hê jy moet hier bo bly met die vlieënde skoene. Jy's die Rooi Baron, onthou? Jy moet help as iets verkeerd loop."

Grover stoot sy bors effe uit. "Reg. Maar wat kan verkeerd loop?"

"Ek weet nie. Sommer net 'n voorgevoel. Annabeth, kom saam met my —"

"Is jy laf?" Sy kyk na my asof ek nou-net van die maan afgeval het. Haar wange is vlamrooi.

"Wat's nou fout?" vra ek.

"Ek, saam met jou op die ... die 'Plesierrit vir Romantiese Siele'? Ek skaam my morsdood. Sê nou iemand sien ons?"

"Wie gaan jou sien?" Maar my gesig gloei ook nou. Vir wat moet meisies altyd alles ingewikkeld maak? "Oukei," sê ek. "Ek sal dit self doen." Maar toe ek by die kant van die swembad begin afklim, volg sy my, met 'n onderlangse gebrom oor hoe seuns altyd alles opmors.

Ons bereik die boot. Die skild is op een sitplek staangemaak, en langsaan is 'n vrou eserp van sy. Ek probeer my Ares en Afrodite hier verbeel, twee gode wat mekaar ontmoet by 'n pretparkrit wat in sy peetjie is. Hoekom? Dan sien ek iets wat ek nie daar van bo af gesien het nie: spieëls, al om die rand van die swembad, almal hierheen gerig. Ons kan onsself sien; dit maak nie saak in watter rigting ons kyk nie. Mmm, nou verstaan ek. Terwyl die tweetjies lekker hier gevry het, kon hulle die heeltyd hulle gunstelingmense dophou: hulleself.

Ek tel die serp op. Dit glinster pienk, en die parfuumreuk is onbeskryflik – rose, of berglourier. Iets lekkers. Ek glimlag effe dromerig, en ek is op die punt om die serp teen my wang te vryf toe Annabeth dit uit my hand pluk en dit in haar sak steek. "O nee, vergeet dit. Bly weg van daai liefdesdoepa."

"Wat?"

"Kry net die skild, Seewierbrein, dat ons kan padgee."

Die oomblik toe ek aan die skild vat, weet ek ons is in die moeilikheid. My hande breek deur iets. 'n Spinnerak, dink ek eers, maar dan kyk ek na 'n stringetjie daarvan op my palm en ek sien dis die een of ander ragfyn metaaldraadjie, so dun dat dit amper onsigbaar is. 'n Snellerdraadjie.

"Wag," sê Annabeth.

"Te laat."

"Daar's nog 'n Griekse letter teen die kant van die boot, nog 'n Eta. Dis 'n lokval."

'n Lawaai bars rondom ons los, die geknars van 'n miljoen ratte, asof die hele swembad in 'n reusagtige masjien verander.

Grover skree: "Ouens!"

Bo teen die rand lig die Kupido-standbeelde hulle boë, gereed om te skiet. Voor ek kan voorstel ons moet koes, skiet hulle, maar nie op ons nie. Hulle skiet na mekaar, oor die rand van die swembad. Sykabels wat agter aan die pyle vas is, trek met 'n boog oor die swembad en skiet in die middel vas en vorm 'n yslike asterisk. Dan verskyn kleiner metaaldraadjies daaruit en begin tussen die hoofdrade vasweef om 'n net te vorm.

"Ons beter hier uitkom," sê ek.

"Duh!" sê Annabeth.

Ek gryp die skild en ons begin hardloop, maar dis nie so maklik om teen die steil kante van die swembad uit te klim as wat dit was om in te klim nie.

"Komaan!" roep Grover.

Hy probeer 'n deel van die net vir ons oophou, maar oral waar hy raak, begin die goue draadjies om sy hande vleg.

Die Kupidobeelde se koppe spring af. Videokameras kom daaruit te voorskyn. Kolligte verrys oral om die rand van die swembad, baai ons in 'n verblindende helder lig, en 'n luidsprekerstem bulder: "Regstreekse uitsending na Olimpus oor een minuut ... nege-en-vyftig sekondes, agt-en-vyftig ..."

"Hefaistos!" skree Annabeth. "Ek is so onnosel! Eta is 'H'. Hy het hierdie lokval gebou om sy vrou saam met Ares te betrap. Nou gaan ons die sterre van 'n regstreekse uitsending na Olimpus wees, en ons gaan soos absolute idiote lyk!"

Ons is amper by die rand toe die ry spieëls soos luike oopgaan en duisende klein metaal…goetertjies daaruit stroom.

Annabeth gil.

Dit is 'n weermag opwengoggas: lyfies met bronsratte, speekbeentjies, knyperbekkies, wat almal in 'n golf klikkende, wirrende metaal op ons afgeskarrel kom.

"Spinnekoppe!" sê Annabeth. "Sp – sp – aaa!"

Ek het haar nog nooit so gesien nie. Sy val vreesbevange agtertoe en die spinnekoprobotte oorval haar byna voor ek haar optrek en haar terug na die boot sleep.

Die goed kom nou oral uit die rand van die swembad te voorskyn, miljoene van hulle wat na die middel van die swembad stroom. Ons heeltemal omsingel. Ek probeer myself oortuig hulle is waarskynlik nie geprogrammeer om dood te maak nie, net om ons vas te keer en te byt en onnosel te laat lyk. Maar aan die ander kant is hierdie 'n lokval wat vir gode bedoel is. En ons is nie gode nie.

Ek en Annabeth klim in die boot. Ek begin die spinnekoppe wegskop wat aan boord swerm. Ek skree vir Annabeth om te help, maar sy is te verlam om veel meer te doen as gil.

"Dertig, nege-en-twintig," roep die luidspreker uit.

Die spinnekoppe begin stringe metaaldraad uitspoeg om ons vas te bind. Eers is dit maklik genoeg om die draadjies te breek, maar daar is so baie daarvan, en die spinnekoppe word net al meer. Ek skop 'n spinnekop van Annabeth se been af weg en sy kake ruk 'n hap uit my nuwe strandskoen.

Grover hang met sy vlieënde tekkies bo die swembad en probeer die net lostrek, maar dit roer nie.

Dink, sê ek vir myself. *Dink.*

Die ingang na die liefdestonnel is onder die net. Ons kan

dit as 'n uitgang gebruik, maar dit word deur 'n miljoen robotspinnekoppe versper.

"Vyftien, veertien," tel die luidspreker af.

Water, dink ek. *Waar kom die rit se water vandaan?*

Dan sien ek dit: reusagtige pype agter die spieëls, waar die spinnekoppe uitgekom het. En bo die net, langs een van die Kupido's, 'n kamertjie met glasvensters wat seker die beheerkamer is.

"Grover!" skree ek. "Kyk in die beheerkamer! Soek die 'aan'-skakelaar!"

"Maar –"

"Doen dit!" Dis 'n mal plan, maar dis ons enigste kans. Die spinnekoppe is nou oor die hele boeg van die boot. Annabeth gil asof sy betaal word. Ek moet ons hier uitkry.

Grover is nou in die beheerkamer, waar hy vir 'n vale knoppies druk.

"Vyf, vier –"

Grover kyk hopeloos na my en lig sy hande. Dis duidelik hy het elke liewe knoppie gedruk, maar niks gebeur nie.

Ek maak my oë toe en probeer aan golwe dink, strome water, die Mississippirivier. Ek voel 'n bekende pluk in my maag. Ek probeer my verbeel ek kan die see al die pad na Denver toe aantrek.

"Twee, een, *nul!*"

Water bars uit die pype. Dit druis die swembad binne en spoel die spinnekoppe weg. Ek trek Annabeth tot op die sitplek langs my en maak haar sitplekgordel vas net toe die getygolf ons boot tref, bo-oor ons spoel, die spinnekoppe meesleur en ons sopnat spat, maar ons gelukkig nie omkeer nie. Die boot draai in die rondte, word in die vloed opgelig, en tol in sirkels in die maalkolk rond.

Die water is vol spinnekoppe. Elektriese kortsluitings sidder deur die metaallyfies. Party word so hard teen die swembad se muur vasgeslinger dat hulle oopbars.

Kolligte gluur op ons neer. Die Kupido-kameras rol, regstreeks na Olimpus.

Maar ek konsentreer net daarop om die boot te beheer. Ek dwing dit met my wilskrag om op die stroom langs te ry, om weg te bly van die muur. Dalk is dit my verbeelding, maar dit lyk of die boot reageer. Wel, ten minste word ons nie in miljoene stukkies verpletter nie. Ons tol 'n laaste keer in die rondte, die watervlak nou amper hoog genoeg om ons teen die metaalnet te versnipper. Dan draai die boot se neus in die rigting van die tonnel en ons skiet weg tot in die donkerte.

Ek en Annabeth klou styf vas, en albei van ons skreeu terwyl die boot deur kronkels skiet en om draaie glip en teen 'n duiselingwekkende helling afpyl, verby prente van Romeo en Juliet en 'n klomp ander simpel Valentynsgoed.

Dan is ons uit die tonnel, met die naglug wat deur ons hare fluit terwyl die boot reg op die uitgang afstuur.

As die rit in 'n werkende toestand was, sou ons by 'n helling tussen die goue Poorte van Liefde afgegly het en veilig in die uitgangpoeletjie tot stilstand gekom het. Maar daar is 'n probleem. Die Poorte van Liefde is met 'n ketting gesluit. Twee bote wat voor ons by die tonnel uitgespoel het, is nou teen die hek vasgedruk — een onder water, die ander middeldeur gebreek.

"Maak los jou sitplekgordel!" skree ek vir Annabeth.

"Is jy mal?"

"Wil jy papgedruk word?" Ek gespe Ares se skild aan my arm vas. "Ons sal moet spring." My plan is eenvoudig en waansinnig. Die oomblik as die boot die hek tref, moet ons die impak soos 'n duikplank gebruik om bo-oor die hek te spring. Ek het al gehoor van mense wat motorbotsings só oorleef het, deur tien of vyftien meter van 'n ongeluk weggeslinger te word. Met 'n bietjie geluk land ons dalk in die swembad.

Dit lyk of Annabeth verstaan. Sy gryp my hand vas terwyl die hek nader kom.

"Wanneer ek sê gaan," sê ek.

"Nee! Wanneer ek sê gaan!"

"Wat?"

"Eenvoudige fisika!" skree sy. "Krag vermenigvuldig met die hoek van die trajek —"

"Oukei!" skree ek. "Wanneer jy sê gaan."

Sy huiwer ... huiwer ... en dan skree sy: "Nou!"

Knars!

Annabeth was reg. As ons gespring het toe ek gereken het ons moet, sou ons reg teen die hek beland het. Danksy haar berekening word ons so ver moontlik boontoe geslinger.

Ongelukkig is dit 'n bietjie verder as wat nodig is. Ons boot tref die ander bote en ons word in die lug opgesmyt, bo-oor die hek, oor die uitgangspoel, met die teer aan die oorkant van die poel wat al hoe nader kom ...

Iets kry my van agter af beet.

"Eina!" roep Annabeth uit.

Grover!

Hy het my aan die hemp beet, en vir Annabeth aan die arm, en hy probeer sy bes om te keer dat ons ons te pletter val op die teer, maar ek en Annabeth het te veel momentum.

"Julle is te swaar!" sê Grover. "Ons gaan val!"

Ons pyl op die grond af terwyl Grover sy bes doen om ons val te beek.

Ons tref 'n fotobord, en Grover se kop bars regdeur die gat waardeur toeriste hulle koppe gedruk het om te maak of hulle Noo-Noo die Vriendelike Walvis is. Ares se skild is steeds aan my arm.

Toe ons ons asem terugkry, trek ek en Annabeth vir Grover uit die fotobord en bedank hom omdat hy pas ons lewe gered het. Die watervlak begin daal. Ons boot is flenters geslaan teen die hek.

Honderd meter verder, by die ingangspoel, verfilm die Kupido's steeds alles. Die standbeelde het omgeswaai sodat die kameras reg na ons wys, die kolligte op ons gesigte.

"Die vertoning is verby!" skree ek. "Dankie! Goeienag!"

Die Kupido's draai terug na hulle oorspronklike posisie. Die ligte gaan af. Die park is weer stil en donker, behalwe vir die sagte gekabbel van water wat tot in die uitgangspoel van die Tonnel van Liefde loop. Ek wonder of Olimpus oorgeskakel het vir 'n advertensiebreuk, en of ons darem goeie kykersgetalle gelok het.

Ek haat dit om vir die gek gehou te word. Ek haat dit om die bos gelei te word. En ek het lankal geleer om boelies op hulle plek te sit wat daarvan hou om sulke goed aan my te doen. Ek lig die skild aan my arm op en draai na my vriende.

"Ek dink dis tyd vir 'n geselsie met Ares."

SESTIEN

ONS VAT 'N SEBRA NA VEGAS

Die oorlogsgod wag vir ons in die eetplek se parkeerterrein.

"Wel, wel," sê hy. "Julle het dit toe wraggies oorleef."

"Jy't geweet dis 'n lokval," sê ek.

Ares grinnik ondeund vir my. "Daai gebreklike ystersmid was seker lekker verbaas toe hy 'n klompie simpel kinders in sy net vang. Julle het goed gelyk op TV."

Ek hou die skild met 'n minagtende snork na hom toe uit. "Jy's 'n regte idioot."

Annabeth en Grover trek hulle asem in.

Ares gryp die skild en laat tol dit soos 'n stuk pizzadeeg in die rondte. Dit verander van vorm, smelt weg en vorm 'n koeëlvaste baadjie. Hy slinger dit oor sy rug.

"Sien julle daai lorrie?" Hy beduie na die yslike vragmotor wat oorkant die straat geparkeer staan. "Klim op. Dit sal julle reguit L.A. toe vat, met een stop in Vegas."

Agterop die lorrie is 'n kennisgewing wat ek bloot kan lees omdat dit agterstevoor gedruk is, wit op swart, 'n goeie kombinasie vir disleksie: FAUNA VERVOER: ETIESE, MENSLIKE DIERETUINVERVOER. WAARSKUWING: LEWENDE WILDE DIERE.

"Jy maak seker 'n grap," sê ek.

Ares klap sy vingers. Die agterste klap van die lorrie spring oop. "Dis 'n gratis rit wes, jou klein bog. Hou op kla. Hier's vir jou 'n ietsie omdat jy gedoen het wat ek gevra het."

Hy haak 'n blou nylon-rugsak van sy motorfiets se stuurstang af en slinger dit na my toe.

Binne-in is skoon klere vir al drie van ons, twintig dollar kontant, 'n leersakkie vol goue dragmas en ook 'n pakkie Oreo's.

Ek sê: "Ek wil nie jou simpel –"

"Dankie, Heer Ares," val Grover my in die rede en flits vir my sy beste pasop-vir-jou-kyk. "Baie dankie."

Ek kners op my tande. Dis waarskynlik 'n dodelike belediging om 'n geskenk van 'n god te weier, maar ek wil nie iets hê waaraan Ares geraak het nie. Teësinnig slinger ek die rugsak oor my skouer. Ek weet my woede word deur die teenwoordigheid van die oorlogsgod veroorsaak, maar ek jeuk steeds om hom op die neus te moker. Hy laat my dink aan elke boelie wat ek al ooit moes trotseer: Nancy Bobofit, Clarisse, Vrot Gabe, sarkastiese onderwysers – elke idioot wat my onnosel genoem het op skool of my uitgelag het as ek geskors is.

Ek kyk terug na die eetplek, waar nou net 'n paar klante is. Die kelnerin wat ons vroeër bedien het, hou ons angstig deur die venster dop, asof sy bang is Ares sal haar seermaak. Sy sleep die kok uit die kombuis om te kom kyk. Sy sê vir hom iets. Hy knik, lig 'n klein weggooikamera en neem 'n foto van ons.

Fantasties, dink ek. *Môre is ons weer in die koerante.*

Ek kan al die opskrif sien: TWAALF JAAR OUE SKURK RAND ONSKULDIGE MOTORFIETSRYER AAN.

"Jy skuld my nog een ding," sê ek vir Ares, en probeer my stem kalm hou. "Jy het belowe jy't inligting oor my ma."

"Is jy seker jy kan die nuus hanteer?" Hy skop sy motorfiets aan die gang. "Sy's nie dood nie."

Dit voel asof die grond onder my al in die rondte draai. "Wat bedoel jy?"

"Ek bedoel sy is weggevat van die Minotourus voor sy kon doodgaan. Sy is in 'n goue stortreën verander, nie waar nie? Dis metamorfose. Nie dood nie. Sy word aangehou."

"Aangehou? Hoekom?"

"Jy beter oorlog begin bestudeer, boetman. Gyselaars. Jy neem iemand gevange om iemand anders te beheer."

"Niemand beheer my nie."

Hy lag. "O, regtig? Sien jou weer, boetman."

Ek bal my vuiste. "Jy's lekker vol van jouself, Heer Ares, die god wat vir Kupidostandbeelde weghardloop."

Agter sy donkerbril gloei vuur. Ek voel 'n warm wind deur my hare. "Ons sal weer ontmoet, Percy Jackson. Volgende keer as jy in 'n bakleiery beland, loer maar oor jou skouer."

Hy laat sy Harley grom, en brul dan in Delancystraat af.

"Dit was nie slim nie, Percy," sê Annabeth.

"Ek gee nie om nie."

"Jy wil nie 'n god as jou vyand hê nie. Veral nie daai god nie."

"Hei, ouens," sê Grover. "Ek wil julle nou nie in die rede val of iets nie, maar ..."

Hy beduie in die rigting van die eetplek. By die kasregister is die laaste twee klante besig om hulle rekening te betaal, twee mans in identiese swart oorpakke met 'n wit logo agterop wat lyk nes die een op die FAUNA VERVOER-lorrie.

"As ons op daai dieretuinlorrie wil ry," sê Grover, "beter ons opskud."

Ek hou nie daarvan nie, maar ons het nie 'n beter opsie nie. Buitendien, ek het oorgenoeg van Denver gesien.

Ons hardloop oor die straat, klouter agter in die groot lorrie en trek die deure agter ons toe.

Die eerste ding wat my tref, is die reuk. Dit ruik soos die wêreld se grootste bak katsand.

Dis donker agter in die sleepwa tot ek Anaklusmos se doppie afhaal. Die lem van die swaard werp 'n dowwe brons lig oor 'n baie treurige toneel. In 'n ry vuil metaalhokke sit drie van die mees patetiese dieretuindiere wat ek nog ooit gesien het: 'n sebra, 'n albino leeumannetjie en die een of ander vreemde bokding wat ek nie ken nie.

Iemand het vir die leeu 'n sak rape in sy hok gegooi, wat hy natuurlik nie wil eet nie. Die sebra en die bok het elkeen 'n polistireenbak vol maalvleis. Die sebra se maanhare is vol kougom gekoek, asof iemand in sy vrye tyd op die stomme ding gespoeg het. Aan een van die bok se horings is 'n simpel silwer verjaardagballon vasgemaak met die woorde *OOR DIE MUUR!* daarop.

Dit lyk of niemand dit naby die leeu wou waag om met hom skoor te soek nie, maar die arme ding stap heen en weer op vuil komberse, in 'n ruimte wat hopeloos te klein is vir hom, en sy tong hang uit van die bedompige hitte in die sleepwa. Vlieë zoem om sy pienk oë rond en sy ribbes wys deur sy wit pels.

"Etiese en menslik?" roep Grover uit. "Hoe kan hulle diere so vervoer?"

Dit lyk of hy op die punt is om uit te klim en die lorriebestuurders met sy panfluit te gaan opfoeter, en ek is heeltemal bereid om hom te help, maar dan word die lorrie se enjin met 'n brul aangeskakel, die sleepwa begin skud, en ons moet sit sodat ons nie omval nie.

Ons bondel in die hoek op 'n klomp muwwerige voersakke saam en probeer ons bes om die reuk en die hitte en die vlieë te ignoreer. Grover praat met die diere met 'n reeks blêrgeluide, maar hulle staar net treurig na hom. Annabeth stel voor ons maak sommer nou die hokke oop en laat hulle vry, maar ek wys haar daarop dat dit nie veel gaan help voor die lorrie ophou beweeg nie. Buitendien, ek vermoed ons gaan vir daai leeu baie lekkerder lyk as die rape.

Ek kry 'n waterbeker en maak hulle bakke vol, en dan gebruik ek Anaklusmos om die verkeerde kos uit hulle hokke te trek. Ek gee die vleis vir die leeu en die rape vir die sebra en die bok.

Grover paai die bok terwyl Annabeth haar mes gebruik om die ballon van sy horing los te sny. Sy wil ook die kougom uit die sebra se maanhare sny, maar ons besluit dis dalk te gevaarlik met die lorrie wat so rondskud. Ons sê vir Grover hy moet die diere belowe ons sal hulle in die oggend verder help, en dan begin ons regmaak vir die nag.

Grover krul op 'n voersak op; Annabeth maak ons pakkie Oreo's oop en peusel lusteloos aan een; ek probeer myself opbeur met die gedagte dat ons halfpad na Los Angeles is. Halfpad na ons bestemming. Dis nou eers veertien Junie. Die sonstilstand is eers die een-en-twintigste. Ons het nog oorgenoeg tyd.

Aan die ander kant weet ek glad nie wat om volgende te verwag nie. Die gode speel heeltyd met my. Ten minste het Hefaistos darem die ordentlikheid gehad om eerlik te wees daaroor – hy het kameras opgesit en my skaamteloos as vermaak geadverteer. Maar selfs wanneer die kameras nie rol nie, voel dit of my heldetaak dopgehou word. Ek is 'n bron van vermaak vir die gode.

"Hei," sê Annabeth, "jammer ek het so tekere gegaan daar by die waterpark, Percy."

"Dis oukei."

"Dis net …" Sy ril. "Spinnekoppe."

"As gevolg van die Arachne-storie," raai ek. "Sy's in 'n spinnekop verander omdat sy jou ma uitgedaag het tot 'n weefkompetisie, nè?"

Annabeth knik. "Van toe af neem Arachne se kinders heeltyd wraak op Athena se kinders. As 'n spinnekop binne 'n kilometer van my af is, sal hy my kry. Ek verpes die aaklige goed. Maar dankie, ek skuld jou."

"Ons is 'n span, onthou," sê ek. "En buitendien, Grover het die fantastiese vliegwerk gedoen."

Ek het gedog hy slaap al, maar hy brom daar uit die hoek: "Ek was nogal fantasties, nè?"

Ek en Annabeth lag.

Sy haal 'n Oreo uitmekaar en gee een helfte vir my. "In die Irisboodskap … het Luke regtig niks gesê nie?"

Ek kou my koekie en probeer besluit hoe om te antwoord. Die gesprek via die reënboog spook al heelaand by my. "Luke het gesê julle twee ken mekaar al 'n ewigheid. Hy't ook gesê Grover sal nie dié keer misluk nie. Niemand sal in 'n denneboom verander nie."

In die dowwe brons lig van die swaardlem is dit moeilik om hulle gesigsuitdrukkings te lees.

Grover maak 'n treurige balkgeluid.

"Ek moes jou van die begin af die waarheid vertel het." Sy stem bewe. "Ek was bang as jy geweet het hoe 'n mislukking ek was, sou jy my nie wou laat saamkom nie."

"Die sater wat vir Thalia, Zeus se dogter, probeer red het – dit was jy."

Hy knik terneergedruk.

"En die ander twee halfbloede met wie Thalia vriende was, die twee wat veilig by die kamp uitgekom het …"

Ek kyk na Annabeth. "Dit was jy en Luke, nè?"

Sy sit haar Oreo neer sonder dat sy 'n hap daarvan gevat het. "Soos jy gesê het, Percy, 'n sewejarige halfbloed sou dit nie baie ver gemaak het op haar eie nie. Athena het my na hulp gelei. Thalia was twaalf. Luke was veertien. Albei van hulle het van die huis af weggeloop, nes ek. Hulle het nie omgegee om my saam met hulle te vat nie. Hulle was ... ongelooflike monstervegters, selfs sonder opleiding. Ons het van Virginia af noordwaarts gereis, sonder veel van 'n plan, en amper twee weke lank die een monster ná die ander getrotseer, voordat Grover ons gevind het."

"Ek was net veronderstel om Thalia na die kamp te vergesel," sê hy met 'n snuif. "Net vir Thalia. Ek het streng opdragte van Chiron gehad: Moet niks doen wat die reddingspoging kan vertraag nie. Sien, ons het geweet Hades is agter haar aan, maar ek kon nie net vir Luke en Annabeth alleen agterlaat nie. Ek het gedog ... ek het gedog ek kon hulle al drie na veiligheid lei. Dit was my skuld dat die wraakgodinne ons ingehaal het. Ek het gevries. Ek het bang geword op pad terug kamp toe en 'n paar verkeerde afdraaipaaie gevat. As ek net 'n bietjie vinniger was ..."

"Hou op," sê Annabeth. "Niemand neem jou kwalik nie. Thalia het jou ook nie kwalik geneem nie."

"Sy het haar lewe gegee om ons te red," sê hy miserabel. "Haar dood was my skuld. Die Raad van Spleethoewige Oudstes het so gesê."

"Omdat jy nie twee ander halfbloede wou agterlaat nie?" sê ek. "Dis mos onregverdig."

"Percy is reg," sê Annabeth. "As dit nie vir jou was nie, was ek nie vandag hier nie, Grover. En Luke ook nie. Ons gee nie om wat die Raad sê nie."

Grover hou aan snuif in die donker. "Dis nou net my geluk. Ek is die lamsakkigste sater ooit, en ek vind die twee magtigste halfbloede van die eeu, Thalia en Percy."

"Jy's nie lamsakkig nie," hou Annabeth vol. "Jy's dapperder as enige sater wat ek nog ooit ontmoet het. Kan jy aan enige ander een dink wat dit sal waag om na die Onderwêreld te gaan? Ek is seker Percy is baie bly jy's hier."

Sy gee my 'n skop teen die maermerrie.

"Jip," sê ek, soos ek buitendien sou gesê het al het sy my nie geskop nie. "Dis nie toevallig dat jy my en Thalia gekry het nie, Grover. Jy't die grootste hart van enige sater onder die son. Jy's 'n gebore soeker. Dis hoekom jy die een gaan wees wat vir Pan opspoor."

Ek hoor 'n diep, tevrede sug. Ek wag dat Grover iets moet sê, maar sy asemhaling raak swaarder. Toe die geluid in 'n gesnork omsit, besef ek hy het aan die slaap geraak.

"Hoe kry hy dit reg?" vra ek verstom.

"Ek weet nie," sê Annabeth. "Maar dis regtig 'n mooi ding wat jy vir hom gesê het."

"Ek het dit bedoel."

Ons ry 'n paar kilometer in stilte, bonsend op die voersakke. Die sebra smul aan 'n raap. Die leeu lek die laaste maalvleis van sy lippe af en kyk hoopvol na my.

Annabeth vryf haar halssnoer asof sy diep, strategiese gedagtes dink.

"Daardie denneboomkraletjie," vra ek. "Was dit vir jou eerste jaar?"

Sy kyk verbaas af, asof sy nie besef het wat sy doen nie.

"Ja," sê sy. "Elke Augustus kies die instrukteurs die belangrikste gebeurtenis van die somer, en hulle verf dit op daardie jaar se krale. Ek't Thalia se denneboom, 'n brandende

Griekse trireem, 'n sentour in 'n matriekafskeidrok – *daai* was nou vir jou 'n vreemde somer ..."

"En daai kollege-ring is jou pa s'n?"

"Niks met jou uit te –" Sy bedink haar. "Ja. Ja, dit is."

"Jy hoef my nie te vertel nie."

"Nee ... dis oukei." Sy trek haar asem bewerig in. "My pa het dit vir my gestuur, toegevou in 'n brief, twee somers terug. Die ring was sy belangrikste aandenking van Athena. Sonder haar sou hy nooit sy doktorsgraad by Harvard kon klaarmaak nie ... Dis 'n lang storie. In elk geval, hy't gesê hy wil dit vir my gee. Hy't om verskoning gevra omdat hy so 'n idioot was, en gesê hy's lief vir my en hy mis my. Hy wou hê ek moes huis toe kom en by hom kom bly."

"Dit klink nie so sleg nie."

"Ja, wel ... die probleem was, ek het hom geglo. Ek het probeer huis toe gaan vir daai skooljaar, maar my stiefma was dieselfde as altyd. Sy't gereken dis te gevaarlik vir haar kinders om saam met 'n frats in die huis te bly. Monsters het aangeval. Ons het baklei. Monsters het aangeval. Ons het baklei. Die wintervakansie was nog nie eens verby nie, toe bel ek vir Chiron en gaan terug na Kamp Halfbloed toe."

"Sal jy ooit weer by jou pa probeer bly?"

Sy kyk my nie in die oë nie. "Asseblief. So gaan ek myself nie weer straf nie."

"Jy moenie opgee nie," sê ek vir haar. "Skryf vir hom 'n brief of iets."

"Dankie vir die raad," sê sy kil, "maar my pa het gekies by wie hy wil bly."

Ons ry weer 'n paar kilometer in stilte.

"So, as die gode stry kry," sê ek, "gaan dinge werk soos met die Trojaanse Oorlog? Sal dit Athena teen Poseidon wees?"

Sy leun met haar kop teen die rugsak wat Ares ons gegee het en maak haar oë toe. "Ek weet nie wat my ma sal doen nie. Ek weet net ek sal aan jou sy veg."

"Hoekom?"

"Want jy's my vriend, Seewierbrein. Nog simpel vrae?"

Ek kan nie aan 'n antwoord daarop dink nie. Gelukkig hoef ek ook nie. Annabeth slaap.

Ek sukkel om haar voorbeeld te volg, met Grover wat so snork en 'n albino leeu wat hongerig vir my staar, maar uiteindelik sluit ek my oë.

✳✳✳

My nagmerrie begin as iets wat ek al miljoene kere tevore gedroom het: Ek word gedwing om 'n toets te skryf terwyl ek 'n dwangbaadjie dra. Al die ander kinders gaan buitentoe vir pouse, en die onderwyser hou aan sê: *Komaan, Percy. Jy's mos nie dom nie, is jy? Tel op jou potlood.*

Dan wyk die droom af van die gewone.

Ek kyk na die tafel langs myne en sien 'n meisie daar sit. Sy dra ook 'n dwangbaadjie. Sy is so oud soos ek, met deurmekaar swart punkstyl hare, donker oogomlyner om haar stormagtige groen oë, en sproete oor haar neus. Op die een of ander manier weet ek wie sy is. Thalia, dogter van Zeus.

Sy probeer uit die dwangbaadjie loskom, gluur gefrustreerd na my en blaf: *Wel, Seewierbrein? Een van ons moet hier uitkom.*

Sy's reg, dink my droom-self. Ek gaan terug na daai grot toe. Ek gaan Hades 'n ding of twee vertel.

Die dwangbaadjie smelt van my lyf af. Ek val dwarsdeur die klaskamervloer. Die onderwyser se stem verander totdat dit koud en boosaardig is, vanuit die dieptes van 'n reusagtige afgrond eggo.

Percy Jackson, sê die stem. *Ja, ek sien die ruiltransaksie het goed afgeloop.*

Ek is terug in die donker grot, met geeste van die dooies wat om my rondsweef. Die monsteragtige ding praat, iewers waar ek hom nie kan sien nie, maar dié keer praat hy nie met my nie. Dit voel of die verlammende krag van sy stem iewers anders gerig is.

En hy vermoed niks? vra hy.

'n Ander stem, een wat ek byna-byna herken, antwoord by my skouer: *Niks, my heer. Hy weet net so min soos die res.*

Ek kyk rond, maar daar is niemand nie. Die spreker is onsigbaar.

Misleiding op misleiding, dink die ding in die put hardop. *Uitstekend.*

Waarlik, my heer, sê die stem langs my, *u word nie verniet die Slinkse Een genoem nie. Maar was dit werklik nodig? Ek kon wat ek gesteel het reguit na u gebring het —*

Jy? sê die monster omgekrap. *Jy het reeds jou perke getoon. Jy sou klaaglik misluk het as ek nie tussenbeide getree het nie.*

Maar, my heer —

Vrede, my dienskneggie. Ons ses maande het ons heelwat gebaat. Zeus se woede het gegroei. Poseidon het sy desperaatste kaart gespeel. Nou sal ons dit teen hom gebruik. Binnekort sal jy jou beloning kry, en jou wraak. Sodra albei voorwerpe in my hande besorg is ... maar wag. Hy is hier.

Wat? Die onsigbare dienskneg klink skielik gespanne. *Het u hom ontbied, my heer?*

Nee. Die volle krag van die monster se teenwoordigheid spoel nou oor my, laat my vries. *Dis sy pa se verdomde bloed — hy's te veranderlik, te onvoorspelbaar. Die seun het homself hierheen gebring.*

Onmoontlik! roep die dienskneg uit.

Vir 'n swakkeling soos jy, dalk, grom die stem. Dan draai sy koue krag terug na my. *So … jy wil graag droom van jou heldetaak, jong halfbloed? Nou goed, as dit is wat jy wil hê.*

Die toneel verander.

Ek staan in 'n enorme troonkamer, met swart marmermure en vloere van brons. Die leë, afskuwelike troon is van mensbeendere gemaak. Aan die voet van die troonverhogie is my ma, gevries in glimmerende goue lig, haar arms uitgestrek.

Ek probeer nader gaan, maar my bene wil nie beweeg nie. Ek probeer aan haar vat, net om te besef my hande verskrompel tot beendere. Grinnikende geraamtes in Griekse wapenrusting drom om my saam, drapeer mantels van sy oor my skouers, sit lourierkranse op my kop waaruit wolke chimera-gif borrel, wat in my kopvel inskroei.

Die bose stem begin lag. *Heil, die seëvierende held!*

Ek skrik wakker.

Grover skud aan my skouer. "Die lorrie het stilgehou," sê hy. "Ons dink hulle gaan kom kyk of die diere oukei is."

"Kruip weg!" sis Annabeth.

Dis maklik vir haar. Sy sit net haar towerpet op en verdwyn. Ek en Grover moet agter voersakke induik en hoop ons lyk soos rape.

Die deure van die sleepwa knars oop. Sonlig en hitte stroom binne.

"Verdomp!" sê een van die vragmotorbestuurders en waai met sy hand voor sy lelike neus. "Ek wens ek het eerder stowe en yskaste rondgery." Hy klim in, skep met 'n groot beker water uit 'n emmer, en gooi dit in die diere se bakke.

"Kry jy warm, ou grote?" vra hy vir die leeu en smyt die res van die emmer water reg in die leeu se gesig.

Die leeu brul verontwaardig.

"Ja, ja, ja," sê die man.

Langs my, onder die raapsakke, verstyf Grover. Vir 'n vredeliewende herbivoor lyk hy besonder moorddadig.

Die vragmotorbestuurder gooi vir die bok 'n platgedrukte Happy Meal-kardoes. Hy grinnik vir die sebra. "Hoe lyk dit, Strepies? Ten minste raak ons hier van jou ontslae. Hou jy van kulkunsies? Jy gaan dié een laaik. Hulle gaan jou middeldeur saag!"

Die sebra kyk reguit na my, oë oopgesper van vrees.

Daar is nie 'n geluid nie, maar ek hoor, klokhelder, hoe die dier sê: *Bevry my, my heer. Asseblief.*

Ek is te verstom om te reageer.

Daar is 'n harde *klop, klop, klop* teen die kant van die sleepwa.

Die bestuurder wat binne by ons is, roep: "Wat soek jy, Eddie?"

'n Stem buite — seker Eddie s'n — roep terug: "Maurice? Wat sê jy?"

"Vir wat klop jy so?"

Klop, klop, klop.

Buite roep Eddie: "Wie klop?"

Maurice rol sy oë en klim uit, terwyl hy Eddie vloek omdat hy so 'n idioot is.

'n Sekonde later verskyn Annabeth langs my. Dis seker sy wat so geklop het om Maurice uit die sleepwa te lok. "Dié vervoerbesigheid kan nie wettig wees nie," sê sy.

"Vir seker nie," sê Grover. Hy aarsel, asof hy luister. "Die leeu sê dié ouens is dieresmokkelaars!"

Dis reg, sê die sebra se stem in my kop.

"Ons moet hulle vrylaat!" sê Grover. Hy en Annabeth kyk albei na my, asof hulle wag dat ek moet sê wat om te doen.

Ek het die sebra hoor praat, maar nie die leeu nie. Hoekom? Dalk is dit nog 'n leerprobleem … kan ek net sebras verstaan? Dan dink ek: perde. Wat het Annabeth gesê oor Poseidon wat perde geskep het? Is 'n sebra naby genoeg aan 'n perd? Is dit hoekom ek die dier kan verstaan?

Die sebra sê: *Maak oop my hok, my heer. Asseblief. Daarna sal ek piekfyn wees.*

Buite skree Eddie en Maurice steeds op mekaar, maar ek weet hulle gaan weer enige oomblik inkom om die diere verder te terroriseer. Ek gryp vir Trekstroom en kap die slot van die sebra se hok af.

Die sebra bars uit. Die dier draai na my en buig. *Dankie, my heer.*

Grover lig sy hand en sê iets vir die sebra in boktaal, soos 'n seëngroet.

Toe Maurice sy kop weer by die deur insteek om te kyk wat so lawaai, spring die sebra los bo-oor hom, tot in die straat. Daar is 'n gegil en 'n geskree en karre wat toeter. Ons storm na die deur van die sleepwa, net betyds om te sien hoe die sebra in 'n breë boulevard afgalop, met hotelle en casino's en neontekens net waar jy kyk. Ons het pas 'n sebra in Las Vegas losgelaat.

Maurice en Eddie hardloop agter die dier aan, met 'n paar polisiemanne wat hulle agternasit terwyl hulle skree: "Haai! Julle het 'n permit vir daai dier nodig!"

"Nou sal 'n goeie tyd wees om pad te gee," sê Annabeth.

"Eers die ander diere," sê Grover.

Ek kap die slotte met my swaard af. Grover lig sy hand en spreek dieselfde bokgroet uit as vir die sebra.

"Voorspoed," sê ek vir die diere. Die bok en die leeu bars uit hulle hokke en verdwyn saam in die strate.

Party toeriste gil. Die meeste tree net terug en neem foto's, dalk omdat hulle dink dis net die een of ander bemarkingsfoefie van een van die casino's.

"Sal die diere oukei wees?" vra ek vir Grover. "Ek bedoel, die woestyn en als …"

"Toemaar," sê hy. "Ek het 'n saterseën oor hulle uitgespreek."

"Wat beteken dit?"

"Dit beteken hulle sal veilig terug in die natuur kom," sê hy. "Hulle sal kos en water en skaduwee kry, als wat hulle nodig het, totdat hulle 'n veilige plek kry om te bly."

"Hoekom kan jy nie so 'n seën oor ons uitspreek nie?" vra ek.

"Dit werk net op wilde diere."

"So, dit sal net vir Percy affekteer," reken Annabeth.

"Hei!" protesteer ek.

"Grappie," sê sy. "Kom. Ek wil nie 'n oomblik langer in hierdie walglike lorrie bly nie."

Ons strompel uit in die woestynmiddag. Dis maklik veertig grade buite, en ons lyk seker soos boemelaars wat in olie gebraai is, maar almal is so geïnteresseerd in die diere dat hulle skaars in ons rigting kyk.

Ons stap verby die Monte Carlo en die MGM. Ons stap verby piramides, 'n seerowerskip en die Vryheidstandbeeld, oftewel 'n kleinerige replika daarvan, maar dit laat my nogtans huis toe verlang.

Ek is nie juis seker wat ons soek nie. Dalk net 'n plek waar ons vir 'n rukkie kan wegkom uit die hitte, 'n broodjie en 'n glas limonade bestel, en 'n nuwe plan kry om wes te beweeg.

Ons het seker iewers verkeerd afgedraai, want kort voor lank staan ons in 'n doodloopstraat, voor die Lotushotel en Casino. Die ingang is 'n reusagtige neonblom, die verligte blomblare flikker. Niemand gaan in of uit nie, maar die glinsterende chroomdeure staan oop, en laat koel lug uitstroom wat na blomme ruik – seker lotusbloeisels. Ek het nog nooit een geruik nie, so ek is nie seker nie.

Die portier glimlag vir ons. "Dagsê, kinders. Julle lyk moeg. Wil julle inkom en 'n bietjie sit?"

Die afgelope week het ek geleer om agterdogtig te wees. Teen dié tyd weet ek enige iemand kan 'n monster of 'n god wees. Jy weet nooit. Maar dié ou is normaal. Een kyk na hom, en ek kan dit sien. Buitendien, ek is so verlig om iemand te hoor wat simpatiek klink, dat ek knik en sê ons wil baie graag inkom. Binne kyk ons rond en Grover sê: "Jislaaik!"

Die hele voorportaal is 'n reusagtige speletjiesvertrek. En ek praat nie van simpel ou Pac-Man-speletjies of dobbelmasjiene nie. Daar is 'n binnenshuise waterglybaan wat om die glashysbak kronkel, omtrent veertig vloere reguit boontoe. Daar is 'n kloutermuur aan een kant van die gebou, en 'n binnenshuise rekspringbrug. Daar is virtuele-werklikheid-pakke met lasergewere. En honderde videospeletjies, elkeen so groot soos 'n grootskerm-TV. Jy kan basies aan enige iets dink, die plek het dit. Daar is 'n paar ander kinders besig om te speel, maar nie baie nie. 'n Mens hoef nie in rye te wag by die speletjies nie. Oral is kelnerinne en kosstalletjies wat enige soort kos onder die son bedien.

"Haai!" sê 'n hoteljoggie. Altans, ek raai hy's 'n hoteljoggie. Hy dra 'n wit-en-geel Hawaii-hemp met lotusontwerpe, 'n kortbroek en strandplakkies. "Welkom by die Lotus-casino. Hier's julle kamersleutel."

"Uhm, maar ..." stotter ek.

"Nee," sê hy laggend. "Die rekening is betaal. Geen ekstra kostes nie, geen fooitjies nie. Gaan na die boonste vlak, kamer 4001. As julle enige iets nodig het, soos ekstra skuim vir die borrelbad, of kleiduiwe vir die skietbaan, of wat ook al, skakel net die ontvangstoonbank. Hier is julle Lotus-geldkaarte. Dit werk in al die restaurante en by al die speletjies en ritte."

Hy gee vir ons elkeen 'n groen plastiekkredietkaart.

Ek weet daar moet iewers 'n misverstand wees. Hy dink duidelik ons is die een of ander miljoenêr se kinders. Maar ek vat die kaart en sê: "Hoeveel geld is hierop?"

Sy wenkbrou plooi. "Wat bedoel jy?"

"Ek bedoel, kan die geld daarop opraak?"

Hy lag. "O, jy maak 'n grappie. Hei, dis snaaks. Geniet julle verblyf."

Ons neem die hysbak boontoe en gaan bekyk ons kamer. Dis 'n suite met drie aparte slaapkamers en 'n kroeg met hope lekkers, gaskoeldrank en tjips. 'n Blitslyn om kamerdiens te bestel. Wollerige handdoeke en waterbeddens met vere-kussings. 'n Grootskermtelevisie met ontelbare kanale. Hoë-spoed-internet. Die balkon het sy eie borrelbad – en sowaar, daar is 'n masjien wat kleiduiwe in die lug opskiet en 'n geweer, sodat jy kleiduiwe oor Las Vegas se stadshorison kan lanseer en hulle met jou geweer pot. Ek kan nie glo dis wettig nie, maar dis fantasties. Die uitsig oor die stad en die woestyn is asemrowend, maar ek dink met 'n kamer soos dié gaan daar nie veel tyd wees om die uitsig te bewonder nie.

"Liewe hemel," sê Annabeth. "Die plek is ..."

"Ongelooflik," sê Grover. "Absoluut ongelooflik."

Daar is klere in die kas, en dit pas vir my. Ek frons, want dis nogal vreemd.

Ek smyt Ares se rugsak in die vullisdrom. Ek gaan dit nie meer nodig hê nie. Wanneer ons gaan, kan ek sommer met my kaart 'n nuwe een by die hotelwinkel koop.

Ek stort, en dit voel asemrowend lekker ná 'n hele week van vuil wees op die pad. Ek trek skoon klere aan, eet 'n pak tjips, drink drie Cokes en daarna voel ek beter as in 'n lang tyd. In my agterkop bly 'n klein probleempie heeltyd aan my karring. Ek het 'n droom of iets gehad … Ek moet met my vriende praat. Maar ek is seker dit kan wag.

Toe ek uit die kamer kom, het Grover en Annabeth ook klaar gestort en skoon aangetrek. Grover ryg die een pakkie tjips ná die ander in, terwyl Annabeth die National Geographic-kanaal kliphard aan het.

"Al daai stasies," sê ek vir haar, "en jy kyk National Geographic. Is jy mal?"

"Dis interessant."

"Ek voel fantasties," sê Grover. "Ek's mal oor dié plek."

Sonder dat hy dit eens besef, kom die vlerkies uit sy skoene te voorskyn en lig hom 'n paar sentimeter van die vloer af en laat hom weer sak.

"So, wat nou?" vra Annabeth. "Slaap?"

Ek en Grover kyk vir mekaar en grinnik. Ons albei hou ons groen Lotus-geldkaarte in die lug.

"Speeltyd," sê ek.

Ek kan nie onthou wanneer laas ek soveel pret gehad het nie. My gesin is relatief arm. Ons idee van 'n spandabelrige bederf is 'n ete by Burger King en 'n fliek. 'n Vyfsterhotel in Vegas? Vergeet dit.

Ek doen vyf of ses keer die rekspring in die voorportaal, ek gly op die waterglybaan, ry sneeuplank op die nagemaakte ski-helling en speel virtuele-werklikheid-skerpskutter-speletjies.

Ek sien Grover 'n paar keer waar hy die een ná die ander speletjie probeer. Dit lyk of hy baie van die omgekeerde-jag-ding hou – waar die takbokke gewere het en jagters skiet. Annabeth speel vasvraspeletjies en ander goed wat vir slimkoppe soos sy bedoel is. Daar's so 'n 3D-simspeletjie waar jy jou eie stad bou, en jy kan die holografiese gebou op die vertoonbord sien verrys. Dis nie regtig my ding nie, maar Annabeth is mal daaroor.

Ek is nie seker wanneer ek die eerste keer agtergekom het iets is fout nie.

Dalk is dit toe ek die ou opmerk wat langs my staan terwyl ek die skerpskutterspeletjie speel. Ek skat hy's so dertien, maar sy klere is vreemd. Dit lyk of hy die seun is van een van daai ouens hier in Vegas wat vir Elvis naboots. Hy dra 'n klokbroek en 'n rooi T-hemp met swart omboorsel, en sy hare is gekrul en gejel soos 'n New Jersey-meisie s'n wat op pad is matriekafskeid toe.

Ons speel 'n rukkie lank saam die skerpskutterspeletjie. "Groovy, my ou," sê hy. "Ek's al twee weke hier en die speletjies raak net beter en beter."

Groovy? Wie praat so?

Later, toe ons gesels, sê ek iets "rock", en hy kyk my verbaas aan, asof hy nog nooit gehoor het dat iemand die woord so gebruik nie.

Hy sê sy naam is Darrin, maar toe ek hom begin uitvra, raak hy verveeld met my en draai terug na die rekenaarskerm.

"Haai, Darrin," sê ek, "luister hier."

"Wat?"

"Watter jaar is dit?" Hy frons. "In die speletjie?"

"Nee. In die regte lewe."

Hy moet 'n oomblik dink. "1977."

"Nee," sê ek, en ek begin 'n bietjie bang word. "Regtig."

"Hei, man. Jy pla my. Ek probeer speel."

Daarna ignoreer hy my heeltemal.

Ek begin met mense gesels, en ek kom agter dis nie maklik nie. Hulle is vasgenael aan die TV-skerms, of die videospeletjies, of hulle kos, of wat ook al. Een ou sê vir my dis 1985. Iemand anders is oortuig dis 1993. Almal van hulle sê hulle is nog nie baie lank hier nie – 'n paar dae, of 'n paar weke op die meeste. Maar hulle weet nie regtig nie en hulle gee ook nie regtig om nie.

Dan tref dit my: Hoe lank is *ek* al hier? Dit voel soos net 'n paar uur, maar is dit?

Ek probeer onthou hoekom ons hier is. Ons was op pad na Los Angeles. Ons was veronderstel om die ingang na die Onderwêreld te kry. My ma … vir 'n skrikwekkende oomblik sukkel ek om haar naam te onthou. Sally. Sally Jackson. Ek moet haar opspoor. Ek moet keer dat Hades die Derde Wêreldoorlog begin.

Ek kry Annabeth waar sy steeds haar stad bou.

"Kom," sê ek vir haar. "Ons moet padgee."

Geen reaksie nie.

Ek skud haar. "Annabeth?"

Sy kyk geïrriteerd op. "Wat?"

"Ons moet gaan."

"Gaan? Waarvan praat jy? Ek het nou-net die torings –"

"Dié plek is 'n lokval."

Sy reageer nie, tot ek haar weer skud. "Wat?"

"Luister. Die Onderwêreld. Ons heldetaak!"

"A, kom nou, Percy. Nog net 'n paar minute."

"Annabeth, daar's mense hier wat uit 1977 kom. Kinders wat nie ouer geword het nie. Jy boek in, en kan vir ewig bly."

"So?" sê sy. "Kan jy aan 'n beter plek as dié dink?"

Ek gryp haar arm en sleep haar weg van die speletjie.

"Haai!" Sy skree en slaan my, maar niemand kyk eens in ons rigting nie. Hulle is te besig.

Ek dwing haar om reg in my oë te kyk. "Spinnekoppe," sê ek. "Groot, harige spinnekoppe."

Dit ruk haar terug na die werklikheid. Haar oë word helder. "O my gode," sê sy. "Hoe lank is ons —"

"Ek weet nie, maar ons moet vir Grover kry."

Ons begin soek en kry hom waar hy steeds die takbok-jagterspeletjie speel.

"Grover!" roep ons albei.

"Vrek, jou nare mens!" sê hy. "Vrek, jou bose, besoedelende boef!"

"Grover!"

Hy draai die plastiekgeweer in my rigting en begin klik, asof ek net nog 'n beeld op die skerm is.

Ek kyk na Annabeth, en saam kry ons Grover aan die arms beet en sleep hom weg. Sy vlieënde skoene kry lewe en begin hom in die teenoorgestelde rigting trek terwyl hy skree: "Nee! Ek het nou-net met 'n nuwe vlak begin! Nee!"

Die Lotus se hoteljoggie kom nader gedraf. "En nou, is julle gereed vir julle platinumkaarte?"

"Ons is op pad," sê ek.

"Dis 'n jammerte," sê hy, en ek kry die gevoel hy bedoel dit opreg, dat dit sy hart sal breek as ons gaan. "Ons het pas 'n hele nuwe vlak bygevoeg, propvol speletjies vir ons platinumkaartlede."

Hy hou die kaarte uit en ek wil een hê. Ek weet as ek een vat, sal ek nooit hier wegkom nie. Ek sal hier bly, vir ewig gelukkig, vir ewig besig om speletjies te speel, en kort voor lank sal ek van my ma vergeet, en van my heldetaak, en dalk selfs wat my naam is. Ek sal vir ewig virtuele skietspeletjies saam met Disko Darrin speel.

Grover hou sy hand uit vir die kaart, maar Annabeth pluk sy arm terug en sê: "Nee, dankie."

Terwyl ons in die rigting van die deur stap, voel dit of die reuk van die kos en die geluide van die speletjies al hoe aanlokliker word. Ek dink aan ons kamer daar bo. Ons kan dalk net een nag bly, vir 'n verandering in 'n regte bed slaap …

Dan bars ons by die deur van die Lotus-casino uit en hardloop oor die sypaadjie. Dit voel soos middag, amper dieselfde tyd van die dag as toe ons by die casino ingestap het, maar iets voel verkeerd. Die weer het heeltemal verander. Dit is stormagtig, met weerlig wat in die verte oor die woestyn flits.

Ares se rugsak is oor my skouer, wat vreemd is, want ek is seker ek het dit in die vullisdrom in kamer 4001 gesmyt, maar op die oomblik het ek ander dinge waaroor ek my bekommer.

Ek hardloop na die naaste koerantstalletjie en lees die jaartal op die voorblad. Dank die gode, dis nog dieselfde jaar as toe ons ingegaan het. Dan sien ek die datum: twintig Junie.

Ons was vyf dae in die Lotus Casino.

Ons het net een dag oor voor die sonstilstand. Een dag om ons heldetaak te voltooi.

SEWENTIEN

ONS GAAN KOOP WATERBEDDENS

Dis Annabeth se idee.

Sy laat ons agterin 'n Vegas-taxi klim asof ons oorgenoeg geld het om daarvoor te betaal, en sê vir die bestuurder: "Los Angeles, asseblief."

Die taxibestuurder kou sy sigaar en bekyk ons aandagtig. "Dis amper vierhonderd-en-vyftig kilometer. Daarvoor moet julle vooruit betaal."

"Aanvaar julle casinokaarte?" vra Annabeth.

Hy trek sy skouers op. "Party van hulle. Dis dieselfde as kredietkaarte. Maar ek moet eers kyk of jou kaart werk."

Annabeth gee vir hom haar groen Lotus-geldkaart.

Hy kyk skepties daarna.

"Probeer dit," sê Annabeth.

Hy doen dit.

Sy metermasjientjie begin rol. Die liggies flits. Uiteindelik verskyn daar 'n oneindig-simbool langs die dollarteken.

Die sigaar val uit die bestuurder se mond. Hy kyk agtertoe, sy oë so groot soos pierings. "Waarheen in Los Angeles ... uh, U Hoogheid?"

"Die Santa Monica-strand." Annabeth sit 'n bietjie regopper. Ek kan sommer sien sy geniet die "U Hoogheid"-ding. "As jy ons vinnig genoeg daar kry, kan jy die kleingeld hou."

Dalk moes sy dit eerder nie gesê het nie.

Die hele pad deur die Mojavewoestyn sit die taxibestuurder behoorlik voet in die hoek.

Op die pad het ons baie tyd om te gesels. Ek vertel vir Annabeth en Grover van my mees onlangse droom, maar die detail word al hoe vaer hoe harder ek dit probeer onthou. Dit voel of die Lotus-casino 'n kortsluiting in my geheue veroorsaak het. Ek kan nie onthou hoe die onsigbare dienskneg se stem geklink het nie, al was ek seker dis iemand wat ek ken. Die dienskneg het die monster in die put iets anders as "my heer" genoem ... 'n spesiale titel of iets ...

"Die Stil een?" stel Annabeth voor. "Die Ryk Een? Dis albei byname vir Hades?"

"Miskien," sê ek, al klink dit nie een heeltemal reg nie.

"Daai troonkamer klink soos Hades s'n," sê Grover. "Dis hoe dit gewoonlik beskryf word."

Ek skud my kop. "Iets is fout. Die troonkamer was nie die hoofdeel van die droom nie. En daai stem uit die put ... Ek weet nie. Dit het net nie soos 'n god se stem gevoel nie."

Annabeth se oë rek.

"Wat?" vra ek.

"O ... niks. Ek het net — nee, dit *moet* Hades wees. Dalk het hy die dief, die onsigbare persoon, gestuur om die meesterstraal te kry, en iets het skeefgeloop —"

"Soos wat?"

"Ek – ek weet nie," sê sy. "Maar as hy Zeus se magsimbool by Olimpus gesteel het, en die gode is op sy spoor ... ek bedoel, daar's baie dinge wat kan skeefloop. So, dalk moes die dief die weerligstraal wegsteek, of het hy dit op 'n manier verloor. Wat ook al gebeur het, hy het dit nie vir Hades gebring nie. Dis wat die stem in jou droom gesê het, nè? Die ou het misluk. Dit verklaar waarna die Furieë op soek was toe hulle ons op die bus getakel het. Dalk het hulle gedink ons het die weerligstraal opgespoor."

Ek is nie seker wat fout is met haar nie. Sy lyk bleek.

"Maar as ek reeds die weerligstraal gekry het," sê ek, "hoekom sal ek dan na die Onderwêreld wil reis?"

"Om Hades te dreig," stel Grover voor. "Om hom af te pers of om te koop om jou ma terug te kry."

Ek fluit. "Jy't nogal 'n bose brein vir 'n bok."

"Jislaaik, dankie."

Maar die ding in die put het gesê hy wag vir twee items," sê ek. "As die meesterstraal een is, wat is die ander een?"

Grover skud sy kop, duidelik dronkgeslaan.

Annabeth kyk na my asof sy weet wat my volgende vraag gaan wees, en vurig hoop ek gaan dit nie vra nie.

"Jy het 'n idee wat die ding in die put is, nè?" vra ek vir haar. "Ek bedoel, as dit nie Hades is nie?"

"Percy ... kom ons praat eerder nie daaroor nie. Want as dit nie Hades is nie ... Nee. Dit moet Hades wees."

Verlate vlaktes rol verby. Ons ry verby 'n padteken wat wys dis nog agtien kilometer voor die Kaliforniese grens.

Ek kry die idee ek kyk een eenvoudige, baie belangrike stukkie inligting mis. Dis soos wanneer ek na 'n alledaagse woord staar wat ek behoort te ken, maar ek weet nie wat daar staan nie, want een of twee letters dryf rond. Hoe meer ek oor my heldetaak dink, hoe meer is ek oortuig die oplossing is nie regtig om Hades te konfronteer nie. Daar is iets anders aan die gang, iets wat selfs gevaarliker is.

Die probleem is dat ons op die oomblik veel vinniger as die wettige spoedperk op die Onderwêreld afpyl, oortuig dat Hades die meesterstraal het. As ons daar kom en uitvind ons is verkeerd, gaan daar nie tyd wees om dinge reg te stel nie. Die sonstilstandsperdatum sal verby wees en die oorlog gaan begin.

"Die antwoord is in die Onderwêreld," stel Annabeth my gerus. "Jy het geeste van die dooies gesien, Percy. Daar's net een plek waar jy hulle kry. Ons is op die regte spoor."

Sy probeer ons opbeur deur slim strategieë voor te stel hoe ons die Land van die Dooies kan binnegaan, maar my hart is nie regtig daarin nie. Daar is net te veel onbekende faktore. Dit voel soos om op die laaste nippertjie vir 'n toets te probeer leer sonder dat jy die vaagste benul het waaroor die vak gaan. En glo my, ek het *dit* al genoeg kere gedoen.

Die taxi spoed weswaarts. Elke windvlaag wat deur die Vallei van die Dood oor die pad waai, klink soos die gefluister van 'n dooie. Elke keer as 'n vragmotor se remme sis, herinner dit my aan Echidna se reptielagtige stem.

Teen sononder laai die taxi ons by die strand in Santa Monica af. Dit lyk presies soos Los Angeles se strande altyd in flieks lyk, maar dit ruik nie baie lekker nie. Al langs die wandelhoof is karnavalritte, rye palmbome langs die sypaadjies, hawelose ouens wat tussen die sandduine slaap en branderplankryers wat vir die perfekte brander wag.

Ek en Grover en Annabeth stap tot aan die rand van die water.

"Wat nou?" vra Annabeth.

Die ondergaande son verf die Stille Oseaan goud. Daar het al soveel tyd verbygegaan sedert ek op die strand by Montauk gestaan het, aan die ander kant van die land, en oor 'n ander see uitgestaar het.

Hoe kan daar 'n god wees wat dit alles beheer? Wat het my wetenskaponnie altyd gesê – twee derdes van die aarde se oppervlak is met water bedek? Hoe kan ek die seun wees van iemand wat so magtig is?

Ek stap die water binne.

"Percy?" sê Annabeth. "Wat doen jy?"

Ek stap dieper in, tot by my heupe, dan tot by my bors.

"Weet jy hoe erg is die water besoedel?" roep sy agter my aan. "Daar's allerhande giftige —"

My kop verdwyn onder die water.

Eers hou ek my asem op. Dis moeilik om aspris water in te asem. Op die ou end kan ek dit nie meer hou nie. Ek snak na asem. En ja, ek kan normaal asemhaal.

Ek stap dieper in. Ek is nie seker hoe ek dit regkry om deur die troebel water te sien nie, maar op 'n manier weet ek waar alles is. Ek kan die golwende tekstuur van die seebodem aanvoel. Ek kan kolonies see-egels teen die sandbanke uitmaak. Ek kan selfs die seestrome sien, warm en koue strome wat saamkolk.

Ek voel iets teen my been skuur. Ek kyk af en skiet amper soos 'n missiel uit die water. Langs my gly 'n twee meter lange makohaai deur die water.

Maar die dier val my nie aan nie. Hy vryf sy snoet teen my. Soos 'n hond wat aandag soek. Ek vat versigtig aan sy rugvin. Hy trek sy rug effens krom, asof hy my nooi om stywer vas te hou. Ek gryp die rugvin met albei hande vas. Die haai trek weg, sleep my saam. Hy voer my in die donker dieptes af, en laat my aan die rand van die diepsee neer, waar die sandbank ophou en 'n swart afgrond voor my gaap. Dit voel soos om teen middernag op die rand van die Grand Canyon te staan — jy kan nie veel sien nie, maar jy weet die afgrond is daar.

Seker so vyftig meter bo my glinster die oppervlak. Ek weet die druk van die water behoort my eintlik te verpletter. Maar eintlik behoort ek ook nie onder water te kan asemhaal nie. Ek wonder of daar 'n perk is op hoe diep ek kan gaan; of ek tot reg op die bodem van die Stille Oseaan kan afsak.

Dan sien ek iets in die donkerte daar onder glinster. Dit word groter en helderder terwyl dit boontoe kom. 'n Vrou se stem, soos my ma s'n, roep: "Percy Jackson."

Toe sy nader kom, word haar vorm duideliker. Sy het vloeiende swart hare en 'n rok van groen sy. Liggies flikker rondom haar en haar oë is so asemrowend mooi dat ek skaars die reusagtige seeperdjie raaksien waarop sy ry.

Sy klim af. Die seeperdjie en die makohaai skiet weg en begin iets speel wat amper soos aan-aan lyk. Die onderwater-vrou glimlag vir my. "Jy het ver gekom, Percy Jackson. Welgedaan."

Ek is nie seker wat om te doen nie, daarom buig ek. "Jy's die vrou wat in die Mississippirivier met my gepraat het."

"Ja, kind. Ek is 'n Nereïed, 'n gees van die see. Dit was nie maklik om so ver rivierop te verskyn nie, maar die najades, my varswaterniggies, het my lewenskrag help onderhou. Hulle is onderdane van Heer Poseidon, al dien hulle nie in sy hof nie."

"En ... dien jy in Poseidon se hof?"

Sy knik. "Daar is baie jare laas 'n kind van die Seegod gebore. Ons het jou met groot belangstelling dopgehou."

Skielik onthou ek die gesigte in die branders by Montauk-strand toe ek 'n seuntjie was, weerkaatsings van glimlaggende vroue. Soos soveel ander vreemde dinge in my lewe, het ek nooit regtig veel daaroor gedink nie.

"As my pa kastig so in my belang stel," sê ek, "hoekom is hy nie hier nie? Waarom praat hy nie met my nie?"

'n Koue stroom verrys uit die dieptes.

"Moenie die Heer van die See te erg verkwalik nie," sê die Nereïed vir my. "Hy staan op die rand van 'n ongewenste oorlog. Daar's baie dinge wat sy tyd in beslag neem. Buitendien, hy mag jou nie direk help nie. Die gode mag nie iemand so voortrek nie."

"Nie eens hulle eie kinders nie?"

"Veral nie hulle eie kinders nie. Die gode kan slegs deur indirekte invloed werk. Dis waarom ek jou 'n waarskuwing en 'n geskenk wil gee."

Sy hou haar hand uit. Drie wit pêrels flits in haar palm.

"Ek weet jy is op reis na Hades se ryk," sê sy. "Min sterflinge het dit nog ooit gedoen en oorleef: Orfeus, wat oor 'n uitsonderlike musikale talent beskik het; Herkules, wat uitsonderlik sterk was; Houdini, wat selfs uit die dieptes van Tartaros kon ontsnap. Het jy daardie talente?"

"Uhm ... nee."

"A, maar jy het iets anders, Percy. Jy het gawes wat maar pas eers begin ontwikkel. Die orakels het vir jou 'n groot en skrikwekkende toekoms voorspel, as jy jou kinderjare oorleef. Poseidon wil nie hê jy moet voortydig sterf nie. Neem daarom hierdie pêrels, en wanneer jy dit nodig het, gooi een by jou voete stukkend."

"Wat sal gebeur?"

"Dit," sê sy, "hang van die omstandighede af. Maar onthou: Wat aan die see behoort, sal altyd na die see terugkeer."

"Wat van die waarskuwing?"

Groen lig flikker in haar oë. "Gaan waar jou hart jou lei, anders sal jy alles verloor. Hades teer op twyfel en hopeloosheid. Hy sal jou om die bos lei as hy kan; jou in jou eie oordeel laat twyfel. As jy eers in sy ryk is, sal hy jou nie uit eie wil laat gaan nie. Hou aan glo. Voorspoed, Percy Jackson."

Sy wink haar seeperdjie nader en ry weer in die bodemlose dieptes af.

"Wag!" roep ek. "By die rivier het jy gesê ek moenie die geskenke vertrou nie. Watter geskenke?"

"Vaarwel, jong held," roep sy, met haar stem wat in die dieptes wegsterf. "Jy moet na jou hart luister." Sy word 'n gloeiende groen spikkel, en dan is sy weg.

Ek wil haar volg, af in die donkerte. Ek wil Poseidon se hof sien. Maar ek kyk op na die sonsondergang wat die oppervlak donker laat word. My vriende wag. Ons het so min tyd ...

Ek begin boontoe skop.

Toe ek by die strand kom, vertel ek vir Grover en Annabeth wat gebeur het, en wys vir hulle die pêrels.

Annabeth se gesig vertrek. "Elke geskenk het 'n prys."

"Dit was verniet."

"Nee." Sy skud haar kop. "As dit by die gode kom, is geen geskenk verniet nie. Daar sal 'n prys wees. Wag maar."

Op daardie vrolike noot draai ons ons rug op die see.

Met 'n paar muntstukke uit Ares se rugsak neem ons 'n bus tot in Wes-Hollywood. Ek wys vir die busbestuurder die Onderwêreld-adresstrokie wat ek by tannie Em se tuinkabouter-emporium gevat het, maar hy het nog nooit van die DOA-musiekateljee gehoor nie.

"Ek is seker ek het jou al op TV gesien," sê hy vir my. "Is jy 'n kinderakteur of iets?"

"Uh ... ek is 'n waaghals ... ek doen baie kinderakteurs se toertjies."

"O! Dis hoekom jy so bekend lyk."

Ons bedank hom en klim vinnig by die volgende halte af.

Ons loop ons voete seer, op soek na DOA. Dit lyk of niemand weet waar dit is nie. Dit verskyn nie in die telefoonboek nie.

Twee keer duik ons vinnig in stegies weg om polisiemotors te vermy.

Ek vries voor die venster van 'n winkel wat elektroniese toerusting verkoop, want op een van die TV's is 'n onderhoud met iemand wat baie bekend lyk – my stiefpa, Vrot Gabe. Hy praat met Barbara Walters – wraggies, asof hy die een of ander superster is. Sy voer 'n onderhoud met hom in ons woonstel, in die middel van 'n pokerwedstryd. Langs hom sit 'n jong blonde vrou, en sy streel heeltyd oor sy hand.

'n Vals traan blink op sy wang. "Regtig, mevrou Walters," sê hy, "as dit nie vir Sugar hier langs my was nie, was ek 'n totale wrak. Sy's my traumaberader. My stiefseun het als waarvoor ek lief was van my weggevat. My vrou ... my Camaro ... ek – ek's jammer. Dis vir my moeilik om daaroor te praat."

"Daar het julle dit, Amerika." Barbara Walters draai na die kamera. "'n Verpletterde man. 'n Tienerseun met ernstige probleme. Laat ek julle weer eens die mees onlangse foto wys wat van die jong voortvlugtige geneem is, 'n week gelede in Denver."

Op die skerm verskyn 'n dowwerige foto van my, Annabeth en Grover wat buite die eetplek in Colorado staan en met Ares gesels.

"Wie is die ander twee kinders op die foto?" vra Barbara Walters dramaties. "En wie is die man by hulle? Is Percy Jackson 'n jeugmisdadiger, 'n terroris, of dalk die slagoffer van 'n skrikwekkende nuwe breinspoelkultus? Ná die advertensie-breuk gesels ek met 'n bekende kindersielkundige. Bly ingeskakel, Amerika."

"Komaan," sê Grover vir my. Hy sleep my weg voor ek 'n gat in die winkelvenster kan slaan.

Dit word donker en allerhande ongure karakters begin in die strate verskyn – hulle lyk honger om die nag te verken. Moenie my verkeerd verstaan nie. Ek is 'n New Yorker. Ek skrik nie maklik nie. Maar L.A. voel heeltemal anders as New York. By die huis het alles so naby gevoel. Dit maak nie saak hoe groot die stad is nie, jy kan oral uitkom sonder om te verdwaal. Die uitleg van die strate en die moltreinstelsel maak sin. Daar's 'n stelsel waarvolgens dinge werk. 'n Kind kan veilig bly mits hy nie dom dinge aanvang nie.

Los Angeles is anders. Dis uitgesprei, chaoties, moeilik om in rond te beweeg. Dit laat my dink aan Ares. Dis nie genoeg dat L.A. groot is nie; die stad moet bewys hy's groot deur boonop luidrugtig en vreemd te wees, en moeilik om in koers te hou. Ek weet nie hoe ons ooit die ingang na die Onderwêreld voor môre, die somersonstilstand, gaan kry nie.

Ons stap verby bendelede, boemelaars en straatsmouse wat almal na ons staar asof hulle probeer besluit of dit die moeite werd is om ons te beroof.

Toe ons verby die ingang van 'n stegie stap, roep 'n stem uit die donkerte: "Haai, julle."

Soos 'n idioot gaan staan ek.

Voor ek my oë uitvee, is ons omring. 'n Bende kinders omsingel ons. Ses van hulle – wit kinders met duur klere en wreedaardige gesigte. Soos die kinders by die Yancy-akademie: ryk bedorwe brokkies met 'n hardekwas houding.

Sonder om te dink haal ek Trekstroom se doppie af.

Toe die swaard uit die niet verskyn, tree die kinders terug, maar hulle leier is óf baie onnosel of regtig dapper, want hy kom dreigend nader met 'n knipmes.

Ek maak die fout om die swaard te swaai.

Die ou piep verskrik. Maar hy is duidelik eenhonderd persent sterflik, want die lem glip deur sy bors sonder dat hy iets oorkom. Hy kyk af. "Wat de ..."

Ek skat ek het seker so drie sekondes voor sy skok in woede verander. "Hardloop!" skree ek vir Annabeth en Grover.

Ons stamp twee kinders uit die pad en nael in die straat af, sonder die vaagste benul waarheen ons op pad is. Ons swenk om 'n skerp draai.

"Daar!" skree Annabeth.

Net een winkel in die hele straatblok lyk oop, met neonlig wat in die vensters gloei. Bo die deur staan iets soos CRSTUY ES WATREBDEPALISE.

"Crusty se Waterbedpaleis?" vertaal Grover.

Dit klink nie soos die soort plek waar ek ooit sal ingaan nie, maar dis 'n noodgeval.

Ons bars by die deur in, hardloop agter 'n waterbed in en koes. 'n Oomblik later hardloop die bende kinders buite verby.

"Ek dink ons het hulle afgeskud," hyg Grover.

"Wie afgeskud?" bulder 'n stem agter ons.

Ons wip van die skrik.

Agter ons staan 'n man wat lyk soos 'n *Velociraptor* in 'n pak klere. Hy is ten minste twee meter lank, en geheel en al haarloos. Sy vel is grys en leeragtig, en hy het dik ooglede en 'n koue reptielglimlag. Hy kom stadig nader, maar ek kry die gevoel hy kan blitsig beweeg as hy wil.

Sy pak klere lyk of dit in die Lotus-casino hoort. Dit hoort wraggies iewers in die sewentigs. Die hemp is van sy, met paisleypatrone, en halfpad oopgeknoop oor sy haarlose bors.

Sy fluweelbaadjie se lapelle is so breed soos landingstroke. Die silwer kettings om sy nek — daar's te veel om te tel.

"Ek is Crusty," sê hy met 'n plaakgeel glimlag.

"Jammer ons het hier ingestorm," sê ek. "Ons, uhm, kyk sommer net rond."

"Jy bedoel julle kruip weg vir daardie spul nikswerd kinders," brom hy. "Hulle hang elke aand hier rond. Baie mense kom danksy hulle hier in. Stel julle dalk belang in 'n waterbed?"

Ek is op die punt om nee te sê, maar hy sit 'n yslike poot op my skouer en stuur my dieper by die vertoonlokaal in.

Daar is enige soort waterbed waaraan jy kan dink: van verskillende soorte hout, verskillende lakenpatrone; koningin-grootte, koninggrootte, keiser-van-die-heelal-grootte.

"Dis my gewildste model." Crusty sprei sy hande trots oor 'n bed wat met swart satynlakens oorgetrek is, met ingeboude lawalampe teen die kopstuk. Die matras vibreer.

"Miljoenhandmassering," sê Crusty vir ons. "Probeer dit gerus. Of knip sommer 'n uiltjie as julle lus is. Ek gee nie om nie. Ek het buitendien vandag niks verkoop nie."

"Uhm," sê ek, "ek dink nie ..."

"Miljoenhandmassering!" roep Grover uit en duik op die bed. "Oe, julle ouens! Dis so cool!"

"Hmmm," sê Crusty en vryf oor sy leeragtige ken. "Amper, amper."

"Amper wat?" vra ek.

Hy kyk na Annabeth. "Doen my 'n guns en probeer daai een daar oorkant, hartjie. Dalk pas dit."

"Maar wat—" begin Annabeth sê, maar hy vryf gerusstellend oor haar skouer en lei haar na die Safari Deluxe-model met kiaatleeus wat in die raam uitgekerf is, en 'n bedsprei met 'n luiperdvelpatroon. Toe Annabeth nie wil lê nie, stamp Crusty haar.

"Hei!" protesteer sy.

Crusty klap sy vingers. *"Ergo!"*

Toue spring uit die kant van die bed, skiet om Annabeth en pen haar teen die matras vas.

Grover probeer orent kom, maar toue kom ook uit sy bed van swart satyn te voorskyn en bind hom vas.

"Nie cool nie!" skree hy, met 'n stem wat vibreer van die miljoenhandmassering. "Glad nie cool nie!"

Die reus kyk na Annabeth, dan draai hy na my en grinnik. "Amper, verdeksels."

Ek probeer wegkom, maar sy hand skiet uit en klem om die agterkant van my nek. "Hokaai, seun. Moenie bekommerd wees nie. Ons sal gou-gou vir jou een kry."

"Laat my vriende gaan."

"O, maar natuurlik. Ek moet hulle net eers laat pas."

"Wat bedoel jy?"

"Al die beddens is presies een-komma-agt-twee-agt-agt meter lank. Jou vriende is te kort. Ek moet hulle laat pas."

Annabeth en Grover hou aan worstel.

"Ek kan dit nie verdra as mates nie reg is nie," brom Crusty. *"Ergo!"*

'n Nuwe stel toue kom uit die bokant en onderkant van die beddens te voorskyn en kronkel om Grover en Annabeth se enkels, en dan om hulle armholtes. Die toue begin styftrek.

"Moenie bekommerd wees nie," sê Crusty. "Dis net 'n bietjie rekwerk. Dalk so agt sentimeter ekstra op hulle ruggrate. Dalk oorleef hulle dit selfs. Hoekom kry jy nie vir jou ook 'n bed nie, ou seun?"

"Percy!" gil Grover.

My brein werk oortyd. Ek weet ek kan nie hierdie reusagtige waterbedverkoopsman alleen aandurf nie. Hy sal my nek breek voor ek nog my swaard kan uitkry.

"Jou regte naam is nie Crusty nie, is dit?" vra ek.

"Wel, amptelik is dit Prokrustes," erken hy.

"Die Strekker," sê ek. Ek onthou die storie: Die reus wat vir Theseus met sy kastige oordrewe gasvryheid probeer doodmaak het toe hy op pad na Athene was.

"Jip," sê die verkoopsman. "Maar wie op dees aarde kan 'n naam soos 'Prokrustes' uitspreek? Nie goed vir besigheid nie. Maar 'Crusty', dit kan enige iemand sê."

"Jy's reg. Dit klink goed op die oor."

Sy oë helder op. "Dink jy so?"

"O, beslis," sê ek. "En die vakmanskap op hierdie beddens? Fantasties!"

Hy grinnik breed, maar sy vingers verslap nie om my nek nie. "Ek sê dit vir my kliënte. Elke keer. Niemand let eens op na die vakmanskap nie. Hoeveel kopstukke met ingeboude lawalampe het jy al gesien?"

"Nie veel nie."

"Dis reg!"

"Percy!" skree Annabeth. "Wat doen jy?"

"Moenie jou aan haar steur nie," sê ek vir Prokrustes. "Sy's 'n pyn."

Die reus lag. "Al my kliënte is. Nooit presies een-komma-agt-twee-agt-agt meter lank nie. So onbedagsaam. En dan kla hulle oor die passery."

"Wat doen jy as hulle langer as een-komma-agt-twee-agt-agt meter is?"

"O, dit gebeur gedurig. Dit stel ek maklik reg."

Hy laat my nek los, maar voor ek kan reageer, steek hy sy

hand agter 'n toonbank in en bring 'n enorme dubbellembyl te voorskyn. "Ek laat my kliënt mooi in die middel van die bed lê," sê hy, "en dan kap ek alles af wat bo en onder afhang."

"A," sê ek en sluk hard. "Dit maak sin."

"Dis so lekker om 'n intelligente kliënt teë te kom."

Die tou begin regtig nou my vriende strek. Annabeth word bleek. Grover maak gorrelgeluide, soos 'n gans wat verwurg word.

"So, Crusty …" Ek probeer my stem lig hou. Ek loer na die pryskaartjie op die hartvormige Honeymoon Special. "Het dié een regtig dinamiese stabiliseerders om golfbewegings in die matras te voorkom?"

"Definitief. Probeer dit gerus."

"Ja, ek dink ek wil. Maar sal dit selfs vir 'n groot ou soos jy werk? Geen golfbewegings nie?"

"Gewaarborg."

"Kan nie wees nie."

"Dit is."

"Wys my."

Hy gaan sit gretig op die bed en vryf oor die matras. "Geen golfbewegings nie. Sien?"

Ek klap my vingers. "Ergo."

Toue skiet om Crusty en pen hom teen die matras vas.

"Haai!" gil hy.

"Laat hom mooi in die middel lê," sê ek.

Die toue reageer op my opdrag. Crusty se hele kop steek bo die bed uit. Sy voete steek onder uit.

"Nee!" sê hy. "Wag! Dis net 'n demonstrasie."

Ek haal Trekstroom se doppie af. "Dit is net 'n paar eenvoudige verstellings …"

Ek skroom nie eens om te doen wat ek moet doen nie.

As Crusty 'n mens is, sal die swaard hom buitendien nie seermaak nie. As hy 'n monster is, verdien hy dit om 'n ruk lank in stof te verander.

"Ek kan sien jy's 'n mannetjie wat hou van 'n goeie winskopie," sê hy vir my. "Luister, ek gee jou dertig persent af op alle uitgesoekte modelle op die vloer."

"Ek dink ek sal met die bokant begin." Ek lig my swaard.

"Geen deposito nie! Geen rente vir ses maande nie!"

Ek swaai die swaard. Crusty hou op om winskopies aan my te probeer afsmeer.

Ek sny die toue op die ander beddens los. Annabeth en Grover kom orent. Hulle kreun en steun en verwens my hardop.

"Julle lyk nogal langer," sê ek.

"Baie snaaks," sê Annabeth. "Kan jy volgende keer 'n bietjie gouer maak?"

Ek kyk na die aansteekbord agter Crusty se verkoopstoonbank. Daar is 'n advertensie vir Hermes Express, en nog een vir die *Nuwe Omvattende Gids tot Monsters in Los Angeles* — iets wat lyk soos die Geelbladsye vir monsters. Daaronder is 'n helderoranje pamflet van die DOA-musiekateljee, wat op soek is na helde se siele. DOA se adres verskyn aan die onderkant, met 'n padkaart daarby.

"Kom," sê ek vir my vriende.

"Gee kans, man," kla Grover. "Ons is amper vrek gerek!"

"Dan is julle mos reg vir die Onderwêreld," sê ek. "Dis net 'n blok van hier af."

AGTIEN

ANNABETH BIED 'N HONDEKLAS AAN

Ons staan in die skadu's van Valencia-boulevard, en kyk op na goue letters wat in swart marmer uitgekerf is: DOA-MUSIEKATELJEE.

Teen die glasdeure daaronder staan: GEEN SMOUSE NIE. GEEN LEEGLÊERS NIE. GEEN LEWENDES NIE.

Dit is amper middernag, maar die voorportaal is helder verlig en vol mense. Agter die sekuriteitstoonbank sit 'n bielie van 'n veiligheidswag met 'n donkerbril en 'n oorstuk.

Ek draai om na my vriende. "Oukei. Julle onthou die plan, nè?"

"Die plan." Grover sluk. "Jip. Ek's mal oor die plan."

"Wat as die plan nie werk nie?" vra Annabeth.

"Moenie so negatief wees nie."

"Reg," sê sy. "Ons is op pad na die Land van die Dooies en jy verwag ek moenie negatief wees nie."

Ek haal die pêrels uit my sak, die drie melkwit sfere wat die Nereïed in Santa Monica vir my gegee het. Dit voel nie juis na veel van 'n reddingsboei ingeval dinge skeefloop nie.

Annabeth sit haar hand op my skouer. "Jammer, Percy. Jy's reg, ons gaan dit regkry. Als sal oukei wees."

Sy stamp liggies aan Grover.

"O, ja!" voeg hy by. "Ons het tot hier gekom. Ons sal die meesterstraal kry en jou ma red. Als gaan seepglad verloop, jy sal sien."

Ek kyk na hulle albei en voel regtig dankbaar. Skaars 'n paar minute tevore was dit my skuld dat hulle amper op luukse waterbeddens uitmekaargetrek is, en nou probeer hulle dapper wees om my onthalwe, probeer hulle om my beter te laat voel.

Ek steek die pêrels terug in my sak. "Kom ons gaan skop Onderwêreld-agterent."

Ons stap DOA se voorportaal binne.

Sagte musiek speel oor versteekte luidsprekers. Die mat en mure is staalgrys. In die hoeke groei dun kaktusse wat soos geraamtehande lyk. Die meubels is met swart leer oorgetrek, en daar is nie 'n enkele oop sitplek nie. Daar is mense wat op rusbanke sit, mense wat rondstaan, mense wat by die vensters uitstaar of vir die hysbak wag. Niemand beweeg of praat of doen regtig veel nie. Uit die hoek van my oog kan ek hulle perfek sien, maar die oomblik as ek spesifiek op een van hulle fokus, begin hulle ... deurskynend lyk. Ek kan dwarsdeur hulle sien.

Die veiligheidswag se lessenaar is op 'n platform, so ons moet opkyk na hom.

Hy is lank en elegant, met 'n sjokoladekleur vel en spierwit gebleikte hare wat weermagstyl geskeer is. Hy dra 'n skilpaddopdonkerbril en 'n Italiaanse pak wat by sy hare pas. 'n Swart roos is aan sy lapel vasgesteek, onder 'n silwer naamplaatjie.

Ek lees die naamplaatjie en kyk dan verbysterd na hom. "Jou naam is Chiron?"

Hy leun oor die lessenaar. Al wat ek in sy bril kan sien, is my eie weerkaatsing, maar sy glimlag is soet en koud, soos 'n luislang s'n, net voor hy jou gryp.

"Wat 'n briljante jong man." Hy het nogal 'n vreemde aksent – dalk Brits, of iets heeltemal anders. "Sê my, lyk ek vir jou soos 'n sentour?"

"N-nee."

"Meneer," voeg hy gladweg by.

"Meneer," sê ek.

Hy knyp die naamplaatjie vas en laat sy vingers onder die letters verbygly. "Kan jy dit lees, seun? Hier staan C-H-A-R-O-N. Sê dit saam met my: CHA-RON."

"Charon."

"Uitstekend! Nou: *Meneer* Charon."

"Meneer Charon," sê ek.

"Welgedaan." Hy sit terug. "Ek *haat* dit om met daai ou perdman verwar te word. Nou toe, hoe kan ek julle drie dooie outjies help?"

Sy vraag tref my soos 'n vuishou op die maag. Ek kyk verward na Annabeth. Wat moet ek nou doen?

"Ons wil na die Onderwêreld toe gaan," sê sy.

Charon se mond gee 'n plukkie. "Wel, dis 'n verrassing."

"Is dit?" vra sy.

"Ja. Eerlik en op die man af. Geen geskree nie. Geen daar's-iewers-'n-misverstand-meneer-Charon nie." Hy bekyk ons. "So, hoe is julle dood?"

Ek stamp aan Grover.

"O," sê hy. "Uhm ... verdrink ... in die bad."

"Al drie van julle?" vra Charon.

Ons knik.

"Groot bad." Charon lyk 'n bietjie beïndruk. "Ek skat julle het nie muntstukke om vir die oorvaart te betaal nie. Normaalweg, met grootmense, kan ek dit op jou American Express-kaart sit, of die koste van die veerbootrit by jou laaste satelliet-TV-rekening voeg. Maar met kinders ... helaas, julle is nooit behoorlik voorbereid om dood te gaan nie. Julle sal seker maar 'n paar eeue lank moet sit."

"O, maar ons het muntstukke." Ek sit drie goue dragmas op die toonbank neer, 'n deel van die spul geld wat ek in Crusty se kantoorlessenaar ontdek het.

"Wel-wel ..." Charon lek oor sy lippe. "Egte dragmas. Egte goue dragmas. Wanneer laas ek het van dié gesien?"

Sy vingers huiwer gulsig bo die muntstukke.

Ons is so naby.

Dan kyk Charon na my. Dit voel of daardie koue staar agter sy donkerbril 'n gat in my bors boor. "Wag 'n bietjie," sê hy. "Jy kon nie my naam reg lees nie. Is jy disleksies, ou seun?"

"Nee," sê ek. "Ek is dood."

Charon leun vorentoe en snuif die lug. "Jy's nie dood nie. Ek moes dit geweet het. Jy's 'n godekind."

"Ons moet in die Onderwêreld kom," hou ek vol.

Charon maak 'n gromgeluid diep in sy keel.

Dadelik begin al die mense in die wagkamer opstaan en ontsteld rondmaal. Hulle steek sigarette aan, vee met hulle hande deur hulle hare, of kyk op hulle horlosies.

"Gee pad terwyl julle kan," sê Charon vir ons. "Ek sal net dié klomp vat en vergeet ek het julle ooit gesien."

Hy mik om die geld te vat, maar ek gryp dit terug.

"Geen diens, geen betaling nie." Ek probeer dapperder klink as wat ek voel.

Charon grom weer — 'n diep, bloedstollende geluid. Die geeste van die dooies begin teen die hysbakdeure hamer.

"Dis nou 'n jammerte," sug ek. "Ons kan meer aanbied."

Ek hou die hele sak geld omhoog wat ek in Crusty se lessenaar gekry het. Ek haal 'n vuis vol dragmas uit en laat die muntstukke deur my vingers gly.

Charon se grom verander in iets wat meer soos 'n leeu se

gespin klink. "Dink jy ek kan omgekoop word, godekind? E ... sommer net uit nuuskierigheid, hoeveel het jy daar?"

"Baie," sê ek. "Ek wed jou Hades betaal jou nie genoeg vir sulke harde werk nie."

"O, jy't nie 'n idee nie. Hoe sal jy daarvan hou om heeldag hierdie klomp geeste se babaoppasser te wees? *Asseblief, moenie dat ek dood wees nie.* Of: *Asseblief, laat my gratis oorvaar.* Ek het drieduisend jaar laas 'n verhoging gekry. Dink jy 'n pak klere soos dié kos 'n appel en 'n ei?"

"Jy verdien beter," stem ek saam. "'n Bietjie waardering. Respek. 'n Ordentlike salaris."

Met elke woord stapel ek nog 'n goue muntstuk op die toonbank.

Charon loer af na sy Italiaanse sybaadjie, asof hy homself kan voorstel in iets wat selfs beter lyk. "Ek moet sê, ou seun, jy begin nou vir my sin maak. So 'n bietjie."

Ek sit nog 'n paar muntstukke op die stapel. "Terwyl ek met Hades gesels, kan ek iets oor 'n verhoging laat val."

Hy sug. "Die boot is buitendien amper vol. Ek kan netsowel julle drie ook laat opklim en vertrek."

Hy staan op, raap ons geld op en sê: "Kom saam."

Ons stoot 'n pad deur die skare wagtende geeste oop, wat soos die wind aan ons klere gryp. Hulle stemme fluister woorde wat ek nie kan uitmaak nie. Charon stamp hulle uit die pad en grom: "Spul neklêers, dink mos almal julle is geregtig op 'n gratis rit."

Hy vergesel ons tot by die hysbak, wat klaar stampvol siele van die dooies is, elkeen met 'n groen toegangskaart. Charon gryp twee geeste wat saam met ons probeer opklim en stamp hulle terug tot in die voorportaal.

"Reg. Moenie enige idees kry terwyl ek weg is nie," kondig

hy vir die siele in die wagkamer aan. "En as iemand dit weer waag om my radio op 'n ander stasie in te stel, sal ek seker maak julle wag nog 'n duisend jaar hier. Is dit duidelik?"

Die deure gaan toe. Hy druk 'n sleutelkaart in 'n gleuf by die hysbak se beheerpaneel en ons begin ondertoe beweeg.

"Wat gebeur met die geeste wat in die voorportaal wag?" vra Annabeth.

"Niks," sê Charon.

"Vir hoe lank?"

"Vir ewig, of tot ek in 'n baie goeie bui is en besluit om hulle te help."

"O," sê sy. "Dis … regverdig."

Charon lig 'n wenkbrou. "Wie het gesê die dood is regverdig, juffie? Wag maar tot dit jou beurt is. Glo my, jy sal gou genoeg doodgaan, daar waarheen jy op pad is."

"Ons sal lewend uitkom," sê ek.

"Ha."

Ek voel skielik duiselig. Ons is nie meer op pad ondertoe nie, maar vorentoe. Die lug word mistig. Geeste rondom my begin van vorm verander. Hulle moderne klere flikker en verander in grys klede met kappies. Die vloer van die hysbak begin wieg.

Ek knyp my oë toe. Toe ek dit weer oopmaak, is Charon se roomkleur Italiaanse pak vervang met 'n lang swart kleed. Sy skilpaddopbril is weg. Waar sy oë moet wees, is leë oog-kasse — soos Ares se oë, behalwe dat Charon s'n stikdonker is, vol duisternis en dood en wanhoop.

Hy sien my staar en sê: "Wat?"

"Niks," kry ek uit.

Eers dog ek hy grinnik, maar nee. Die vlees van sy gesig begin deursigtig word, en ek kan tot sy skedel sien deurskyn.

Die vloer hou aan wieg.

"Ek dink ek word seesiek," sê Grover.

Toe ek weer my oë knip, is die hysbak nie meer 'n hysbak nie. Ons staan in 'n houtskuit. Charon stoot ons met 'n paal oor 'n donker, olierige rivier, waarin beendere, dooie visse en ander, vreemder goed rondkolk – plastiekpoppe, platgetrapte angeliere, deurweekte diplomas met goue rande.

"Die Styxrivier," prewel Annabeth. "Dis so …"

"Besoedel," sê Charon. "Duisende jare lank smyt julle mense al dinge in die rivier wanneer julle oorvaar – hoop, drome, wense wat nooit bewaarheid is nie. Onverantwoordelike afvalbestuur, as jy my vra."

Mis krul bo die smetterige water rond. Bo ons koppe, amper onsigbaar in die skemerte, is 'n plafon van stalaktiete. Voor ons glinster die oorkantste oewer met 'n gifgroen lig.

Paniek laat my keel toetrek. Wat doen ek hier? Hierdie mense om my … hulle is dood.

Annabeth kry my hand beet. Onder normale omstandighede sou dit my verleë gemaak het, maar ek verstaan hoe sy voel. Sy wil net die versekering hê dat iemand anders op die boot ook nog lewe.

Ek betrap myself dat ek 'n gebed prewel, al is ek nie heeltemal seker tot wie ek bid nie. Hier onder maak net een god saak, en hy is die een wat ek kom konfronteer het.

Die oewer van die Onderwêreld kom in sig. Skerp rotse en swart vulkaniese sand strek omtrent vyftig meter van die water af, tot teenaan 'n hoë klipmuur, wat na weerskante uitstrek so ver die oog kan sien. 'n Geluid kom van iewers in die groen skemerte, weerklink teen die klippe – die getjank van 'n groot dier.

"Ou Driegesig is honger," sê Charon. Sy glimlag word

skedelagtig in die groenerige lig. "Slegte nuus vir julle, godekinders."

Die onderkant van ons boot gly oor die swart sand. Die dooies begin afklim. 'n Vrou wat 'n klein dogtertjie se hand vashou. 'n Ou man en 'n ou vrou wat sukkel-sukkel aanstap, arms ingehaak by mekaar. 'n Seun wat sweerlik niks ouer as ek is nie, wat in stilte in sy grys kleed voortskuifel.

"Ek sou jou voorspoed toewens, ou seun," sê Charon. "Maar so iets bestaan nie hier onder nie. O ja, moenie vergeet om my salarisverhoging te noem nie, hoor."

Hy tel ons goue munte in sy geldsakkie af, en dan tel hy sy paal op. Hy neurie iets wat soos 'n Barry Manilow-liedjie klink terwyl hy die leë skuit terug oor die rivier stuur.

Ons volg die geeste al met 'n stofgetrapte voetpad langs.

Ek is nie seker wat ek verwag het nie – glansende hemelpoorte, of 'n groot swart valhek, of so iets. Maar die ingang na die Onderwêreld lyk soos iets tussen die sekuriteitshek by 'n lughawe en die Jersey-tolhek.

Daar is drie afsonderlike ingange onder een reusagtige swart boog waarop staan: JY BETREE NOU EREBUS. Elke ingang het 'n metaalverklikker en veiligheidskameras. Aan die ander kant is tolhuisies wat beman word deur spookagtige, swartgeklede figure soos Charon.

Die getjank van die honger dier is nou hard, maar ek kan nie sien waar dit vandaan kom nie. Daar's geen teken van die driekophond, Kerberos, wat Hades se deur moet bewaak nie.

Die dooies vorm drie rye, twee wat gemerk is BEAMPTE AAN DIENS, en die ander gemerk: KITSDOOD. Die KITSDOOD-ry beweeg lekker vinnig. Die ander twee rye vorder tn slakkepas.

"Hoe dink jy werk dit?" vra ek vir Annabeth.

"Die vinnige ry gaan seker reguit na Asphodel," sê sy. "Onbetwis. Hulle wil dit nie waag om deur die hof geoordeel te word nie."

"Daar's 'n hof vir dooie mense?"

"Ja. Drie regters. Hulle maak beurte om op die bank te sit. Koning Minos, Thomas Jefferson, Shakespeare – sulke mense. Partykeer kyk hulle na 'n lewe en besluit daardie persoon verdien 'n spesiale beloning – die Elisiese Velde. Partykeer besluit hulle op 'n straf. Maar die meeste mense, wel, hulle het maar net geleef. Niks spesiaals nie, nie uitsonderlik goed of sleg nie. So, hulle gaan na die Velde van Asphodel."

"En doen wat?"

"Verbeel jou jy staan in 'n koringland in Kansas," sê Grover. "Vir ewig."

"Dis erg," sê ek.

"Nie so erg soos daai nie," prewel Grover. "Kyk."

Twee van die swartgeklede spookfigure sleep een van die geeste eenkant toe en deurvoel hom by die veiligheidstoonbank. Die dooie man se gesig lyk vaagweg bekend.

"Dis daai pastoor wat in die nuus was, onthou julle?" vra Grover.

"O, ja." Ek onthou nou. Ons het hom 'n paar keer op TV gesien toe ek nog in die Yancy-akademie se koshuis gebly het. Hy was so 'n irriterende New Yorkse TV-evangelis wat miljoene dollar vir weeshuise ingesamel het en toe uitgevang is dat hy die geld op goed vir sy paleis van 'n huis bestee, soos toiletsitplekke wat met goud oorgeblaas is en 'n binnenshuise minigholfbaan. Hy is op die ou end in 'n polisiejaagtog dood toe sy Lamborghini by 'n krans afgeduiwel het.

"Wat doen hulle met hom?" vra ek.

"Spesiale straf van Hades," raai Grover. "Die rêrige slegte mense kry sy persoonlike aandag sodra hulle arriveer. Die Fu – die wraakgodinne sal vir hom 'n ewige marteling uitdink."

Die gedagte aan die Furieë laat my ril. Ek besef ek is nou in hulle tuiste. Ou juffrou Dodds lek seker al haar lippe af.

"Maar as hy 'n pastoor is," sê ek, "en hy glo in 'n ander hel ..."

Grover trek sy skouers op. "Wie sê hy sien hierdie plek soos ons dit sien? Mense sien wat hulle wil sien. Hulle kan nogal hardkoppig wees as dit by sulke goed kom."

Ons kom nader aan die hekke. Die getjank is nou so hard dat die grond onder my voete skud, maar ek kan steeds nie uitpluis waar dit vandaan kom nie.

Toe begin die groen mis glimmer, so vyftien meter voor ons. Net daar waar die pad in drie vertak, staan 'n enorme skadumonster.

Ek het dit nie vroeër opgemerk nie omdat dit half deursigtig is, nes die dooies. As dit nie beweeg nie, smelt dit teen die agtergrond weg. Net die gedierte se oë en tande lyk solied. En dit staar reguit na my.

My mond hang oop. Al waaraan ek kan dink om te sê, is: "Hy's 'n rottweiler."

Ek het altyd aan Kerberos gedink as 'n groot swart mastiff. Maar hy is duidelik 'n opregte rottweiler, behalwe natuurlik vir die feit dat hy twee keer groter as 'n mammoet is, grotendeels onsigbaar is, en drie koppe het.

Die dooies stap reg op hom af – heeltemal vreesloos. Die BEAMPTE AAN DIENS-ry verdeel aan weerskante van hom. Die KITSDOOD-geeste stap reg tussen sy voorpote en onder sy pens deur, sonder om eens te buk.

"Ek begin hom beter sien," prewel ek. "Hoekom?"

"Ek dink …" Annabeth lek haar lippe nat. "Ek's bevrees dis omdat ons al hoe nader aan ons dood kom."

Die hond se middelste kop draai na ons. Die dierasie snuif die lug en grom.

"Hy kan die lewendes ruik," sê ek.

"Maar dis oukei," sê Grover, wat langs my staan en bewe. "Want ons het 'n plan."

"Reg," sê Annabeth. Ek het haar stem nog nooit so fyn hoor klink nie. "'n Plan."

Ons beweeg nader aan die monster.

Die middelste kop grom vir ons, en blaf dan so hard dat my oogballe daarvan sidder.

"Kan jy hom verstaan?" vra ek vir Grover.

"O ja," sê hy. "Ek kan hom verstaan."

"Wat sê hy?"

"Ek dink nie mense beskik oor 'n vierletterwoord wat dit presies reg vertaal nie."

Ek haal die groot stok uit my rugsak – 'n bedstyl wat ek van Crusty se Safari Deluxe-vloermodel afgebreek het. Ek hou dit in die lug en probeer vir Kerberos vrolike hond-se-gedagtes stuur – hondekosadvertensies, oulike babahondjies, lamppale. Ek probeer glimlag soos iemand wat glad nie op die punt is om dood te gaan nie.

"Hei, ou grote," roep ek. "Ek wed jou die klomp hier rond speel nie baie met jou nie."

"GRRRRR!"

"Soet honne," sê ek floutjies.

Ek waai die stok rond. Die hond se middelste kop volg die beweging. Die ander twee koppe se oë is vasgenael op my; hulle steur hulle glad nie aan die geeste nie. Ek het Kerberos se onverdeelde aandag. Ek is nie seker of dit 'n goeie ding is nie.

"Bring!" Ek slinger die stok deur die duisternis, 'n goeie, harde gooi. Ek hoor hoe dit met 'n sploesj in die Styxrivier land.

Kerberos gluur na my, allermins beïndruk. Sy oë is koud en onheilspellend.

Oukei, daar gaan ons plan.

Kerberos gee nou 'n nuwe soort grom, dieper af in sy drie kele.

"Uhm," sê Grover. "Percy?"

"Ja?"

"Daar's iets wat jy moet weet."

"Ja?"

"Kerberos? Hy sê ons het tien sekondes om tot die god van ons keuse te bid. Daarna ... wel ... hy's honger."

"Wag!" sê Annabeth. Sy begin in haar rugsak rondgrawe.

Ô-ô, dink ek.

"Vyf sekondes," sê Grover. "Kan ons nou begin hardloop?"

Annabeth bring 'n rubberbal so groot soos 'n pomelo te voorskyn. Die woorde WATERLAND, DENVER, CO. staan daarop geskryf. Voor ek haar kan keer, lig sy die bal op en stap reguit na Kerberos toe.

"Sien jy die bal?" roep sy. "Soek jy die bal, Kerberos? Sit!"

Kerberos lyk net so stomgeslaan soos ons.

Al drie koppe draai skuins. Ses neusgate vernou.

"Sit!" roep Annabeth weer.

Ek is doodseker sy gaan nou enige oomblik in die wêreld se grootste hondebeskuitjie verander.

Maar in plaas daarvan lek Kerberos oor sy drie pare lippe, sak op sy hurke neer en vermorsel terstond 'n dosyn geeste wat onder hom in die KITSDOOD-ry was. Die geeste maak gedempte sisgeluide soos hulle verdamp, soos lug wat uit motorbande ontsnap.

"Mooi so, honne!" prys Annabeth.

Sy gooi vir Kerberos die bal.

Hy vang dit in sy middelste bek. Dit is skaars groot genoeg vir hom om te kou, en die ander twee koppe begin na die middelste een hap in 'n poging om die nuwe speelding beet te kry.

"Laat los!" beveel Annabeth.

Kerberos se koppe hou op baklei en kyk vir haar. Die bal sit soos 'n stukkie kougom tussen twee van sy tande vas. Hy gee 'n harde, skrikwekkende tjankgeluidjie en laat val die bal by Annabeth se voete. Dit is nou slymerig en byna middeldeur gebyt.

"Mooi so, honne." Sy tel die bal op sonder om haar te steur aan die monsterspoeg waarmee dit besmeer is.

Sy draai na ons. "Gaan nou. Die KITSDOOD-ry – dis vinniger."

Ek sê: "Maar –"

"Nou!" Sy gee die opdrag in dieselfde stemtoon wat sy vir die hond gebruik.

Ek en Grover sluip treetjie vir treetjie vorentoe.

Kerberos begin grom.

"Bly!" beveel Annabeth die monster. "As jy die bal wil hê, bly!"

Kerberos gee 'n tjankie, maar hy bly waar hy is.

"Wat van jou?" vra ek vir Annabeth toe ons verbystap.

"Ek weet wat ek doen, Percy," prewel sy. "Altans, ek dink darem so …"

Ek en Grover stap tussen die monster se bene deur.

Asseblief, Annabeth, smeek ek in my kop. *Moenie vir hom sê om weer te sit nie.*

Ons kom veilig anderkant uit. Kerberos lyk nie minder skrikwekkend van agter af nie.

"Soet honne!" sê Annabeth.

Sy hou die verflenterde rooi bal in die lug en kom dalk tot dieselfde gevolgtrekking as ek – as sy Kerberos beloon, gaan daar niks oorbly om hom mee besig te hou nie.

Sy gooi nogtans die bal. Die monster se linkerbek gryp dit dadelik, net om deur die middelste kop aangeval te word terwyl die regterkop kermend protesteer.

Terwyl die monster se aandag afgelei is, stap Annabeth vinnig onder sy pens deur en sluit by ons aan by die metaalverklikker.

"Hoe het jy dit reggekry?" vra ek verstom vir haar.

"Hondeskool," sê sy uitasem, en ek is verbaas om te sien daar is trane in haar oë. "Toe ek klein was, by my pa se huis, het ons 'n dobermann gehad ..."

"Vergeet nou maar eers daarvan," sê Grover en trek aan my hemp. "Kom!"

Ons is op die punt om deur die KITSDOOD-ry te hardloop toe Kerberos treurig uit al drie bekke begin tjank. Annabeth gaan staan.

Sy draai om en kyk na die hond, wat omgedraai het om na ons te kyk.

Kerberos se bekke hang opgewonde oop, die klein rooi bal in stukkies in 'n poeletjie kwyl by sy voorpote.

"Mooi so, honne," sê Annabeth, maar haar stem klink treurig en onseker.

Die monster se koppe draai skuins, asof hy bekommerd is oor haar.

"Ek bring binnekort vir jou 'n ander bal," belowe Annabeth. "Sal jy daarvan hou?"

Die monster tjank. Ek hoef nie hond te praat om te weet Kerberos wag steeds vir die bal nie.

"Soet hond. Ek sal gou weer kom kuier. Ek – ek belowe." Annabeth draai na ons. "Kom ons gaan."

Ek en Grover stap deur die metaalverklikker, wat dadelik begin skree, met rooi ligte wat flits. *Ongemagtigde besittings! Towerkrag bespeur!*

Kerberos begin blaf.

Ons bars deur die KITSDOOD-ry, wat nog meer alarms laat blêr, en hardloop die Onderwêreld binne.

'n Paar minute later kruip ons uitasem in die verrotte stam van 'n enorme swart boom weg, terwyl die spookagtige veiligheidswagte verbygestorm kom. Hulle roep na die Furieë om te kom help.

"Wel, Percy," brom Grover, "wat het ons vandag geleer?"

"Dat driekophonde meer van rooi rubberballe as van stokke hou?"

"Nee," sê Grover vir my. "Ons het geleer dat jou planne partykeer regtig pateties is."

Ek is nie so seker daarvan nie. Eintlik het ek en Annabeth albei die regte idee gehad. Selfs hier in die Onderwêreld hou almal – selfs monsters – soms van 'n bietjie aandag.

Ek dink daaroor terwyl ons wag dat die spookagtige figure moet verbykom. Ek maak of ek nie sien hoe Annabeth 'n traan van haar wang afvee terwyl sy luister na Kerberos se hartverskeurende getjank in die verte nie, kermend van verlange na sy nuwe vriendin.

NEGENTIEN

2

ONS VIND DIE WAARHEID UIT, SOORT VAN

Verbeel jou die grootste skare wat jy nog ooit by 'n konsert gesien het, 'n sokkerveld volgepak met miljoene aanhangers.

Reg, verbeel jou nou 'n veld wat 'n miljoen keer groter is, volgepak met mense, en daar is geen klank nie, geen lig nie, geen strandbal wat vrolik bo die skare rondbons nie. Iets tragies het agter die verhoog gebeur. Fluisterende massas mense maal net in die skadu's rond, wagtend op 'n konsert wat nooit gaan begin nie.

As jy die prentjie in jou gedagtes kan sien, het jy 'n redelike goeie idee van hoe die Velde van Asphodel lyk. Die swart gras is deur eeue se dooie voete vertrap. 'n Warm, klam wind waai soos die asem van 'n moeras. Plek-plek groei lappies swart bome — Grover sê vir my dis populiere.

Die dak van die spelonk is so hoog bo ons dat dit netsowel 'n bank donderwolke kon wees, behalwe vir die stalaktiete, wat dofgrys gloei en dreigend ondertoe wys. Ek probeer om nie daaraan te dink dat hulle enige oomblik kan afval nie, maar hier en daar lê wel van hulle rond wat afgeval en soos reusagtige spiese in die grond vasgesteek het. Die dooies is seker min gespin oor die feit dat hulle enige oomblik deur stalaktiete so groot soos vuurpylaanjaers deurboor kan word.

Ek en Grover en Annabeth probeer in die skare wegsmelt, en hou 'n ogie oop vir die veiligheidswagte. Ek kan nie help om na bekende gesigte te soek tussen die geeste van Asphodel nie, maar dis moeilik om na die dooies te kyk. Hulle gesigte glimmer. Hulle lyk almal effe kwaad of verward. Hulle kom wel nader en praat met jou, maar hulle stemme klink soos 'n gebrabbel, soos die gekwetter van vlermuise. Sodra hulle besef jy verstaan hulle nie, frons hulle en beweeg weg.

Die dooies maak 'n mens nie regtig bang nie. Hulle maak jou hartseer.

Ons beweeg stadig vorentoe, saam met die ry nuwe aankomelinge wat van die hoofhekke beweeg in die rigting van 'n swart tent met 'n banier waarop staan:

OORDEEL VIR ELISIUM
EN EWIGE VERDOEMENIS
Welkom, Pasgestorwenes!

Aan die agterkant van die tent kom twee veel kleiner rye uit.

Op links word geeste vergesel deur veiligheidswagte wat hulle by 'n klipperige paadjie afmarsjeer na die Velde van Straf, wat gloei en rook in die verte, 'n uitgestrekte, gebarste niemandsland met riviere van lawa en mynvelde en kilometers doringdraad wat die verskillende martelareas van mekaar skei. Selfs van hier af kan ek mense sien wat deur helhonde gejaag word, op brandstapels verbrand word, gedwing word om kaalbas tussen kaktusse deur te hardloop, of 'n ewigheid lank na operamusiek moet luister. Ek kan net-net 'n heuweltjie uitmaak waar die miergrootte figuur van Sisufos sukkel om sy rots boontoe te stoot. En ek sien erger soorte marteling ook – dinge wat ek eerder nie wil beskryf nie.

Die ry wat regs van die oordeeltent uitkom, is nie so erg nie. Dit lei af na 'n klein vallei wat deur mure omring is – 'n afgesonderde gemeenskap, wat op die oog af die enigste gelukkige plek in die Onderwêreld is. Agter die veiligheidshek is pragtige huise uit elke tydperk in die geskiedenis – Romeinse villas en Middeleeuse kastele en Victoriaanse herehuise. Silwer en goue blomme pryk op die grasperke. Die gras rimpel in reënboogkleure. Ek kan 'n gelag hoor, en ek ruik braaivleis.

Elisium.

In die middel van die vallei is 'n glinsterende blou meer met drie klein eilande daarin, soos 'n vakansieoord in die Bahamas. Die Eilande van die Geseëndes, vir mense wat gekies het om drie keer hergebore te word, en drie keer Elisium bereik het. Ek weet sommer dadelik dis waarheen ek wil gaan wanneer ek doodgaan.

"Dis waaroor als op die ou end gaan," sê Annabeth, asof sy my gedagtes lees. "Dis die plek vir helde."

Maar ek dink aan hoe min mense daar in Elisium is, hoe piepklein dit is vergeleke met Asphodel of selfs Straf. So min mense gebruik hulle lewe om goeie dinge te doen. Dis genoeg om 'n mens depressief te maak.

Ons stap weg van die oordeeltent en beweeg dieper in Asphodel in. Dit word donkerder. Die kleur van ons klere word dowwer. Die skares kwetterende dooies begin minder word.

Ná wat voel soos 'n uur of wat se stap, begin ons 'n bekende gekrys in die verte hoor. Op die horison doem 'n paleis van glinsterende swart lawaglas op. Bo die borswerings sirkel drie donker, vlermuisagtige kreature rond: die Furieë. Ek kry die gevoel hulle wag vir ons.

"Dis seker nou te laat om terug te draai," sê Grover hoopvol.

"Ons sal oukei wees." Ek probeer seker van my saak klink.

"Dalk moet ons eers op 'n paar van die ander plekke soek," stel Grover voor. "Soos Elisium, byvoorbeeld ..."

"Komaan, bokseun." Annabeth gryp sy arm.

Grover gee 'n verskrikte gilletjie. Vlerke verskyn uit sy tekkies en sy bene skiet vorentoe en ruk hom weg van Annabeth. Hy land plat op sy rug in die gras.

"Grover," raas Annabeth. "Hou op grappies maak."

"Maar ek het nie –"

Hy gil weer. Sy skoene flap nou verwoed. Hulle styg op en sleep hom weg van ons af.

"*Maia!*" skree hy, maar dit lyk of die towerwoord geen effek het nie. "Komaan, *Maia!* 911! Help!"

Ek herstel van my aanvanklike verbasing en probeer Grover se hand vasgryp, maar dis te laat. Hy tel spoed op en gly by die bult af asof hy op 'n onsigbare slee beland het.

Ons hardloop agter hom aan.

"Maak die skoene se veters los!" roep Annabeth.

Dis seker nie 'n slegte plan nie, maar dis nie so maklik as jou skoene jou voete-eerste teen 'n verbysterende spoed rondsleep nie. Grover probeer regop sit, maar hy kom nie naby die veters nie.

Ons hou aan hardloop, en probeer hom in die oog hou terwyl hy tussen die bene van geeste deurvleg wat geïrriteerd vir hom kwetter.

Ek is oortuig Grover gaan deur die hekke van Hades se paleis bars, maar sy skoene swenk skerp na regs en sleep hom in die teenoorgestelde rigting.

Die afdraand word steiler. Grover tel spoed op. Ek en Annabeth moet behoorlik uithaal om by te bly. Die mure van die spelonk word nouer weerskante van ons, en ek besef ons het die een of ander sytonnel binnegegaan. Hier is geen swart gras of bome nie, net rots onder ons voete, en die dowwe gloed van die stalaktiete daar bo.

"Grover!" skree ek, en my stem eggo teen die rotse. "Gryp aan iets vas!"

"Wat?" skree hy terug.

Hy gryp na gruisklippe, maar niks is groot genoeg om sy vaart te stuit nie.

Die tonnel word kouer en donkerder. Die haartjies op my arms staan orent. Dit ruik boosaardig hier onder. Dit laat my dink aan goed waarvan ek nie eens behoort te weet nie – bloed wat op 'n antieke klipaltaar gestort word, die walglike asem van 'n moordenaar.

Dan sien ek wat voor ons is, en ek steek in my spore vas.

Die tonnel word breër en vorm 'n reusagtige donker spelonk. In die middel daarvan is 'n bodemlose afgrond so groot soos 'n straatblok.

Grover pyl reg op die rand daarvan af.

"Komaan, Percy!" gil Annabeth en ruk aan my pols.

"Maar dis –"

"Ek weet!" skree sy. "Die plek in jou droom wat jy beskryf het! Maar Grover gaan daar inval as ons hom nie vang nie."

Sy is natuurlik reg. Grover se dilemma kry my weer aan die beweeg.

Hy gil en probeer die grond vasgryp, maar die gevleuelde skoene hou aan om hom na die put te sleep, en dit lyk nie of ons hoegenaamd betyds by hom gaan uitkom nie.

Sy hoewe red sy lewe.

Die vlieënde tekkies het nog altyd effe los gesit aan hom, en oplaas tref Grover 'n groot rots en die linkerskoen vlieg af. Dit snel deur die donkerte, reg by die afgrond af. Die regterskoen hou aan om aan hom te pluk, maar nie so vinnig nie. Grover kry sy spoed gebreek deur aan die groot rots vas te gryp en dit soos 'n anker te gebruik.

Hy is drie meter van die rand van die put af toe ons hom inhaal en hom terug boontoe sleep. Die ander gevleuelde skoen vlieg ook van sy hoef af, sirkel kwaai om ons rond en skop omgekrap na ons koppe, voordat dit by die afgrond afvlieg om by sy maat aan te sluit.

Ons sak pootuit op die lawaglasgruis neer. My arms en bene voel soos lood. Selfs my rugsak voel swaarder, asof iemand dit vol klippe gepak het.

Grover is vol skrape en kneusplekke. Sy hande bloei. Die pupille van sy oë het horisontaal geword, pure bok, soos altyd as hy doodsbenoud is.

"Ek weet nie hoe …" hyg hy. "Ek het nie …"

"Wag," sê ek. "Luister."

Ek hoor iets. 'n Diep fluisterstem in die donkerte.

Ná 'n paar sekondes sê Annabeth: "Percy, dié plek —"

"Sjuut!" Ek staan op.

Die geluid word harder, 'n prewelende, bose stem van ver, ver onder ons. 'n Stem wat uit die put kom.

Grover sit regop. "W-watse geluid is daai?"

Annabeth hoor dit ook nou. Ek kan dit in haar oë sien. "Tartaros. Die ingang na Tartaros."

Ek haal Anaklusmos se doppie af.

Die bronsswaard strek uit, glim in die donkerte, en dit klink of die bose stem huiwer, net 'n oomblik lank, voordat dit weer begin prewel.

Ek kan nou byna-byna woorde uitmaak, antieke, antieke woorde, selfs ouer as Grieks. Asof …

"Towerkrag," sê ek.

"Ons moet hier wegkom," sê Annabeth.

Saam help ons vir Grover op sy hoewe en begin terug deur die tonnel stap. My bene wil nie vinnig genoeg beweeg nie. My rugsak is te swaar. Die stem word harder en woedender agter ons, en ons begin hardloop.

En net betyds ook.

'n Vlaag koue wind pluk aan ons rûe, asof die hele put sy asem intrek. Vir 'n vreesaanjaende oomblik voel ek my voete op die gruis gly. As ons net 'n klein entjie nader aan die afgrond was, sou ek ingesuig geword het.

Ons hou aan voortbeur en uiteindelik bereik ons die bokant van die tonnel, waar die spelonk breër word en uitmond in die Velde van Asphodel. Die wind bedaar. 'n Woedende skreeu weerklink van diep binne die tonnel af. Iets is nie ingenome daarmee dat ons weggekom het nie.

"Wat was daai?" hyg Grover toe ons in die relatiewe veiligheid van 'n klompie swart populiere neersak. "Een van Hades se troeteldiere?"

Ek en Annabeth kyk vir mekaar. Ek kan agterkom sy het 'n idee, dalk dieselfde een wat sy tydens die taxirit na L.A. gekry het, maar sy is te bang om ons te vertel.

Ek sit die doppie op my swaard en bêre weer die pen in my sak. "Ons moet gaan." Ek kyk vir Grover. "Kan jy loop?"

Hy sluk. "Jip. Ek het in elk geval nie van daai skoene gehou nie."

Hy probeer dapper klink, maar hy bewe net so erg soos ek en Annabeth. Wat ook al in daardie put is, is niemand se troeteldier nie. Dit is ondenkbaar oud en magtig. Selfs Echidna het my nie so laat voel nie. Ek is amper verlig om my rug op die tonnel te draai en in die rigting van Hades se paleis te stap. Amper.

Bo in die skemerte sirkel die Furieë om die borswering. Die buitemure van die fort glinster swart, en die twee verdieping hoë bronshekke staan wawyd oop.

Van naderby kan ek sien daar is sterftonele op die hekke uitgekerf. Party beeld moderne tye uit — 'n atoombom wat bo 'n stad ontplof, 'n loopgraaf vol soldate met gasmaskers, 'n ry hongersnoodslagoffers in Afrika wat met leë kosbakke wag — maar dit lyk asof dit al duisende jare gelede in die brons uitgekerf is. Ek wonder of dit dalk nare profesieë is wat waar geword het.

In die binnehof is die vreemdste tuin wat ek nog ooit gesien het. Veelkleurige sampioene, giftige struike en vreemde, gloeiende plante groei sonder sonlig. Kosbare edelstene vergoed vir die gebrek aan blomme — hope robyne so groot soos my vuis, trosse ongeslypte diamante. Plek-plek staan Medusa se tuinbeelde soos bevrore partytjiegaste rond, versteende kinders, saters en sentours, almal met groteske glimlagte.

In die middel van die tuin is 'n boord granaatbome, die oranje bloeisels neonhelder in die donkerte. "Die tuin van Persefone," sê Annabeth. "Hou aan loop."

Ek verstaan hoekom sy wil aanhou beweeg. Die skerp reuk van die granate is amper oorweldigend. Ek het skielik lus om een te eet, maar dan onthou ek die storie van Persefone. Een hap van die Onderwêreld se kos, en ons sal nooit weer hier kan wegkom nie. Ek sleep Grover weg om te keer dat hy 'n groot, sappige granaat pluk.

Ons stap by die paleistrappe op, tussen swart pilare deur, onder 'n swart marmeringang deur, tot in die huis van Hades. Die ingangsportaal het 'n blinkgevryfde bronsvloer, wat lyk of dit kook met die lig van fakkels wat daarop weerkaats. Daar is geen plafon nie, net die dak van die spelonk, ver bo ons. Reën is seker nooit regtig 'n probleem hier onder nie.

Elke sydeur word deur 'n geraamte in militêre drag bewaak. Party dra Griekse wapenrusting, party Britse soldaatuniforms, party kamoefleerdrag met vertoiingde Amerikaanse vlaggies op die skouers. Hulle is gewapen met spiese of muskette of M-16's. Nie een van hulle val ons lastig nie, maar hulle leë oogkasse volg ons terwyl ons in die gang afstap, in die rigting van die groot stel deure aan die oorkant.

Twee geraamtes van die Amerikaanse Mariniers bewaak die deure. Hulle grinnik af na ons, vuurpylaangedrewe granaatwerpers oor hulle borskas gehou.

"Weet julle," brom Grover, "ek wed julle Hades sukkel nooit met lastige smouse wat aan sy deur kom klop nie."

My rugsak weeg teen dié tyd amper 'n ton. Ek verstaan nie waarom nie. Ek wil dit oopmaak en seker maak of ek nie dalk iewers 'n verlore kegelbal opgetel het nie, maar nou is seker nie die tyd daarvoor nie.

"Wel, ouens," sê ek. "Ons moet seker ... klop?"

'n Warm wind stoot in die gang af, en die deure swaai oop. Die wagte staan opsy.

"Dit beteken seker *kom in*," sê Annabeth.

Binne lyk die vertrek net soos in my droom, behalwe dat daar dié keer iemand op Hades se troon sit.

Hy's die derde god wat ek ontmoet, maar die eerste een wat regtig vir my soos 'n god lyk.

Om mee te begin, is hy ten minste drie meter lank, en hy dra 'n swart satynkleed en 'n kroon van gevlegte goud. Sy vel is melkwit, sy hare skouerlengte en gitswart. Hy is nie so gespierd soos Ares nie, maar hy straal mag uit.

Hy sit uitgestrek op sy troon van mensbeendere, en lyk lenig, grasieus en so gevaarlik soos 'n luiperd.

Dit voel dadelik vir my of hy die een behoort te wees wat die bevele gee. Hy weet meer as ek. Hy behoort my meester te wees. *Ruk jou* reg, sê ek vir myself.

Hades se aura het 'n invloed op my, nes Ares s'n het. Die Heer van die Dooies lyk soos foto's van Adolf Hitler wat ek gesien het, of Napoleon, of die terroristeleiers wat selfmoordbomaanvallers lei. Hades het dieselfde intense oë, dieselfde soort hipnotiserende, bose charisma.

"Jy is dapper om hierheen te kom, Seun van Poseidon," sê hy met 'n olierige stem. "Werklik baie dapper, ná wat jy aan my gedoen het. Of dalk is jy bloot dwaas."

'n Lamheid kruip in my ledemate op, laat my wens ek kan gaan lê en 'n rukkie lank by Hades se voete slaap. Of daar opkrul en vir ewig slaap.

Ek stry teen die gevoel en tree vorentoe. Ek weet wat ek moet sê. "Heer en Oom, ek kom met twee versoeke."

Hades lig 'n wenkbrou. Toe hy vorentoe sit op sy troon, verskyn skadugesigte in die voue van sy swart kleed, gemartelde gesigte, asof die kledingstuk aanmekaargestik is van siele wat in die Velde van Straf vasgekeer is. Die AGHS-deel van my wonder, heel van die punt af, of al sy klere op dié manier gemaak word. Watter nare dinge moet jy in jou lewe aanvang om in Hades se onderbroek vasgestik te word?

"Slegs twee versoeke?" sê Hades. "Arrogante kind. Asof jy nie reeds genoeg gevat het nie. Praat dan. Ek vind dit tog amusant om jou nie dadelik te laat sterf nie."

Ek sluk. Tot dusver verloop alles min of meer so goed soos ek gevrees het.

Ek loer na die leë, kleiner troon langs Hades s'n. Dit is gevorm soos 'n swart blom, met goud verguld. Ek wens koningin Persefone was hier. Ek onthou iewers in die mites word vertel hoe sy haar man se buie kan laat bedaar. Maar dit is somer. Natuurlik. Persefone sal bo in die wêreld van lig wees, by haar ma die landbougodin, Demeter. Haar besoeke, nie die helling waarteen die aarde kantel nie, laat die seisoene ontstaan.

Annabeth skraap haar keel en druk met haar vinger in my rug.

"Heer Hades," sê ek. "Asseblief, daar kan nie 'n oorlog tussen die gode wees nie. Dit sal ... sleg wees."

"Baie sleg," voeg Grover behulpsaam by.

"Gee asseblief Zeus se meesterstraal vir my terug," sê ek. "Asseblief, my heer. Laat ek dit terugvat na Olimpus toe."

Hades se oë word gevaarlik blink. "Hoe durf jy aanhou voorgee jy's onskuldig, ná wat jy gedoen het?"

Ek loer na my vriende. Hulle lyk net so verward soos ek.

"Uhm ... Oom," sê ek. "U sê die heeltyd 'ná wat ek gedoen het'. Wat presies het ek gedoen?"

Die troonkamer skud met 'n trilling wat so hard is dat hulle dit seker daar bo in Los Angeles kan voel. Stukke stof en rots stort uit die dak van die spelonk neer. Rye deure teen die mure bars oop, en geraamtekrygers kom ingemarsjeer, honderde van hulle, uit elke tydperk en nasie in die Westerse geskiedenis. Hulle tree in rye al langs die rand van die vertrek aan, versper die uitgange.

"Dink jy ek *soek* oorlog, godekind?" bulder Hades.

Dis op die punt van my tong om te sê: *Wel, julle ouens lyk nie eintlik soos vredesaktiviste nie.* Maar dis dalk 'n gevaarlike antwoord.

"U is die Heer van die Dooies," sê ek versigtig. "'n Oorlog sal u koninkryk uitbrei, nie waar nie?"

"'n Tipiese ding vir my broers om te sê! Dink jy ek het meer onderdane nodig? Het jy nie die uitgestrekte Velde van Asphodel gesien nie?"

"Wel …"

"Het jy enige benul hoeveel my koninkryk net die afgelope eeu uitgeswel het, hoeveel onderafdelings ek moes oopmaak?"

Ek maak my mond oop om te reageer, maar Hades bou nou behoorlik stoom op.

"Meer veiligheidswagte," kla hy. "Verkeersprobleme by die oordeeltent. Dubbele oortyd vir die werknemers. Ek was op 'n tyd 'n ryk god, Percy Jackson. Ek beheer al die edelmetale onder die aarde. Maar my uitgawes!"

"Charon vra 'n verhoging," blaker ek die eerste ding uit wat in my kop opduik. Die oomblik toe dit uit is, wens ek ek kon my mond toewerk.

"Moenie eens dat ek met Charon begin nie!" brul Hades. "Vandat hy Italiaanse pakke ontdek het, kan niemand dit met hom uithou nie. Probleme net waar jy kyk en ek moet alles persoonlik uitsorteer. Die pendeltyd van die paleis na die hekke is al genoeg om my waansinnig te maak! En die dooies hou net aan instroom. *Nee*, godekind. Ek het nie hulp nodig om nog onderdane te kry nie! *Ek* het nie vir hierdie oorlog gevra nie."

"Maar u het Zeus se meesterstraal gevat."

"Leuens!" Nog 'n gerammel. Hades verrys uit sy troon, en toring so hoog soos 'n sokkerdoelhok oor ons uit. "Jou pa flous dalk vir Zeus, maar ek is nie onnosel nie. Ek sien dwarsdeur sy plan."

"Sy plan?"

"*Jy* was die dief tydens die wintersonstilstand," sê hy. "Dis hoekom jou pa jou bestaan geheim gehou het. Hy het jou by die troonkamer op Olimpus ingelei. Jy het die meesterstraal *en* my helm gevat. As ek nie my Furie gestuur het om jou by die Yancy-akademie uit te snuffel nie, sou Poseidon sy poging om 'n oorlog te begin mooi netjies kon wegsteek. Maar nou is jy uit jou skuilplek gedwing. Ek sal seker maak almal weet jy is Poseidon se dief, en ek soek my helm terug!"

"Maar ..." sê Annabeth. Ek kan agterkom haar brein werk in hoogste rat. "Heer Hades, is u Helm van Duisternis dan *ook* weg?"

"Moenie onskuldig speel met my nie, meisie. Jy en die sater is hierdie held se helpers – julle het seker hierheen gekom om my in die naam van Poseidon te dreig – om my voor 'n ultimatum te stel. Dink Poseidon ek kan afgedreig word om hom te steun?"

"Nee!" sê ek. "Poseidon het nie – ek het nie –"

"Ek het niks oor die verdwyning van die helm gesê nie," grom Hades, "want ek het geen illusies gehad dat enige iemand op Olimpus my enige geregtigheid, enige hulp sou aanbied nie. Ek kan beswaarlik bekostig dat dit uitlek dat my wapen van vrees weg is. So, ek het jou self uitgesnuffel, en toe dit vir my duidelik geword het jy is op pad hierheen met jou dreigement, het ek jou nie probeer keer nie."

"U het ons nie probeer keer nie? Maar –"

"Gee nou my helm terug, anders staak ek die dood," dreig Hades. "Dis my teenvoorstel. Ek sal die aarde laat oopgaan en die dooies laat terugstroom in die wêreld. Ek sal julle beskawing 'n nagmerrie maak. En jy, Percy Jackson – jou geraamte sal my weermag uit Hades lei."

Die geraamtesoldate gee 'n tree vorentoe, hulle wapens gereed.

Op hierdie punt behoort ek seker vreesbevange te wees. Die vreemde ding is, ek voel beledig. Niks maak my so kwaad as wanneer ek beskuldig word van iets wat ek nie gedoen het nie. Dis iets waarvan ek baie ondervinding het.

"Jy's net so sleg soos Zeus," sê ek. "Dink jy ek het iets by jou gesteel? Is dit hoekom jy die Furieë agter my aangestuur het?"

"Natuurlik," sê Hades.

"En die ander monsters?"

Hades se lip krul boontoe. "Ek het niks met hulle te doen gehad nie. Ek wou jou nie vinnig dood hê nie — ek wou *jou* lewend voor my laat bring sodat jy elke denkbare marteling in die Velde van Straf kan verduur. Waarom dink jy het ek julle so maklik by my koninkryk laat inkom?"

"*Maklik?*"

"Gee my eiendom terug!"

"Maar ek het nie jou helm nie. Ek het gekom vir die meesterstraal."

"Wat reeds in jou besit is!" skree Hades. "Jy't met dit hier aangekom, jou klein dwaas, en gereken jy kan my dreig!"

"Maar ek het nie!"

"Nou maak oop jou rugsak."

'n Aaklige gevoel tref my. Die gewig in my rugsak, soos 'n kegelbal. Dit kan tog nie ...

Ek swaai my rugsak af en rits dit oop. Binne-in is 'n sestig sentimeter lange metaalbuis, met getande uitsteeksels aan weerskante. Dit gons met energie.

"Percy," sê Annabeth. "Hoe —"

"Ek — ek weet nie. Ek verstaan nie."

"Julle helde is almal dieselfde," sê Hades. "Julle trots maak julle dwaas. Om te dink jy kan so 'n wapen voor my bring. Ek het nie gevra vir Zeus se meesterstraal nie, maar aangesien dit hier is, sal jy dit aan my oorhandig. Ek is seker dit sal nuttig te pas kom tydens onderhandelinge. En nou … my helm. Waar is dit?"

Ek is sprakeloos. Ek het nie 'n helm nie. Ek het nie die vaagste benul hoe die meesterstraal in my rugsak beland het nie. Ek wil graag glo Hades probeer my om die bos lei. Hades is die slegte ou. Maar skielik is die wêreld op sy kop gekeer. Ek besef iemand het my mooi netjies beheer. Iemand anders het daarvoor gesorg dat Zeus, Poseidon en Hades mekaar aan die strot wil gryp. Die meesterstraal was in die rugsak, en ek het die rugsak gekry by …

"Heer Hades," sê ek. "Dis alles 'n misverstand."

"'n Misverstand?" brul Hades.

Die geraamtesoldate rig hulle wapens op ons. Van hoog bo ons kom daar 'n geflap van leeragtige vlerke, en die drie Furieë swiep af en kom sit op die rugkant van hulle meester se troon. Die een met juffrou Dodds se gesig grinnik gretig vir my en klap haar sweep.

"Daar is geen misverstand nie," sê Hades. "Ek weet waarom jy hier is – ek ken die *ware* rede hoekom jy die weerligstraal gebring het. Jy het kom onderhandel vir *haar*."

Hades laat 'n bal goue lig uit sy palm los. Dit ontplof op die trappe voor my, en daar is my ma, gevries in 'n wolk van goud, nes sy was die oomblik toe die Minotourus haar begin dooddruk het.

Ek kan nie praat nie. Ek steek my hand uit om aan haar te raak, maar die lig is so warm soos vuur.

"Ja," sê Hades tevrede. "Ek het haar gevat. Ek het geweet,

Percy Jackson, dat jy op die ou end hierheen sou kom om met my te onderhandel. Gee terug my helm, en dalk laat ek haar gaan. Sy's nie dood nie, weet jy? Nog nie. Maar as jy nie doen wat ek sê nie, sal dit verander."

Ek dink aan die pêrels in my sak. Dalk kan dit my hier uitkry. As ek net my ma kan bevry ...

"A, die pêrels," sê Hades, en my bloed vries. "Ja, my broer en sy ou speletjies. Bring dit te voorskyn, Percy Jackson."

My hand beweeg teësinnig na my sak en bring die pêrels te voorskyn.

"Net drie," sê Hades. "Wat 'n jammerte. Jy besef seker elkeen beskerm net een persoon? Probeer dan jou ma saamneem, godekind. En watter van jou vriende gaan jy besluit om hier te los om 'n ewigheid saam met my deur te bring? Toe nou. Kies. Of gee vir my die rugsak en aanvaar my voorwaardes."

Ek kyk na Annabeth en Grover. Hulle gesigte is strak.

"Ons is om die bos gelei," sê ek vir hulle. "Iemand het ons misbruik."

"Ja, maar hoekom?" vra Annabeth. "En die stem in die put –"

"Ek weet nog nie," sê ek. "Maar ek is van plan om uit te vind."

"Besluit, seun!" skree Hades.

"Percy." Grover sit sy hand op my skouer. "Jy kan nie die weerligstraal vir hom gee nie."

"Ek weet."

"Los my hier," sê hy. "Gebruik die derde pêrel vir jou ma."

"Nee!"

"Ek is 'n sater," sê Grover. "Ons het nie siele soos mense nie. Hy kan my martel tot ek doodgaan, maar hy sal my nie vir ewig kry nie. Ek sal net as 'n blom of iets gereïnkarneer word. Dis die beste manier."

"Nee." Annabeth pluk haar bronsmes uit. "Gaan julle twee. Grover, jy moet vir Percy beskerm. Jy moet jou soekers-lisensie kry en met jou soektog na Pan begin. Kry sy ma hier uit. Maak dat julle wegkom, ek sal hulle probeer terughou."

"Daar's nie 'n manier nie," sê Grover. "Ek bly agter."

"Vergeet dit, bokseun," sê Annabeth.

"Hou op, altwee van julle!" Dit voel of my hart in twee geskeur word. Albei van hulle het soveel saam met my deurgemaak. Ek onthou hoe Grover in die beeldetuin op Medusa afgeduik het, en hoe Annabeth ons van Kerberos gered het; ons het Hefaistos se Waterland-rit oorleef, die Arch in St. Louis, die Lotus-casino. Die heeltyd was ek bekommerd dat ek deur 'n vriend verraai sou word, maar hierdie vriende sal dit nooit aan my doen nie. Hulle het die heeltyd my bas gered, oor en oor, en nou is hulle bereid om hulle lewe vir my ma op te offer.

"Ek weet wat ek moet doen," sê ek. "Vat dit."

Ek gee vir hulle elkeen 'n pêrel.

Annabeth sê: "Maar Percy ..."

Ek draai na my ma. Ek wil so graag myself offer en die laaste pêrel op haar gebruik, maar ek weet wat sy sou sê. Sy sou dit nooit toelaat nie. Ek moet die weerligstraal terug by Olimpus kry en vir Zeus die waarheid vertel. Ek moet die oorlog keer. Sy sou my nooit vergewe het as ek haar eerder gered het nie. Ek dink aan die profesie wat by Halfbloedheuwel gemaak is, wat voel soos 'n miljoen jaar gelede. *En jy sal vergeefs dit probeer red wat die meeste saak maak.*

"Jammer," sê ek vir haar. "Ek sal terugkom. Ek sal 'n manier kry."

Die selfvoldane uitdrukking op Hades se gesig vervaag. "Godekind …" sê hy.

"Ek sal jou helm kry, Oom," sê ek vir hom. "Ek sal dit terugbring. Onthou van Charon se salarisverhoging."

"Moenie my tart nie —"

"En speel tog so nou en dan 'n bietjie met Kerberos. Hy hou van rooi rubberballe."

"Percy Jackson, jy gaan nie —"

"Nou, ouens!" roep ek uit.

Ons smyt die pêrels by ons voete stukkend. 'n Vrees-aanjaende oomblik lank gebeur niks.

"Vernietig hulle!" bulder Hades.

Die weermag van geraamtes storm vorentoe, swaarde uitgestrek, gewere op outomaties gestel. Die Furieë val aan, met swepe wat in vlamme uitbars.

Net toe die geraamtes begin vuur, ontplof die pêrel by my voete in 'n wolk groen lig en 'n stroom vars seelug. Ek word omhul deur 'n melkwit sfeer wat boontoe begin sweef.

Annabeth en Grover is reg agter my. Spiese en koeëls spat onskadelik van die pêrelborrels af weg terwyl ons boontoe sweef. Hades skreeu met soveel woede dat sy hele vesting skud, en ek weet dit gaan nie 'n rustige nag in Los Angeles wees nie.

"Kyk op!" skree Grover. "Ons gaan teen die dak bots!"

Hy's reg, ons stuur reg op die stalaktiete af, wat heel moontlik ons borrels gaan bars en ons gaan deurboor.

"Hoe beheer 'n mens dié ding?" roep Annabeth.

"Ek dink nie dis nodig nie!" roep ek terug.

Ons gil toe die borrels die dak tref en …

Duisternis.

Is ons dood?

Nee, dit voel steeds of ons voortbeweeg. Ons styg op, dwarsdeur soliede rots, so maklik soos 'n lugborrel in water. Dis die krag van die pêrels, besef ek: *Wat aan die see behoort, sal altyd na die see terugkeer.*

Oomblikke lank kan ek niks buite die gladde wande van my sfeer sien nie, dan breek my pêrel deur die seebodem. Die twee ander melkwit sfere, met Annabeth en Grover binne-in, bly naby my terwyl ons deur die water opskiet. En *ka-bam!*

Ons bars by die oppervlak uit, in die middel van Santa Monica-baai, en stamp 'n verontwaardigde branderplankryer van sy plank af.

Ek kry vir Grover beet en swem met hom tot by 'n lewensboei. Ek kry vir Annabeth beet en trek haar ook nader. 'n Nuuskierige haai sirkel al om ons, 'n drie meter lange witdoodshaai.

"Skoert," sê ek.

Die haai swaai om en gee vinnig pad.

Die branderplankryer skree iets oor nare sampioene en kies plas-plas die hasepad, so vinnig as hy kan.

Op 'n manier weet ek die datum en tyd: vroegoggend, 21 Junie, die dag van die somersonstilstand.

In die verte is Los Angeles in vlamme, met pluime rook wat uit woonbuurte regoor die stad opstyg. Daar was inderdaad 'n aardbewing, en dis Hades se skuld. Hy stuur seker op hierdie oomblik 'n weermag van dooies agter my aan.

Maar op die oomblik is die Onderwêreld nie my grootste probleem nie.

Ek moet op droë grond kom. Ek moet Zeus se weerligstraal terugvat na Olimpus. En ek moet veral 'n ernstige gesprek hê met die god wat my om die bos gelei het.

TWINTIG

EK VEG TEEN 'N SIMPEL FAMILIELID

'n Reddingsboot van die Kuswag pik ons op. Gelukkig het hulle hulle hande so vol dat hulle beswaarlik tyd het om te wonder hoe drie kinders met klere en al in die middel van die baai beland het. Daar is 'n natuurramp wat opgeruim moet word. Noodoproepe gons die heeltyd oor hulle radio's.

Hulle laai ons by die Santa Monica-pier af met handdoeke om ons skouers en jaag weg om nog mense te gaan red.

Ons klere is sopnat, selfs myne. Toe die Kuswagboot verskyn het, het ek stilletjies gebid hulle tel my nie uit die water en ontdek ek is kurkdroog nie, want dit sou beslis 'n paar wenkbroue laat lig het. So, ek het die water aangesê om my nat te laat word. En sowaar, my gewone waterbestande towerkrag het verdwyn. Ek is ook kaalvoet, want ek het my skoene vir Grover gegee. Laat die Kuswag maar wonder waarom een van ons kaalvoet is, het ek besluit, eerder as dat hulle wonder waarom een van ons hoewe het.

Met ons voete veilig op droë grond, strompel ons oor die strand, en kyk hoe die stad teen die agtergrond van 'n pragtige sonsopkoms brand. Dit voel asof ek pas uit die dood teruggekeer het – en dis natuurlik presies wat gebeur het. My rugsak is swaar met Zeus se meesterstraal daarin. My hart voel nog swaarder omdat ek my ma gesien het.

"Ek glo dit nie," sê Annabeth. "Ons het al die pad –"

"Ons is om die bos gelei," sê ek. "Iemand het 'n strategie uitgedink wat selfs Athena trots sou maak."

"Hei," waarsku sy.

"Jy verstaan wat aan die gang is, nè?"

Sy laat sak haar oë, en haar woede verdamp "Jip."

"Wel, ek verstaan niks!" kla Grover. "So, kan iemand –"

"Percy …" sê Annabeth. "Ek's jammer oor jou ma. Ek is so jammer …"

Ek maak of ek haar nie hoor nie. As ek oor my ma praat, gaan ek soos 'n klein seuntjie begin huil.

"Die profesie was reg," sê ek. *"Jy sal wes gaan, en die god wat gedraai het, trotseer.* Maar dit was nie Hades nie. Hades wou nie oorlog tussen die Groot Drie hê nie. Iemand anders het die diefstal gepleeg. Iemand het Zeus se meesterstraal gesteel, en Hades se helm, en my na die skuldige laat lyk omdat ek Poseidon se seun is. Poseidon sal van albei kante verkwalik word. Teen sononder vanaand sal daar 'n driedubbele oorlog uitbreek. En ek sal die oorsaak daarvan wees."

Grover skud sy kop, dronkgeslaan. "Maar wie is so geslepe? Wie wil so graag 'n oorlog laat uitbreek?"

Ek steek in my spore vas en my oë dwaal oor die strand. "Sjoe, laat ek dink."

Daar staan hy. Hy wag ons in, met sy swart leerjas en donkerbril, 'n aluminiumbofbalkolf oor sy skouer. Sy motorfiets rammel, en die koplig kleur die sand rooi.

"Jis-jis, boetman," sê Ares, en hy lyk opreg bly om my te sien. "Jy's veronderstel om dood te wees."

"Jy't my gekul," sê ek. *"Jy* het die helm en die meesterstraal gesteel."

Ares grinnik. "Hei, ek het dit darem nie persoonlik gesteel nie. Gode wat mekaar se magsimbole vat – dis taboe. Maar jy's nie enigste held in die wêreld wat take kan verrig nie."

"Wie het jy gebruik? Clarisse? Sy was daar met die wintersonstilstand."

Dit lyk of die idee hom amuseer. "Dit maak nie saak nie. Die punt is, boetman, jy staan in die pad van my oorlogsplanne. Sien, jy moet in die Onderwêreld sterf. Dan sal ou Seewier woedend wees vir Hades omdat hy jou doodgemaak het. Kadawerasem sal Zeus se meesterstraal in die hande kry, so Zeus gaan woedend wees vir hom. En Hades is steeds op soek hierna ..."

Uit sy sak haal hy 'n ski-mus, die soort wat bankrowers dra, en sit dit op die stuurstang van sy motorfiets neer. Dadelik verander die mus in 'n oorlogshelm van brons.

Grover snak na sy asem. "Die Helm van Duisternis."

"Presies," sê Ares. "Waar was ek? O ja, Hades gaan woedend wees vir Zeus en Poseidon, want hy gaan nie weet wie sy helm gevat het nie. Kort voor lank gaan ons 'n lekker ou drierigting-bloedbad hê."

"Maar dis jou familie!" protesteer Annabeth.

Ares trek sy skouers op. "Beste soort oorlog. Altyd die bloedigste. Ek sê mos altyd, daar's niks lekkerder as om te kyk hoe jou familie baklei nie."

"Jy het mos die rugsak vir my in Denver gegee," sê ek. "Die meesterstraal was heeltyd daarin."

"Ja en nee," sê Ares. "Dis waarskynlik te moeilik vir jou klein sterflingbreintjie om te verstaan, maar die rugsak is die meesterstraal se skede, net so effe aangepas. Die straal is daaraan verbind, amper soos daai swaard van jou, boetman. Die swaard keer altyd terug na jou sak, nè?"

Ek is nie seker hoe Ares dit weet nie, maar 'n oorlogsgod is seker veronderstel om heelwat van wapens te weet.

"In elk geval," gaan Ares voort, "ek het 'n bietjie met die towerkrag gepeuter, sodat die straal eers na sy skede sou terugkeer as jy in die Onderwêreld kom. Toe jy naby Hades kom … Pieng, daar's iets in jou posbus! As jy doodgegaan het op pad soontoe – reg so. Ek het steeds die wapen gehad."

"Maar hoekom nie die meesterstraal vir jouself hou nie?" vra ek. "Hoekom dit vir Hades stuur?"

Daar is 'n plukkie in Ares se kakebeen. 'n Oomblik lank lyk dit amper asof hy na 'n ander stem luister, iewers diep in sy kop. "Hoekom het ek nie … ja … met daai soort vuurkrag …"

Sy beswyming duur 'n sekonde … twee sekondes …

Ek en Annabeth kyk senuweeagtig vir mekaar.

Ares se gesig keer terug na normaal. "Te veel moeilikheid. Beter om te sorg dat jy op heterdaad betrap word met die ding in jou besit."

"Jy lieg," sê ek. "Dit was nie jou idee om die straal na die Onderwêreld te stuur nie, was dit?"

"Natuurlik was dit!" Rook krul uit sy sonbril op, asof dit op die punt is om aan die brand te slaan.

"Jy het nie opdrag gegee vir die diefstal nie," raai ek. "Iemand anders het 'n held gestuur om die twee items te steel. En toe Zeus jou stuur om die dief op te spoor, het jy hom gevang. Maar jy het hom nie aan Zeus oorhandig nie. Iets het jou omgepraat om hom te laat gaan. Jy het die items gehou totdat 'n ander held dit kon gaan aflewer. Daai ding in die put is besig om jou rond te beveel."

"Ek is die god van oorlog! Ek luister na niemand se bevele nie! Ek droom nooit!"

Ek aarsel. "Wie het iets gesê van droom?"

Ares lyk omgekrap, maar hy probeer dit met 'n grynslag wegsteek.

"Kom ons keer liewer terug na die probleem waarmee ons nou sit, boetman. Jy lewe. Ek kan nie toelaat dat jy die weerligstraal na Olimpus vat nie. Netnou kry jy daai hardkoppige idiote omgepraat om na jou te luister. So, ek moet jou ongelukkig doodmaak. Niks persoonliks nie, hoor."

Hy klap sy vingers. Die sand by sy voete ontplof en 'n wildevark kom uitgestorm, selfs groter en leliker as die een waarvan die kop bo die deur van hut sewe by Kamp Halfbloed hang. Die gedierte krap-krap met sy pote in die sand, en gluur my met kraalogies aan terwyl hy sy vlymskerp slagtande laat sak en wag vir die bevel om dood te maak.

Ek tree die water binne. "Baklei self teen my, Ares."

Hy lag, maar ek hoor iets in sy lag wat vreemd klink ... 'n huiwering. "Jy't net een talent, boetman, en dis om weg te hol. Jy't weggehol van die chimera. Jy't weggehol uit die Onderwêreld. Dit sit nie in jou broek nie."

"Bang?"

"In jou tienerdrome." Maar sy sonbril begin smelt van die hitte van sy oë. "Geen direkte betrokkenheid nie. Jammer, boetman. Jy's nie op my vlak nie."

"Percy, hardloop!" skree Annabeth.

Die reusagtige vark storm.

Maar ek is moeg weggehardloop vir monsters. Of vir Hades of Ares of enige iemand anders.

Terwyl die vark op my afstorm, pluk ek die doppie van my pen af en tree opsy. Trekstroom verskyn in my hande. Ek swaai boontoe met my swaard. Die vark se afgekapte regterslagtand val by my voete neer, terwyl die verwarde dier die branders binnestorm.

"Brander!" roep ek.

Dadelik styg 'n brander uit die niet op en verswelg die vark, soos 'n kombers wat om hom rol. Die gedierte gee net een verskrikte skreeu. Dan is dit weg, ingesluk deur die see.

Ek draai terug na Ares. "Gaan jy nou teen my veg?" vra ek. "Of gaan jy agter nog 'n troetelvark wegkruip?"

Ares se gesig is pers van woede. "Oppas vir jou, boetman. Ek verander jou nou in –"

"'n Kokkerot," sê ek. "Of 'n lintwurm. Ja, ek is seker. Dis al manier hoe jy gaan seker maak ek skop nie jou goddelike agterent nie, nè?"

Vlamme dans oor die bokant van sy bril. "Jislaaik, nou smeek jy wragtig om in 'n vetkol verander te word."

"As ek verloor, kan jy my in enige iets verander. En jy kan die straal vat. As ek wen, is die helm en die straal myne en jy moet padgee."

Ares snork.

Hy swaai die bofbalkolf van sy skouer af. "Hoe verkies jy om opgefoeter te word: klassiek of modern?"

Ek wys my swaard vir hom.

"Nou maar gaaf, dooie seun," sê hy. "Dan is dit klassiek."

Die bofbalkolf verander in 'n yslike swaard. Die hef is 'n groot silwer skedel met 'n robyn in die mond.

"Percy," sê Annabeth. "Moenie. Hy's 'n god."

"Hy's 'n lafaard," sê ek vir haar.

Sy sluk. "Dra dan ten minste dié. Vir geluk."

Sy haal haar halssnoer af, met vyf jaar se kampkrale en haar pa se ring daaraan geryg, en bind dit om my nek vas.

"Versoening," sê sy. "Athena en Poseidon saam."

My gesig word 'n bietjie warm, maar ek kry dit reg om te glimlag. "Dankie."

"En vat dié," sê Grover. Hy gee vir my 'n platgedrukte koeldrankblikkie wat hy seker al 'n ewigheid in sy sak saam-dra vir wanneer die honger hom oorval. "Die saters staan bankvas agter jou."

"Grover … ek weet nie wat om te sê nie."

Hy tik my op die skouer. Ek steek die blikkie in my agtersak.

"Is julle nou klaar koebaai gesê?" Ares kom na my toe aangestap met sy swart leerjas wat agter hom aangeswiep kom, sy swaard glimmend soos vuur in die lig van die opkomende son. "Ek veg al vir ewig, boetman. My krag is eindeloos en ek kan nie sterf nie. Wat het jy?"

'n Kleiner ego, dink ek, maar ek sê niks. Ek hou my voete in die see, en maak seker ek is enkeldiep in die water. Ek dink aan wat Annabeth by daai eetplek in Denver gesê het, 'n ewigheid gelede: *Ares het krag. Dis al wat hy het. Selfs krag moet partykeer die knie buig voor wysheid.*

Hy kap 'n afwaartse hou na my kop, maar ek is nie daar nie.

My lyf dink namens my. Dit voel of die water my in die lug optel en ek skiet bo-oor hom, swaai die swaard terwyl ek afkom. Maar Ares is net so vinnig. Hy draai sywaarts, en die hou wat hom reg in die ruggraat moes tref, word met die hef van sy swaard afgeweer.

Hy grinnik. "Nie sleg nie, nie sleg nie."

Hy swaai weer en ek moet noodgedwonge tot op droë grond spring. Ek probeer opsy beweeg, terug in die water, maar dit lyk of Ares weet wat ek wil doen. Hy begin die oorhand kry, en ek moet al my konsentrasie daarop fokus om nie in repe gesny te word nie. Ek word al hoe verder van die water gedwing. Ek kry nie 'n enkele opening om aan te val nie. Sy swaard kan 'n meter verder as Anaklusmos bykom.

Gaan nader, het Luke eenkeer vir my in die swaardvegklas gesê. *As jou lem korter is, gaan nader.*

Ek tree met 'n steekhou nader, maar Ares wag daarvoor.

Hy slaan my swaard uit my hande en skop my voor die bors. Ek trek deur die lug – vyftien, twintig meter ver. Gelukkig tref ek die sagte sand van 'n duin, anders het ek my nek gebreek.

"Percy!" skree Annabeth. "Polisie!"

Ek sien dubbel. Dit voel of my bors pas deur 'n stormram getref is, maar ek kry dit reg om orent te kom.

Ek moet my oë op Ares hou, anders sny hy my middeldeur, maar uit die hoek van my oog sien ek rooi ligte op die wandelpad langs die strand flits. Motordeure klap toe.

"Daar, konstabel!" roep iemand. "Kyk!"

"Dit lyk soos die outjie op TV," sê 'n polisieman met 'n growwe stem. "Maar wat de ..."

"Daai ou is gewapen," sê 'n ander polisiebeampte. "Ontbied bystand."

Ek rol eenkant toe terwyl Ares se swaardlem deur die sand klief.

Ek hardloop vir my swaard, raap dit op, en mik 'n swaaihou na Ares se gesig, maar my lem word weer afgeweer.

Dit lyk of Ares weet presies wat ek gaan doen, die oomblik voor ek dit doen.

Ek tree terug tot in die see, dwing hom om my te volg.

"Gee op, boetman," sê Ares. "Jy het nie 'n kans nie. Ek speel maar net met jou."

My sintuie werk oortyd. Ek verstaan nou wat Annabeth bedoel het toe sy gesê het AGHS hou jou aan die lewe in 'n geveg. Ek is wawyd wakker, ek sien elke detail raak.

Ek kan sien waar Ares se spiere verstyf. Ek kan sien watter soort hou hy beplan. Terselfdertyd is ek bewus van Annabeth en Grover, tien meter links van my. Ek sien 'n tweede polisievoertuig stilhou, sirene loeiend. Toeskouers, mense wat in die strate rondgestap het om die verwoesting ná die aardbewing te aanskou, begin saamdrom. Tussen die skare is 'n paar wat met die vreemde stappie loop van 'n sater in vermomming. Daar is glimmerende vorms van geeste ook, asof die dooies vanuit Hades verrys het om na die geveg te kyk. Ek hoor die geflap van leeragtige vlerke iewers daar bo.

Nog sirenes.

Ek stap dieper die water in, maar Ares.is vinnig. Die punt van sy swaard skeur deur my mou en laat 'n skraap oor my voorarm.

'n Polisiestem oor 'n megafoon sê: "Laat val die gewere! Sit dit neer. Nou!"

Gewere?

Ek kyk na Ares se wapen, en dit lyk of dit flikker; partykeer lyk dit soos 'n geweer, partykeer soos 'n swaard. Ek weet nie wat die mense in my hande sien nie, maar ek is seker hulle gaan nie daarvan hou nie.

Ares draai om en gluur na ons toeskouers, wat my 'n oomblik gee om asem te skep. Daar is nou vyf polisiemotors, en 'n ry polisiebeamptes wat daaragter hurk, pistole op ons gerig.

"Dis 'n private aangeleentheid dié!" bulder Ares oorverdowend. "Gee pad!"

Hy swaai sy hand, en 'n muur rooi vlamme rol oor die polisiemotors. Die polisiebeamptes het skaars tyd om uit die pad te duik voor hulle voertuie ontplof. Die skare agter hulle begin gil.

Ares brul van die lag. "Nou toe, klein held. Kom ons maak jou deel van die braaipartytjie."

Hy swaai. Ek weer sy hou af. Ek kom naby genoeg om 'n hou te waag, ek probeer hom met 'n vals hou flous, maar hy kap my swaard eenkant toe. Die branders slaan nou teen my rug. Ares is tot by sy bobene in die water, agter my aan.

Ek voel die ritme van die see, die branders wat groter word soos die gety inkom, en skielik het ek 'n plan. *Kleiner branders*, dink ek. En dit lyk of die water agter my terugtrek. Ek dwing die gety met my wilskrag terug, maar spanning begin in die water opbou, soos gasborrels onder 'n kurkprop.

Ares kom op my afgestap, met 'n selfvoldane grinnik. Ek laat sak my lem, asof ek te poegaai is om voort te veg. *Wag*, sê ek vir die see. Die druk lig my nou byna van my voete af. Ares lig sy swaard. Ek laat die gety los en spring in die lug op, sodat 'n brander my los bo-oor Ares se kop skiet.

'n Twee meter hoë muur water tref hom vol in die gesig, wat hom vloekend en proesend met 'n mond vol seewier laat. Ek land met 'n gespat agter hom en mik na sy kop, nes die vorige keer. Hy swaai betyds om en lig sy swaard, maar dié keer is hy gedisoriënteerd, en hy verwag nie die flousbeweging nie. Ek verander van rigting, duik kant toe en steek Trekstroom reguit in die water af, sodat die swaardpunt die god se hak deurboor.

Die brul wat volg, laat Hades se aardbewing na kinder-speletjies lyk. Die see self word van Ares af weggeblaas, en laat 'n nat sirkel agter, amper vyftien meter in deursnee.

Godebloed vloei uit 'n sny in die oorlogsgod se stewel. Die uitdrukking op sy gesig is ver anderkant haat. Dit is pyn, skok, algehele ongeloof dat hy gewond is.

Hy kom hinkepinkend op my afgestorm, terwyl hy Griekse vloeke prewel.

Iets stuit hom.

Dit is asof 'n wolk voor die son inskuif, maar erger. Lig verdof. Klank en kleur sypel weg. 'n Koue, swaar teenwoordigheid beweeg oor die strand, laat tyd stadiger beweeg, laat die temperatuur tot vriespunt daal en laat my voel die lewe is hopeloos, om te veg is hopeloos.

Die duisternis lig.

Ares lyk stomgeslaan.

Agter ons is polisiemotors in vlamme. Die skare toeskouers het op die vlug geslaan. Annabeth en Grover staan geskok op die strand en kyk hoe die water rondom Ares se voete terugvloei, hoe sy gloeiende goue godebloed in die stroom verdwyn.

Ares laat sak sy swaard.

"Jy het 'n vyand gemaak, godekind," sê hy vir my. "Jy het jou lot verseël. Elke keer as jy jou swaard in 'n geveg lig, elke keer as jy hoop op sukses, sal jy my vloek aanvoel. Pasop, Perseus Jackson. Pasop."

Sy lyf begin gloei.

"Percy!" skree Annabeth. "Moenie kyk nie!"

Ek draai weg terwyl die god Ares sy ware, onsterflike vorm onthul. Op 'n manier weet ek ek sal in as verander as ek kyk.

Die lig sterf weg.

Ek draai my kop terug. Ares is weg. Die gety rol terug en daar lê Hades se Helm van Duisternis. Ek tel dit op en stap na my vriende toe.

Maar voor ek by hulle kom, hoor ek die geflap van leeragtige vlerke. Drie boosaardige oumatjies met kanthoedjies en vlammende swepe sweef ondertoe en stryk voor my neer.

Die middelste een, die een wat juffrou Dodds was, tree vorentoe. Haar slagtande is ontbloot, maar vir 'n verandering lyk sy nie dreigend nie. Sy lyk eerder teleurgesteld, asof sy van plan was om my vir middagete te verslind, maar besluit het ek gaan haar sooibrand gee.

"Ons het die hele ding gesien," sis sy. "So ... dit was werklik nie jy nie?"

Ek slinger die helm na haar toe, en sy vang dit verbaas.

"Gee dit vir Heer Hades terug," sê ek. "Vertel hom die waarheid. Sê hy moet die oorlog afstel."

Sy huiwer, dan flits 'n vurktong oor haar groen, leeragtige lippe. "Lewe goed, Percy Jackson. Word 'n ware held. Want as jy dit nie doen nie, as jy ooit weer in my kloue beland ..."

Sy kekkel, asof sy hou van die idee. Dan styg sy en haar susters met hulle vlermuisvlerke op, flap in die rookgevulde lug weg en verdwyn.

Toe ek by Grover en Annabeth kom, staar hulle verstom na my.

"Percy ..." sê Grover. "Dit was so ongelooflik ..."

"Skrikwekkend," sê Annabeth.

"Cool!" help Grover haar reg.

Ek voel nie verskrik nie. Ek voel nie cool nie. Ek is moeg en seer en dit voel of my energie geheel en al leeggetap is.

"Het julle ouens daai ... iets gevoel?" vra ek.

Albei van hulle knik ongemaklik.

"Dit was seker die Furieë bo ons koppe," sê Grover.

Maar ek is nie so seker nie. Iets het Ares gekeer om my dood te maak, en wat ook al dit reggekry het, is baie sterker as die Furieë.

Ek kyk na Annabeth, en ek weet ons albei verstaan wat aangaan. Ek weet nou wat in die put was, wat uit die ingang na Tartaros gepraat het.

Ek vat my rugsak by Grover en kyk wat binne-in is. Die meesterstraal is nog daar. Dat so 'n klein dingetjie amper die Derde Wêreldoorlog veroorsaak het.

"Ons moet terug in New York kom," sê ek. "Voor vanaand nog."

"Dis onmoontlik," sê Annabeth. "Tensy ons —"

"Vlieg," stem ek saam.

Sy staar na my. "Vlieg, soos in 'n vliegtuig, soos jy gewaarsku is om nie te doen nie omdat Zeus jou uit die lug kan slaan, en omdat jy 'n wapen saamdra wat meer verwoesting as 'n atoombom kan saai?"

"Jip," sê ek. "Dit klink min of meer reg. Kom."

EEN-EN-TWINTIG

⟨glyph⟩

EK VEREFFEN MY SKULD

Dis snaaks hoe mense dinge kan verdraai sodat dit by hulle weergawe van die werklikheid inpas. Chiron het dit vir my gesê. Soos gewoonlik het ek eers heelwat later sy wysheid waardeer.

Volgens die media in Los Angeles is die ontploffing by die Santa Monica-strand veroorsaak deur 'n mal ontvoerder wat met 'n geweer op 'n polisiemotor losgebrand het. Hy het 'n gaspyp getref wat tydens die aardbewing beskadig is.

Arme Percy Jackson was toe al die tyd nooit 'n internasionale misdadiger nie. Hy het 'n opskudding veroorsaak op daai Greyhound-bus in New Jersey omdat hy van sy ontvoerder probeer wegkom het (en agterna kon mense sweer hulle het die man met die leerjas op die bus gesien — "Hoekom onthou ek dit nou eers?"). Die mal man het die ontploffing in die Gateway Arch in St. Louis veroorsaak. Watter kind sou nou buitendien so iets kon aanvang? 'n Besorgde kelnerin in Denver het gesien hoe die man sy gevangenes buite haar eetplek dreig, en sy het 'n vriend gaan roep om 'n foto te neem en die polisie gebel. Op die ou end het die dapper Percy Jackson (ek begin nogal van die outjie hou) 'n geweer van sy ontvoerder in Los Angeles gesteel en 'n skietery het op die strand losgebreek. Die polisie het net betyds gearriveer. Maar vyf polisiemotors is in die skouspelagtige ontploffing verwoes en die ontvoerder het gevlug. Niemand is noodlottig beseer nie. Percy Jackson en sy twee vriende is veilig onder polisiebewaking.

Die verslaggewers sê vir ons die hele storie voor. Ons hoef net te knik en te maak of ons tranerig en moeg is (wat glad nie moeilik is nie), en arme kinderslagoffers voor die kameras te speel.

"Al wat ek wil hê," sê ek terwyl ek teen die trane veg, "is om weer my liewe stiefpa te sien. Elke keer as ek hom op TV gesien het, waar hy vir almal vertel het ek is 'n mislike klein jeugmisdadiger, het ek geweet ... op 'n manier net geweet ons twee gaan oukei wees. En ek weet hy gaan nou elke liewe mens in hierdie pragtige stad Los Angeles wil beloon met 'n gratis wasmasjien, stoof of yskas uit sy winkel. Hier's die foonnommer." Die polisie en die verslaggewers is so aangedaan dat hulle 'n hoed omstuur en geld insamel vir drie kaartjies op die volgende vlug na New York.

Ek weet daar's geen ander keuse as om te vlieg nie. Ek hoop Zeus laat my met rus, gegewe die omstandighede. Maar dis nogtans moeilik om myself te dwing om op die vliegtuig te klim.

Die opstyg is 'n nagmerrie. Die geringste bietjie turbulensie is erger as 'n Griekse monster. Ek klou krampagtig aan die armrelings vas tot ons uiteindelik veilig by La Guardia land. Die plaaslike media wag ons in, maar ons kry dit reg om weg te glip, danksy Annabeth wat hulle weglok. Sy sit haar Yankees-pet op en roep: "Hulle is daar oorkant by die roomysstalletjie! Kom gou!" Sy sluit weer by ons aan terwyl ons vir ons bagasie wag.

By die taxihalte groet ek hulle. Ek sê vir Annabeth en Grover hulle moet teruggaan na Halfbloedheuwel en vir Chiron vertel wat gebeur het. Hulle protesteer, en dis moeilik om hulle te laat gaan ná alles wat ons deurgemaak het, maar ek weet ek moet die laaste deel van hierdie heldetaak op my

eie doen. As dinge skeefloop, as die gode my nie glo nie ...
Ek wil hê Grover en Annabeth moet oorleef om vir Chiron
die waarheid te vertel.

Ek spring in 'n taxi en vat die pad na Manhattan.

Dertig minute later stap ek by die voorportaal van die Empire
State-gebou in.

Ek lyk seker soos 'n hawelose kind, met my verflenterde
klere en my gesig vol skrape. Ek het ten minste vier-en-
twintig uur laas geslaap.

Ek stap na die wag by die toonbank en sê: "Seshonderdste
vloer."

Hy lees 'n yslike boek met 'n prent van 'n towenaar voorop.
Fantasie is nie regtig my ding nie, maar die boek is seker
goed, want dit vat 'n rukkie voor die wag opkyk. "Daar's nie
so 'n vloer nie, ou seun."

"Ek moet met Zeus praat."

Hy glimlag uitdrukkingloos. "Jammer?"

"Jy't my gehoor."

Ek is op die punt om te besluit dié ou is 'n doodgewone
sterfling en ek beter padgee voor hy die ouens in die wit jasse
laat kom, maar dan sê hy: "Nie sonder 'n afspraak nie, ou
seun. Heer Zeus staan niemand te woord tensy dit vooraf
gereël is nie."

"O, ek dink hy sal 'n uitsondering maak." Ek glip my
rugsak af en rits die bokant oop.

Die wag kyk na die metaalbuis binne-in, en 'n oomblik
lank besef hy duidelik nie wat dit is nie. Dan word sy gesig
bleek. "Daai is tog nie ..."

"Ja, dit is," verseker ek hom. "Wil jy hê ek moet dit uit-
haal en —"

"Nee! Nee!" Hy skarrel uit sy stoel, grawe op sy lessenaar rond vir 'n toegangskaart, en oorhandig dit aan my. "Druk dit in die veiligheidsgleuf. Maak seker daar's niemand anders saam met jou in die hysbak nie."

Ek maak soos hy sê. Toe die hysbakdeure toegaan, druk ek die kaart in die gleuf. Dit verdwyn en 'n nuwe knoppie verskyn op die beheerpaneel, 'n rooie waarop 600 staan.

Ek druk dit, en wag, en wag.

Hysbakmusiek speel. *Raindrops keep falling on my head* ...

Uiteindelik, *pieng*. Die deure gly oop. Ek klim uit en kry amper 'n hartaanval.

Ek staan op 'n nou klippaadjie in die lug. Onder my is Manhattan. Ek kyk daarop af asof ek in 'n vliegtuig sit. Voor my strek wit marmertrappe teen die ruggraat van 'n wolk op, tot in die lug. My oë volg die stel trappe tot aan die einde daarvan, maar my brein kan net nie aanvaar wat ek sien nie.

Kyk weer, sê my brein.

Ons kyk, hou my oë vol. *Dis regtig daar.*

Uit die bokant van die wolke verrys 'n onthoofde bergpiek, die spits met sneeu bedek. Dosyne paleise klou teen die kant van die berg vas, almal met wit marmerpilare, vergulde terrasse en vuurpanne van brons waarin duisend vure gloei. Paaie kronkel kruis en dwars oor die bergspits, waar die grootste paleis teen die sneeu glinster. In tuine wat dapper aan die bergwande klou, blom olyfbome en roosbome. Ek kan 'n opelugmark vol kleurryke tente sien, 'n amfiteater van klip wat aan een kant van die berg gebou is, en 'n renbaan en 'n kolosseum aan die ander kant. Dit is 'n antieke Griekse stad, maar dis nie 'n ruïne nie. Dit is nuut en skoon en kleurryk, soos Athene seker tweeduisend-vyfhonderd jaar gelede gelyk het.

Dié plek kan nie hier wees nie, sê ek vir myself. 'n Berg wat bo New York hang soos 'n asteroïed wat miljarde ton weeg? Hoe kan so iets bo die Empire State-gebou geanker wees, oop en bloot voor miljoene mense, en niemand merk dit op nie?

Maar hier is dit. En hier is ek.

My wandeling deur Olimpus voel soos 'n vreemde droom. Ek stap verby giggelende bosnimfe wat my met olywe uit hul tuin bestook. Smouse by die mark bied vir my ambrosia-op-'n-stokkie aan, en 'n nuwe skild, en 'n egte glinsterende replika van die Goue Vlies, soos gesien op Hefaistos-TV. Die nege muses stem hulle instrumente in vir 'n konsert in die park terwyl 'n kleinerige skare daar begin saamdrom – saters en najades en 'n klompie aantreklike tieners wat dalk minder belangrike gode en godinne is. Niemand lyk eintlik bekommerd oor 'n dreigende burgeroorlog nie. Dit lyk nogal of almal in 'n feestelike luim is. Party van hulle kyk na my terwyl ek verbystap, en fluister onder mekaar.

Ek klim met die hoofpad op, in die rigting van die groot paleis op die spits. Dit is 'n omgekeerde weergawe van die paleis in die Onderwêreld. Daar was alles swart en brons. Hier glinster alles wit en silwer.

Ek besef Hades het seker sy paleis gebou om soos dié een te lyk. Hy word nooit in Olimpus verwelkom nie, behalwe tydens die wintersonstilstand, so hy het sy eie Olimpus ondergronds gebou. Ondanks my nare ervaring met hom, voel ek tog 'n bietjie jammer vir die ou. Om uit 'n plek soos dié verban te word voel vir my nogal onregverdig. Dit sal enige iemand verbitterd maak.

Trappe lei boontoe na 'n sentrale binnehof. Aan die oorkant daarvan is die troonkamer.

"Kamer" is nie regtig die regte woord nie. Die plek laat die Grand Central-stasie soos 'n besemkas lyk. Massiewe pilare verrys tot by 'n koepeldak wat met bewegende sterrebeelde verguld is.

Twaalf trone, gebou vir wesens so groot soos Hades, is in 'n omgekeerde U-vorm gerangskik, nes die hutte by Kamp Halfbloed. 'n Enorme vuur knetter in 'n sentrale vuurput. Die trone is leeg, behalwe vir die twee op die punt: die hooftroon op regs, en die een links daarvan. Niemand hoef vir my te sê wie die twee gode is wat daar sit nie, in afwagting dat ek nader moet kom. Ek stap stadig nader met bene wat vreeslik bewe.

Die gode is in reusagtige menslike vorm, soos Hades was, maar ek kan beswaarlik na hulle kyk sonder om 'n tinteling te voel, asof my lyf begin brand. Zeus, die Heer van die Gode, dra 'n donkerblou strepiespak. Hy sit op 'n eenvoudige troon van soliede platinum. Hy het 'n netjiese baard, marmergrys-en-swart soos 'n donderwolk. Sy gesig is trots en aantreklik en strak, sy oë reëngrys. Terwyl ek nader kom, knetter die lug en ruik dit na osoon.

Die god wat langs hom sit, is sonder twyfel sy broer, maar hy is aansienlik anders geklee. Hy laat my dink aan daai ouens wat altyd op die strand by Key West rondhang. Hy dra leersandale, 'n kakie-driekwartbroek en 'n Tommy Bahama-hemp vol kokosneute en papegaaie. Sy vel is sonbruin, sy hande vol littekens soos 'n gesoute visserman s'n. Sy hare is swart, soos myne. Sy gesig het daai selfde donker, peinsende kyk wat elke keer daarvoor sorg dat ek sommer dadelik as 'n rebel gebrandmerk word. Maar sy oë, seegroen soos myne, is omring deur sonplooitjies wat vir my sê hy glimlag ook dikwels.

Sy troon lyk soos 'n diepseevisserman se stoel. Dit is die eenvoudige soort wat kan rondswaai, met 'n swart leersitplek en 'n ingeboude holster vir 'n visstok. Maar in plaas van 'n visstok, is daar 'n drietandvurk van brons in die holster, met groen lig wat om die punte flikker.

Die gode beweeg of praat nie, maar daar is 'n gespanne atmosfeer, asof hulle pas 'n argument afgehandel het.

Ek stap tot voor die visserman se troon en kniel voor sy voete. "Vader." Ek durf nie opkyk nie. My hart klop vinnig. Ek kan die energie uit die twee gode voel straal. As ek nou die verkeerde ding kwytraak, kan hulle my ongetwyfeld wegblaas dat daar net stof van my oorbly.

Aan my linkerkant praat Zeus. "Behoort jy nie die meester van die huis eerste aan te spreek nie, seun?"

Ek hou my kop af en wag.

"Vrede, broer," sê Poseidon oplaas. Sy stem klits my oudste herinneringe op: Daardie warm gloed wat ek as baba kan onthou; die sensasie van die god se hand op my voorkop. "Die seun betoon eer aan sy vader. Dis bloot reg."

"So, jy eis hom steeds op?" vra Zeus dreigend. "Jy eis hierdie kind op wat jy teen ons heilig eed in verwek het?"

"Ek het my misstap erken," sê Poseidon. "Nou wil ek hom hoor praat."

Misstap.

'n Knop swel in my keel. Is dit al wat ek is? 'n Misstap? Die gevolg van 'n god se fout?

"Ek het hom reeds een maal gespaar," brom Zeus. "Waag dit sowaar om in my domein te vlieg ... ba! Sulke vermetelheid, ek moes hom uit die lug geblaas het."

"En die kans waag om jou eie meesterstraal te vernietig?" vra Poseidon kalm. "Kom ons luister na hom, broer."

Zeus brom nog 'n bietjie. "Ek sal na hom luister," besluit hy oplaas. "Dan sal ek besluit of ek die seun van Olimpus afsmyt."

"Perseus," sê Poseidon. "Kyk na my."

Ek kyk, en ek is nie seker wat ek op sy gesig sien nie. Daar is geen duidelike teken van liefde of aanvaarding nie. Niks om my moed te gee nie. Dit voel asof ek na die oseaan kyk: Party dae kan jy aanvoel in watter bui dit is. Maar die meeste dae is dit onpeilbaar, geheimsinnig.

Ek kry die gevoel Poseidon weet nie regtig wat om van my te dink nie. Hy weet nie of hy bly is om my as 'n seun te hê of nie. Op 'n vreemde manier is ek bly Poseidon is so afsydig. As hy om verskoning probeer vra het, of gesê het hy is lief vir my, of selfs geglimlag het, sou dit vals gevoel het. Soos 'n menslike pa wat die een of ander flou verskoning probeer aanbied omdat hy nooit daar was vir jou nie. Ek kan daarmee saamleef. Ek is immers ook nog nie seker oor hom nie.

"Spreek Heer Zeus aan, seun," sê Poseidon vir my. "Vertel hom jou storie."

So, ek vertel vir Zeus als, nes dit gebeur het. Ek haal die metaalbuis uit, wat knetterende vonke begin skiet in die Hemelgod se teenwoordigheid, en lê dit by sy voete neer.

Zeus hou sy palm uit. Die weerligstraal vlieg tot in sy hand. Toe hy sy vuis toevou, flits elektrisiteit uit die metaalpunte, totdat hy iets vashou wat meer soos die klassieke weerligstraal lyk, 'n vyf meter lange spies van sissende energie wat die hare op my kopvel orent laat staan.

"Ek kan aanvoel die seun praat die waarheid," prewel Zeus. "Maar dat Ares so iets sal doen ... dis nie hoe hy is nie."

"Hy is trots en impulsief," sê Poseidon. "Dis maar 'n familietrek."

"My heer?" vra ek.

"Ja?" antwoord albei van hulle.

"Ares het dit nie op sy eie gedoen nie. Iemand anders — iets anders — het met die idee vorendag gekom."

Ek beskryf my drome, en die gevoel wat ek op die strand gehad het, daardie vlaag van boosheid wat dit 'n oomblik lank laat voel het of die wêreld tot stilstand kom, en wat Ares gekeer het om my dood te maak.

"In die drome," sê ek, "het die stem my beveel om die weerligstraal na die Onderwêreld te bring. Ares het laat val dat hy ook drome gekry het. Ek dink hy is gebruik, nes ek, om die oorlog te begin."

"So, jy beskuldig op die ou end tog vir Hades?" vra Zeus.

"Nee," sê ek. "Heer Zeus, ek was in Hades se teenwoordigheid. Die gevoel op die strand was anders. Dit was dieselfde ding wat ek gevoel het toe ek naby daardie put gekom het. Dis die ingang na Tartaros, nie waar nie? Iets magtigs en boos roer daar onder ... iets wat selfs ouer as die gode is."

Poseidon en Zeus kyk vir mekaar. Hulle voer 'n kort, intense gesprek in Antieke Grieks. Al wat ek kan uitmaak, is die woord Vader.

Poseidon maak die een of ander voorstel, maar Zeus knip hom kort. Poseidon probeer argumenteer. Zeus hou sy hand woedend op. "Ons praat nie verder hieroor nie," sê Zeus. "Ek moet persoonlik hierdie weerligstraal in die waters van Lemnos gaan reinig, om die menslike smet van die metaal te verwyder."

Hy staan op en kyk na my. Sy uitdrukking versag net effens. "Jy het my 'n diens bewys, seun. Min helde sou soveel kon vermag."

"Ek het hulp gehad, my heer," sê ek. "Grover Underwood en Annabeth Chase —"

"As blyk van my dankbaarheid sal ek jou lewe spaar. Ek vertrou jou nie, Perseus Jackson. Ek hou nie van wat jou koms vir die toekoms van Olimpus beteken nie. Maar ter wille van die vrede in my familie, sal ek jou laat leef."

"Uhm … dankie, my heer."

"Moet dit nie weer waag om te vlieg nie. Maak seker jy's nie hier wanneer ek terugkeer nie. Anders gaan jy hierdie weerligstraal proe. En dit sal jou laaste gewaarwording wees."

Die gerammel van donderweer skud deur die paleis. Met 'n verblindende weerligflits is Zeus weg.

Ek is alleen in die troonkamer saam met my pa.

"Jou oom," sug Poseidon, "het nog altyd 'n sin vir die dramatiese gehad. Ek dink hy sou uitstekend gevaar het as die god van teater."

'n Ongemaklike stilte.

"My heer," vra ek, "wat was in die put?"

Poseidon kyk takserend na my. "Het jy nie geraai nie?"

"Kronos," sê ek. "Die koning van die Titane."

Selfs in die troonkamer van Olimpus, ver weg van Tartaros, laat die naam Kronos die vertrek verdonker, maak dit dat die vlamme in die vuurput skielik nie meer so warm teen my rug voel nie.

Poseidon vat sy drietandvurk vas. "In die Eerste Oorlog, Percy, het Zeus ons vader, Kronos, in duisend stukke opgesny, nes Kronos met sy eie vader, Ouranos, gedoen het. Zeus het Kronos se oorblyfsels in die donkerste put van Tartaros gewerp. Die Titaanse weermag het uitmekaargespat, hulle bergfort by Etna is vernietig, hulle monsterbondgenote is na die verste uithoeke van die aarde verdryf. En tog kan Titane nie sterf nie, net so min as wat ons gode kan. Wat ook al van Kronos oorgebly het, lewe steeds op die een of ander afskuwelike manier, steeds by sy bewussyn in sy ewigdurende pyn, steeds honger vir mag."

"Hy's besig om te genees," sê ek. "Hy kom terug."

Poseidon skud sy kop. "Van tyd tot tyd, oor die eeue heen, het Kronos geroer. Hy dring mense se nagmerries binne en adem bose gedagtes. Hy laat rustelose monsters in die dieptes ontwaak. Maar om te suggereer dat hy uit die put kan verrys, is 'n ander saak."

"Dis wat hy beplan, Vader. Dis wat hy gesê het."

Poseidon bly lank stil.

"Heer Zeus wil nie die saak verder bespreek nie. Hy wil nie praatjies oor Kronos toelaat nie. Jy het jou heldetaak voltooi, kind. Jy het gedoen wat jy moes doen."

"Maar —" Ek bedink my. Teëpraat gaan nie help nie. Heel moontlik sal dit net die enigste god kwaad maak wat aan my kant is. "Soos ... soos u wens, Vader."

'n Glimlaggie speel oor sy lippe. "Gehoorsaamheid kom nie maklik vir jou nie, nè?"

"Nee ... my heer."

"Daarvoor is ek seker deels te blameer. Die see hou nie daarvan om aan bande gelê te word nie." Hy verrys tot sy volle lengte en tel sy drietandvurk op. Dan glimmer hy en word die grootte van 'n gewone man, wat reg voor my kom staan. "Jy moet gaan, kind. Maar eers, weet dat jou ma teruggekeer het."

Ek staar na hom, geheel en al uit die veld geslaan. "My ma?"

"Jy sal haar tuis aantref. Hades het haar gestuur toe jy sy helm terugbesorg het. Selfs die Heer van Duisternis vereffen sy skuld."

My hart bons wild. Ek kan dit nie glo nie. "Wil u …
sal u …"

Ek wil vra of Poseidon saam met my sal kom om haar te
sien, maar dan besef ek dit is belaglik. Verbeel jou, ek laai die
God van die See in 'n taxi en vat hom Upper East Side toe.
As hy my ma in al hierdie jare wou sien, sou hy. En boonop
is daar nog Vrot Gabe ook om aan te dink.

Daar verskyn 'n treurige kyk in Poseidon se oë. "Wanneer
jy tuiskom, Percy, moet jy 'n belangrike keuse maak. Jy sal 'n
pakkie in jou kamer kry."

"'n Pakkie?"

"Jy sal verstaan wanneer jy dit sien. Niemand kan jou pad
kies nie, Percy. Jy moet besluit."

Ek knik, al weet ek nie wat hy bedoel nie.

"Jou ma is 'n koningin tussen vroue," sê Poseidon
weemoedig. "In duisend jaar het ek nie nog 'n sterflingvrou
soos sy ontmoet nie. En tog … ek is jammer jy is gebore,
kind. Ek het 'n held se lot oor jou gebring, en 'n held se lot is
nooit gelukkig nie. Dit is nooit anders as tragies nie."

Ek probeer om nie seergemaak te voel nie. Hier sê my eie
pa hy is jammer ek is gebore. "Ek gee nie om nie, Vader."

"Dalk nog nie," sê hy. "Nog nie. Maar dit was 'n
onvergeeflike fout van my kant."

"Dan verlaat ek u nou eerder." Ek buig ongemaklik.
"Ek – ek sal u nie weer lastig val nie."

Ek is vyf treë weg toe hy roep: "Perseus."

Ek draai om.

Daar is 'n ander lig in sy oë, 'n vurige soort trots. "Jy het
goed gedoen, Perseus. Moet my nie verkeerd verstaan nie.
Wat jy ook al doen, onthou jy is myne. Jy is 'n ware seun van
die Seegod."

Terwyl ek terugstap deur die stad van die gode, word gesprekke kortgeknip. Die muses staak hulle konsert 'n oomblik lank. Mense en saters en najades draai almal na my, respek en dankbaarheid op hulle gesigte, en terwyl ek verbystap, kniel hulle, asof ek die een of ander held is.

***

Vyftien minute later, steeds in 'n beswyming, is ek terug in die strate van Manhattan.

Ek neem 'n taxi na my ma se woonstel, lui die deurklokkie, en daar is sy — my pragtige ma, wat ruik na peperment en liquorice. Die moegheid en bekommernis verdwyn van haar gesig af die oomblik toe sy my sien.

"Percy! O, dankie hemel. O, my skat."

Sy druk behoorlik die lug uit my longe. Ons staan in die gang terwyl sy huil en met haar hande deur my hare vee.

Ek moet erken — my oë is ook 'n bietjie mistig. Ek bewe, so verlig is ek om haar te sien.

Sy vertel my sy het vanoggend uit die bloute in die woonstel verskyn, en Gabe behoorlik die skrik op die lyf gejaag. Sy kan niks onthou sedert die Minotourus nie, en sy kon dit nie glo toe Gabe haar vertel ek word daarvan verdink dat ek 'n jeugmisdadiger is wat die land deurkruis en nasionale monumente opblaas nie. Sy was heeldag siek van bekommernis, want sy het nie die nuus gehoor nie. Gabe het haar gedwing om werk toe te gaan, want hy't gesê sy het 'n maand se salaris om in te haal en sy wou dadelik begin.

Ek sluk my woede terug en vertel haar my eie storie. Ek probeer dit minder skrikwekkend maak as wat dit was, maar dis nie maklik nie. Net toe ek by die geveg teen Ares kom, val Gabe se stem my uit die sitkamer in die rede. "Hei, Sally! Is daai pastei al klaar, of wat?"

Sy sluit haar oë. "Hy gaan nie uit sy vel wees van blydskap om jou te sien nie, Percy. Die winkel het vandag omtrent 'n halfmiljoen oproepe uit Los Angeles gehad … iets oor gratis stowe en wasmasjiene en yskaste."

"O ja. Ek wou nog daai deel vertel …"

Sy glimlag floutjies. "Moet hom net nie nog kwater maak nie, oukei?"

In die maand wat ek weg was, het die woonstel in die Republiek van Gabe verander. Rommel lê enkeldiepte op die mat rond. Die rusbank steek skaars uit onder al die leë bierblikke. Oor die lampskerms hang vuil sokkies en onderbroeke.

Gabe en die drie groot lummels wat sy pelle is, speel poker by die tafel.

Toe Gabe my sien, val die sigaar uit sy mond. Sy gesig word rooier as lawa. "Het jy wragtig die vermetelheid om hiernatoe te kom, jou klein swernoot? Ek dog die polisie —"

"Hy was toe nooit 'n voortvlugtige nie," val my ma hom in die rede. "Is dit nie wonderlik nie, Gabe?"

Gabe se oë flits heen en weer tussen my en my ma. Dit lyk of hy glad nie dink die feit dat ek tuis is, is besonder wonderlik nie.

"Dis al erg genoeg dat ek jou lewensversekeringsgeld moes teruggee, Sally," grom hy. "Bring my foon. Ek gaan die polisie bel."

"Gabe, nee!"

Sy wenkbroue lig. "Het jy nou-net nee gesê? Dink jy ek gaan weer met dié snuiter opgeskeep sit? Ek kan hom steeds aanklag omdat hy my Camaro verwoes het."

"Maar —"

Hy lig sy hand, en my ma krimp ineen.

Vir die eerste keer besef ek iets. Gabe het my ma geslaan. Ek weet nie wanneer dit gebeur het, of hoe erg nie. Maar ek is seker hy het dit gedoen. Dalk gaan dit al vir jare so aan, wanneer ek nie hier is nie.

'n Ballon van woede begin in my bors uitswel. Ek stap reguit op Gabe af, en haal instinktief my pen uit my sak.

Hy lag net. "En nou? Gaan jy op my skryf? Raak aan my, en jy kan die res van jou lewe in die tjoekie sit, verstaan jy?"

"Hei, Gabe," sê sy pel Eddie. "Hy's net 'n kind."

Gabe kyk minagtend na hom en sê met 'n falsetto-stemmetjie: *"Net 'n kind."*

Sy ander vriende lag soos idiote.

"Ek gaan gaaf wees met jou, jou klein nikswerd." Gabe wys sy tabakgevlekte tande vir my. "Ek gaan jou vyf minute gee om jou goed te kry en pad te gee. Daarna bel ek die polisie."

"Gabe!" pleit my ma.

"Hy't weggeloop," sê Gabe vir haar. "Nou kan hy wegbly."

Ek jeuk om Trekstroom se doppie af te ruk, maar selfs al doen ek dit, sal die lem nie 'n mens leed aandoen nie. En Gabe moet seker streng gesproke as 'n mens gedefinieer word.

My ma vat my arm. "Asseblief, Percy. Kom. Ons gaan na jou kamer toe."

Ek laat toe dat sy my weglei, my hand steeds bewend van woede.

My hele kamer staan vol van Gabe se gemors. Daar is stapels gebruikte motorbatterye, 'n verlepte simpatieruiker wat iemand gestuur het wat sy Barbara Walters-onderhoud gesien het.

"Gabe is net ontsteld, my skat," sê my ma vir my. "Ek sal later met hom praat. Ek is seker dinge sal uitwerk."

"Ma, dinge sal nooit uitwerk nie. Nie solank Gabe hier is nie."

Sy wring haar hande bekommerd. "Ek kan ... jy kan die res van die somer saam met my werk toe gaan. In die herfs is daar dalk 'n ander kosskool —"

"Ma."

Sy kyk af. "Ek probeer, Percy. Ek het net ... ek het tyd nodig."

'n Pakkie verskyn op my bed. Altans, ek kan sweer dit was nie 'n oomblik gelede daar nie.

Dit is 'n gehawende kartondoos, omtrent groot genoeg dat 'n sokkerbal daarin kan pas. Die adres op die strokie is in my eie handskrif:

Die Gode
Olimpus
600ste Vlak
Empire State-gebou
New York, NY

Met beste wense
PERCY JACKSON

Bo-oor is die adres van ons woonstel met swart koki geskryf, in 'n man se groot drukskrifletters, en die woorde: STUUR TERUG AAN AFSENDER.

Skielik verstaan ek wat Poseidon vir my op Olimpus gesê het.

'n Pakkie. 'n Besluit.

Wat jy ook al doen, onthou jy is myne. Jy's 'n ware seun van die Seegod.

Ek kyk na my ma. "Ma, wil jy van Gabe ontslae raak?"

"Percy, dis nie so eenvoudig nie. Ek —"

"Ma, sê my net. Daai vark slaan jou. Wil jy van hom ontslae raak of nie?"

Sy aarsel, dan knik. "Ja, Percy. Ek wil. En ek probeer die moed bymekaarskraap om hom te sê. Maar jy kan dit nie vir my doen nie. Jy kan nie my probleme oplos nie."

Ek kyk na die boks.

Ek kan haar probleem oplos. Ek wil die pakkie oopmaak, dit op die pokertafel neerplak en wat binne-in is uithaal. Ek kan my eie tuinbeeld maak, sommer net daar in die sitkamer.

Dis wat 'n Griekse held in die stories sou doen, dink ek. Dis Gabe se verdiende loon.

Maar 'n held se storie eindig altyd tragies. Dis wat Poseidon vir my gesê het.

Ek onthou die Onderwêreld. Ek dink aan Gabe se gees wat vir ewig in die Velde van Asphodel rondswerf, of verdoem word om die een of ander afgryslike marteling agter die doringdraad van die Velde van Straf te verduur — 'n ewigdurende pokerspel, terwyl hy tot by sy heupe in kokende olie sit en na operamusiek luister. Het ek die reg om iemand daarheen te stuur? Selfs vir Gabe?

'n Maand gelede sou ek glad nie gehuiwer het nie. Maar nou ...

"Ek kan dit doen," sê ek vir my ma. "Een kyk in hierdie boks, en hy sal Ma nooit weer lastig val nie."

Sy loer na die pakkie en dit lyk of sy dadelik begryp. "Nee, Percy," sê sy en tree weg. "Jy kan nie."

"Poseidon het Ma 'n koningin genoem," sê ek vir haar.

"Hy't gesê hy het in duisend jaar nooit 'n vrou soos Ma ontmoet nie."

Haar wange verkleur. "Percy –"

"Ma verdien beter as dit. Ma moet kollege toe gaan, 'n graad kry. Ma kan 'n boek skryf, dalk 'n gawe ou ontmoet, in 'n mooi huis bly. Dis nie meer nodig om my te beskerm deur by Gabe te bly nie. Laat ek van hom ontslae raak."

Sy vee 'n traan van haar wang af. "Jy klink so baie soos jou pa," sê sy. "Hy het eenkeer aangebied om die gety vir my te stop. Hy het aangebied om vir my 'n paleis op die seebodem te bou. Hy't gedink hy kan al my probleme met 'n swaai van sy hand oplos."

"Wat's fout daarmee?"

Dit lyk of haar oë binne-in my rondsoek. "Ek dink jy weet, Percy. Ek dink jy's genoeg soos ek om te verstaan. As my lewe enige iets gaan beteken, moet ek dit self leef. Ek kan nie toelaat dat 'n god na my omsien nie … of my seun nie. Ek moet … die moed kry om dit self te doen. Jou heldetaak het my daaraan herinner."

Ons luister na die geluid van pokerskyfies, 'n geswets en die sportkanaal op die TV in die sitkamer.

"Ek los die boks hier," sê ek. "As hy Ma dreig …"

Sy lyk bleek, maar sy knik. "Waarheen gaan jy, Percy?"

"Halfbloedheuwel."

"Vir die somer … of vir altyd?"

"Dit hang seker af."

Ons kyk mekaar in die oë en ek kan aanvoel ons het 'n ooreenkoms. Ons sal kyk hoe dinge aan die einde van die somer lyk.

Sy soen my voorkop. "Jy gaan 'n held wees, Percy. Die grootste van hulle almal."

Ek kyk vir oulaas in my slaapkamer rond. Ek het 'n voorgevoel ek gaan dit nooit weer sien nie. Dan stap ek saam met my ma voordeur toe.

"Is jy so gou op pad?" roep Gabe agter my aan. "Ek kan nie glo ek is uiteindelik van jou ontslae nie."

'n Laaste tikkie twyfel kriewel deur my lyf. Dis die perfekte geleentheid om wraak te neem op hom – hoe kan ek dit deur my vingers laat glip?

"Hei, Sally," skree hy. "Wat van die pastei, huh?"

'n Woedende kyk flits oor my ma se gesig, en ek dink dalk, net dalk, laat ek haar tog in goeie hande agter. Haar eie.

"Die pastei is op pad, my lief," sê sy vir Gabe. "Dis 'n Verrassingspastei."

Sy kyk na my en knipoog.

Die laaste ding wat ek sien toe die deur toeswaai, is my ma wat na Gabe staar, asof sy wonder hoe hy as 'n tuinbeeld sal lyk.

TWEE-EN-TWINTIG

DIE PROFESIE WORD WAAR

Ons is die eerste helde sedert Luke wat lewend na Half-bloedheuwel terugkeer, so natuurlik behandel almal ons asof ons die een of ander realiteitsreeks op TV gewen het. Volgens die kamptradisie moet ons lourierkranse dra by 'n groot fees wat ter ere van ons gehou word, en dan lei ons 'n prosessie na die kampvuur, waar ons die begrafnisklede verbrand wat vir ons gemaak is terwyl ons weg was.

Annabeth se kleed is so mooi – grys sy met uile daarop geborduur – dat ek vir haar sê dis 'n jammerte sy kan nie daarin begrawe word nie. Sy gee my 'n vuishou op die skouer en sê ek moet my mond hou.

Omdat ek die seun van Poseidon is, het ek nie hutmaats nie, so Ares se hut het aangebied om my kleed te maak. Hulle het 'n ou laken gevat en glimlaggesiggies met X-ogies al om die rand daarvan geteken, en die woord PATEET reusagtig in die middel daarvan geverf.

Dis pret om dit te verbrand.

Terwyl Apollo se hut die voortou neem met die liedjies en gebraaide malvalekkers, word ek omring deur my ou Hermes-hutmaats, Annabeth se vriendinne van Athena, en Grover se saterpelle, wat die splinternuwe soekerslisensie bewonder wat hy by die Raad van Spleethoewige Oudstes gekry het. Die Raad het na Grover se optrede tydens die heldetaak verwys as: "Dapper tot die punt van slegte spysvertering. Horings-en-snorbaarde bo enige iets wat ons al ooit in die verlede gesien het."

Die enigstes wat nie in 'n partytjieluim is nie, is Clarisse en haar hutmaats, wie se giftige kyke my mooi laat verstaan hulle gaan my nooit vergewe omdat ek hulle pa in oneer gebring het nie.

Dis oukei met my.

Selfs Dionusos se verwelkomingstoespraak is nie genoeg om my wonderlike bui te bederf nie. "Ja-ja, so die klein bogsnuiter is toe nie dood nie en dit beteken hy gaan nou nog 'n groter kop kry. Wel, hoera daarvoor. En o ja, daar is nog nuus — daar sal hierdie Saterdag *geen* kanowedvaart wees nie ..."

Ek trek weer by hut drie in, maar dit voel nie meer so eensaam nie. Bedags kan ek saam met my vriende oefen. Snags lê ek wakker en luister na die see, met die wete my pa is iewers daar buite. Dalk is hy nog nie heeltemal seker oor my nie, dalk wou hy nie eens hê ek moes gebore word nie, maar hy hou my dop. En tot dusver is hy trots op wat ek gedoen het.

En my ma — daar wag 'n nuwe lewe op haar. 'n Week nadat ek by die kamp aangekom het, kry ek 'n brief van haar. Sy vertel my Gabe het geheimsinnig verdwyn — skoonveld, om die waarheid te sê. Sy het hom as vermis by die polisie aangegee, maar sy het 'n vreemde voorgevoel hulle gaan hom nooit kry nie.

Op 'n heel ander onderwerp, sy het haar eerste lewens-grootte betonbeeldhouwerk, getiteld Die Pokerspeler, aan 'n versamelaar verkoop, deur 'n kunsgalery in Soho. Sy het soveel geld daarvoor gekry dat sy 'n deposito op 'n nuwe woonstel kon neersit en 'n deel van haar eerste kwartaal se klasgeld by die Universiteit van New York kon betaal. Die Soho-galery is naarstiglik op soek na nog van haar werk, wat hulle 'n "reusestap vorentoe in superafskuwelike neorealisme" noem.

Maar moenie bekommerd wees nie, skryf my ma. *Ek is klaar met beeldhouwerk. Ek het ontslae geraak van daai boks gereedskap wat jy my gegee het. Dis hoog tyd dat ek weer begin skryf.*

Onderaan het sy 'n P.S. geskryf: *Percy, ek het 'n goeie privaat skool hier in die stad opgespoor. Ek het 'n deposito betaal sodat hulle vir jou plek hou, ingeval jy graad sewe daar wil doen. Jy kan uit die huis skoolgaan. Maar as jy eerder heeljaar by Kamp Halfbloed wil bly, sal ek verstaan.*

Ek vou die brief versigtig op en sit dit op my bedkassie neer. Elke aand voor ek gaan slaap, lees ek dit weer, en ek probeer besluit hoe om haar te beantwoord.

Op die vierde Julie kom die hele kamp op die strand bymekaar vir 'n vuurwerkvertoning deur hut nege. Omdat hulle Hefaistos se kinders is, is hulle nie tevrede met die gewone ou paar rooi-wit-en-blou ontploffinkies om Onafhanklikheidsdag te vier nie. Hulle anker 'n boot op die water en laai dit vol vuurpyle so groot soos Patriot-missiele. Volgens Annabeth, wat die vertoning al voorheen gesien het, word die afvuur van die vuurwerke so haarfyn beplan dat dit soos raampies van 'n animasievideo in die lug lyk. Die eindskouspel is veronderstel om twee dertig meter hoë Spartaanse krygers te wees wat knetterend bo die oseaan lewe kry, begin veg, en dan in 'n miljoen kleure ontplof.

Terwyl ek en Annabeth 'n piekniekkombers op die gras oopgooi, kom Grover aangestap om ons te groet. Hy dra sy gebruiklike jeans en 'n T-hemp en tekkies, maar die laaste paar weke het hy ouer begin lyk; amper hoërskoolouderdom. Sy bokbaardjie het digter geword. Hy het lyf gekry. Sy horings het ten minste 'n paar sentimeter gegroei, en hy moet heeltyd sy Rasta-mus dra om soos 'n mens te lyk.

"Ek is op pad," sê hy. "Ek het net kom sê ... wel, julle weet."

Ek probeer bly voel vir sy part. Dis immers nie aldag dat 'n sater toestemming kry om na die groot god Pan te gaan soek nie. Maar dis moeilik om afskeid te neem. Ek ken Grover nog net 'n jaar, maar hy is my oudste vriend.

Annabeth gee hom 'n druk. "Onthou om jou vals voete aan te hou," sê sy.

"Waar gaan jy eerste soek?" vra ek.

"Dis soort van 'n geheim," sê hy en lyk verleë. "Ek wens julle kon saam met my kom, ouens, maar mense en Pan ..."

"Ons verstaan," sê Annabeth. "Het jy genoeg koeldrank-blikkies vir padkos?"

"Jip."

"En het jy jou panfluit onthou?"

"Jissie, Annabeth," brom hy. "Jy's erger as 'n ou mammabok."

Maar hy klink nie regtig geïrriteerd nie.

Hy vat sy wandelstaf en swaai 'n rugsak oor sy skouer. Hy lyk soos enige ryloper wat jy op 'n Amerikaanse snelweg sal teëkom – glad nie soos die tingerige outjie wat ek teen die boelies by die Yancy-akademie moes verdedig nie.

"Wel," sê hy, "hou vir my duim vas."

Hy gee Annabeth nog 'n druk, klap my op die skouer, en vat dan die pad tussen die duine deur.

Vuurwerke begin bo ons koppe ontplof: Herakles wat die Nemeïese leeu doodmaak, Artemis wat die wildevark agternasit, George Washington (wat terloops 'n seun van Athena was) wat die Delaware oorsteek.

"Hei, Grover," roep ek.

Hy draai aan die rand van die woud om.

"Waar jy ook al gaan — ek hoop hulle maak lekker enchiladas."

Grover grinnik, en dan verdwyn hy tussen die bome.

"Ons sal hom weer sien," sê Annabeth.

Ek probeer dit glo. Die feit dat geen soeker in tweeduisend jaar teruggekeer het nie ... ek besluit om liewer nie daaraan te dink nie. Grover gaan die eerste wees. Hy moet net.

Julie gaan verby.

Ek bring my dae deur met die beplanning van nuwe strategieë om vang-die-vlag te wen en alliansies met die ander hutte te smee om die banier uit Ares se hande te hou. Ek bereik vir die eerste keer die bokant van die kloutermuur sonder dat die lawa my skroei.

Soms stap ek verby die Groot Huis, loer op na die soldervenster en dink aan die Orakel. Ek probeer myself oortuig dat die profesie voltooi is.

Jy sal wes gaan, en die god wat gedraai het, trotseer.

Daai een kan ek maar afmerk — al was die verraaiergod Ares en nie Hades nie.

Jy sal vind wat gesteel is, en daarmee terugkeer.

Gedoen. Een meesterstraal veilig afgelewer. Een Helm van Duisternis terug op Hades se aaklige kop.

Iemand wat jou 'n vriend noem, sal jou verraai in jou taak.

Dié reël pla my steeds. Ares het voorgegee om my vriend te wees, maar my verraai. Dis seker wat die Orakel bedoel het ...

En jy sal vergeefs dit probeer red wat die meeste saak maak.

Ek kon nie daarin slaag om my ma te red nie, maar net

omdat ek haar toegelaat het om haarself te red, en ek weet dit was die regte ding om te doen.

So, hoekom voel ek so ongemaklik?

Die laaste aand van die somersessie breek heeltemal te gou aan.

Al die kampgangers eet vir oulaas saam. Ons verbrand deel van ons aandete vir die gode. By die kampvuur ken die senior instrukteurs ons einde-van-die-somer-krale toe.

Ek kry my eie leerhalssnoer, en toe ek die kraletjie vir my eerste somer sien, is ek bly die lig van die vuur steek die gloed op my wange weg. Die ontwerp is gitswart, met 'n seegroen drietandvurk wat in die middel daarvan glimmer.

"Die keuse was eenparig," kondig Luke aan. "Dié kraletjie gedenk die eerste seun van die Seegod by hierdie kamp, en die heldetaak wat hy aangepak het, tot in die donkerste deel van die Onderwêreld om 'n oorlog te verhoed!"

Die hele kamp staan op en begin juig. Selfs Ares se hut voel verplig om op te staan. Athena se hut laat Annabeth vorentoe stap sodat sy in die applous kan deel.

Ek is nie seker of ek al ooit so gelukkig of hartseer gevoel het soos op hierdie oomblik nie. Uiteindelik het ek 'n familie gekry, mense wat omgee vir my en dink ek het iets reg gedoen. En môreoggend gaan die meeste van hulle weg.

***

Die volgende oggend kry ek 'n brief op my bedkassie.

Ek weet Dionusos het dit ingevul, want hy het natuurlik aspris my naam verkeerd geskryf:

Beste _____ Peter Johnson _____

As jy beplan om heeljaar by Kamp Halfbloed te bly moet jy
teen twaalfuur vanmiddag die Groot Huis daarvan in kennis
stel. As jy nie jou voorneme aankondig nie, sal ons aanvaar
jy het jou hut ontruim of 'n nare dood gesterf. Die skoon-
maak-harpye sal teen sononder met hulle taak begin. Hulle
sal toestemming kry om enige ongeregistreerde kampgangers
te eet. Alle persoonlike artikels wat agtergelaat word, sal in
die lawaput verbrand word.

> Geniet jou dag!
> Mnr. D. (Dionusos)
> Kamphoof, Olimpiese Raad nr. 12

Dis nog 'n ding van AGHS. Sperdatums is eers vir my 'n
werklikheid as ek dit reg in die gesig staar. Die somer is
verby, en ek het steeds nie my ma of die kamp laat weet waar
ek gaan bly nie. Nou het ek net 'n paar uur oor om te besluit.

Die besluit behoort maklik te wees. Ek bedoel, nege
maande van heldeopleiding of nege maande op die skool-
banke – duh.

Maar ek dink aan my ma. Vir die eerste keer kan ek
heeljaar by haar bly, sonder Gabe. Ek kan by die huis wees en
in my vrye tyd die stad verken en doen wat ek wil. Ek onthou
wat Annabeth tydens ons heldetaak gesê het: *Die regte wêreld is
waar die monsters is. Dis waar jy uitvind of jy goed is of nie.*

Ek dink aan die lot van Thalia, dogter van Zeus. Ek wonder
hoeveel monsters my gaan aanval as ek Halfbloedheuwel
verlaat. As ek 'n hele skooljaar lank op een plek bly, sonder
Chiron of my vriende om my te help, sal ek en my ma ooit

tot volgende somer oorleef? Dis nou as die speltoetse en opstelle my nie eerste doodmaak nie. Ek besluit om af te gaan arena toe en 'n bietjie met my swaard te oefen. Dalk help dit om my kop skoon te kry.

Die kampterrein is grotendeels verlate, glimmerend in die Augustushitte. Al die kampgangers is in hulle hutte, besig om te pak of met besems en moppe rond te skarrel vir die finale inspeksie. Argus help 'n paar van die Afrodite-kinders om hulle Gucci-tasse en grimeerstelle oor die bult te karwei, waar die kamp se pendelbussie sal wag om hulle lughawe toe te vat.

Moenie nou al dink aan gaan nie, sê ek vir myself. Oefen net.

Toe ek by die swaardvegarena aankom, sien ek Luke het dieselfde idee gehad. Sy gimsak lê op die rand van die verhoog. Hy oefen solo, en baklei teen strooipoppe met 'n swaard wat ek nog nooit gesien het nie. Dis seker 'n gewone staallem, want hy kap die poppe se koppe morsaf en steek die lem in hulle strooigevulde binnegoed. Sy oranje instrukteurshemp is sopnat gesweet. Sy uitdrukking is so intens dit lyk of hy in 'n stryd om lewe en dood gewikkel is. Ek hou hom gefassineerd dop terwyl hy die hele ry strooipoppe se ingewande uitdop en ledemate afkap, tot daar basies net 'n hoop strooi en wapenrusting oor is.

Dis net strooipoppe, maar ek kan nie help om my te verwonder aan Luke se vernuf nie. Die ou is 'n ongelooflike vegter. Dit laat my weer wonder hoe op aarde hy kon misluk in sy heldetaak.

Op die ou end sien hy my raak en stop hy in die middel van 'n swaaihou. "Percy."

"Uh, jammer," sê ek verleë. "Ek het net —"

"Dis oukei," sê hy en laat sak sy swaard. "Ek oefen sommer net vir oulaas 'n bietjie."

"Daai strooipoppe gaan niemand meer lastig val nie."

Luke trek sy skouers op. "Ons maak elke somer nuwes."

Noudat sy swaard nie meer rondswaai nie, sien ek iets vreemds raak. Die lem is van twee verskillende soorte metaal gemaak — een rand brons, die ander staal.

Luke sien ek kyk daarna. "O, dié? Nuwe speelding. Dis 'n Rugsteker."

"Rugsteker?"

Luke draai die lem in die lig sodat dit boosaardig glim.

"Een kant is hemelbrons. Die ander is getemperde staal. Dit werk op sterflike en onsterflike teenstanders."

Ek dink aan wat Chiron vir my gesê het voor ek met my heldetaak begin het — dat 'n held nooit sterflinge leed aandoen tensy dit absoluut noodsaaklik is nie.

"Ek het nie geweet hulle kan sulke wapens maak nie."

"Hulle kan seker nie," sê Luke. "Dié een is enig in sy soort."

Hy gee 'n klein glimlaggie, dan laat gly hy die swaard in sy skede. "Luister, ek wou juis na jou gaan soek. Wat sê jy, sal ons vir oulaas saam woud toe gaan, iets soek om teen te baklei?"

Ek is nie seker waarom ek huiwer nie. Ek behoort verlig te voel dat Luke so vriendelik is. Vandat ons teruggekeer het van die heldetaak, is hy effe afsydig. Ek was bang hy neem my kwalik oor al die aandag wat ek kry.

"Dink jy dis 'n goeie idee?" vra ek. "Ek bedoel —"

"Aa, komaan!" Hy grawe in sy gimsak en haal 'n sespak Cokes uit. "Ek het selfs vir die drinkgoed gesorg."

Ek staar na die Cokes en wonder waar de dinges hy dit

gekry het. Die kampwinkel hou nie gewone sterflingkoeldrank aan nie. Daar's geen manier om dit in te smokkel nie, behalwe dalk as jy 'n sater kan ompraat om jou te help.

Die betowerde drinkbekers vul natuurlik met enige iets wat jy wil hê, maar dit smaak net nie dieselfde as 'n regte-egte Coke nie.

Suiker en kafeïen. My wilskrag verkrummel.

"Orraait," besluit ek. "Hoekom nie?"

Ons stap af woud toe en soek rond vir die een of ander monster om teen te baklei, maar dis te warm. Al die monsters met 'n greintjie verstand geniet seker nou middagslapies in hulle lekker koel grot.

Ons kry 'n skadukol naby die stroompie waar ek tydens ons eerste vang-die-vlag-speletjie Clarisse se spies gebreek het. Ons sit op 'n groot klip, drink ons Cokes en kyk hoe die sonlig deur die blare val.

Ná 'n ruk vra Luke: "Mis jy dit om op 'n heldetaak te wees?"

"Met monsters wat my om elke hoek en draai aanval? Is jy ernstig?"

Luke se wenkbrou lig.

"Ja, ek mis dit," erken ek. "En jy?"

'n Skaduwee skuif oor sy gesig.

Meisies sê gedurig hoe aantreklik Luke is, maar op die oomblik lyk hy moeg en kwaad, en glad nie aantreklik nie. Sy blonde hare is grys in die sonlig. Die letsel op sy gesig lyk dieper as gewoonlik. Ek kan my verbeel hoe hy eendag as 'n ou man sal lyk.

"Vandat ek veertien was, bly ek heeljaar by Kamp Halfbloed, jaarin en jaaruit," vertel hy my. "Sedert Thalia ... wel, jy weet. Ek het geoefen en geoefen en geoefen. Ek het nooit die kans gekry om 'n normale tiener te wees nie, daar buite in die regte wêreld. Toe gee hulle my een heldetaak, en toe ek terugkom is dit net: *Oukei, die rit is verby. Geniet die res van jou lewe.*"

Hy druk sy Coke-blikkie plat en gooi dit in die stroom, wat my regtig skok. Een van die eerste dinge wat jy by Kamp Halfbloed leer, is: Moenie rommel strooi nie. Jy sal met die nimfe en najades te doen kry. Hulle sal jou terugkry. Een aand sal jy in jou bed klim en ontdek jou lakens is vol duisendpote en modder.

"Te duiwel met lourierkranse," sê Luke. "Ek gaan nie op die ou end dieselfde paadjie loop as daai stowwerige trofeë in die Groot Huis se solder nie."

"Jy laat dit klink of jy op pad is."

Luke glimlag skeefweg. "Jip, ek is vir seker op pad, Percy. Ek het jou hiernatoe gebring om koebaai te sê."

Hy klap sy vingers. 'n Klein vuurtjie skroei 'n gat in die grond by my voete. Iets glinsterend swart kom daaruit gekruip, so groot soos my hand. 'n Skerpioen.

My hand begin beweeg na my pen.

"Ek sou nie as ek jy was nie," waarsku Luke. "Putskerpioene kan tot vyf meter ver spring. Sy angel kan regdeur jou klere steek. Sestig sekondes en jy's dood."

"Luke, wat —"

Dan tref dit my.

Iemand wat jou 'n vriend noem, sal jou verraai in jou taak.

"Jy," sê ek.

Hy staan kalm op en stof sy jeans af.

Die skerpioen steur hom nie aan Luke nie. Sy swart kraalogies bly vasgenael op my, en sy knypers gaan oop en toe terwyl hy teen my skoen opklim.

"Ek het baie dinge daar buite in die wêreld gesien, Percy," sê Luke. "Kon jy dit nie aanvoel nie – die duisternis wat begin saamtrek, die monsters wat sterker begin word? Het jy nie besef hoe nutteloos dit alles is nie? Hierdie hele helde-ding – om 'n pion van die gode te wees. Hulle moes al duisende jare gelede onttroon gewees het, maar hulle is steeds waar hulle is, danksy ons halfbloede."

Ek kan nie glo wat besig is om te gebeur nie.

"Luke ... dis ons ouers van wie jy praat," sê ek.

Hy lag. "En beteken dit ek moet hulle liefhê? Hulle kosbare 'Westerse beskawing' is 'n siekte, Percy. Dis besig om die wêreld dood te maak. Al manier om dit stop te sit is om dit tot op die grond af te brand, om oor te begin met iets wat meer opreg is."

"Jy's net so mal soos Ares."

Sy oë flits. "Ares is 'n dwaas. Hy het nooit besef wie die ware meester is wat hy dien nie. As ek tyd gehad het, Percy, sou ek dit verduidelik het. Maar ek is bevrees jy gaan nie lank genoeg lewe nie."

Die skerpioen klim teen my broekspyp op.

Daar moet 'n manier wees om uit dié penarie te kom. Ek moet net dink.

"Kronos," sê ek. "Dis wie jy dien."

Die lug word kouer.

"Jy moet versigtig wees met name," waarsku Luke.

"Kronos het jou gebruik om die meesterstraal en die helm te steel. Hy het in jou drome met jou gepraat."

Luke se oog spring. "Hy het met jou ook gepraat, Percy. Jy moes geluister het."

"Hy smokkel met jou brein, Luke."

"Jy's verkeerd. Hy't my gewys my talente word vermors.

Weet jy wat was my heldetaak twee jaar gelede, Percy? My pa, Hermes, wou hê ek moes 'n goue appel uit die Tuin van die Hesperides steel en dit na Olimpus terugbring. Ná al die opleiding wat ek moes doen, was dit die beste waarmee hy vorendag kon kom."

"Dis nie 'n maklike taak nie," sê ek. "Herakles het dit gedoen."

"Presies," sê Luke. "Waar's die glorie in iets doen wat ander al voor jou gedoen het? Al wat die gode kan doen, is om hulle verlede te herhaal. My hart was nie daarin nie. Ek het dié by die draak in die tuin gekry ..." Hy beduie kwaad na sy litteken. "En toe ek terugkom, het ek net jammerte gekry. Ek wou Olimpus afbreek, klip vir klip, maar ek het my tyd afgewag. Ek het begin droom van Kronos. Hy het my oortuig om iets betekenisvols te steel, iets wat geen held nog ooit dapper genoeg was om te vat nie. Toe ons op daai uitstappie tydens die wintersonstilstand was, het ek by die troonkamer ingesluip terwyl die ander kampgangers geslaap het en Zeus se meesterstraal reg van sy stoel af gesteel. Hades se Helm van Duisternis ook. Jy sal nie glo hoe maklik dit was nie. Die Olimpiërs is so arrogant, hulle sou nooit kon droom iemand sal dit waag om iets by hulle te steel nie. Hulle sekuriteit is pateties. Ek was halfpad deur New Jersey toe ek eers die storms hoor rammel het, en ek het geweet hulle het my diefstal ontdek."

Die skerpioen sit nou op my been, en staar met glinsterende oë na my. Ek probeer my stem kalm hou. "So, hoekom het jy nie die twee items vir Kronos gevat nie?'

Luke se glimlag verdwyn. "Ek ... ek het my hand oor-speel. Zeus het sy seuns en dogters uitgestuur om die verlore weerligstraal op soek – Artemis, Apollo, my pa, Hermes.

Maar dit was Ares wat my gevang het. Ek was nie versigtig genoeg nie. Hy het my ontwapen en die magsitems gevat, gedreig om my terug te vat Olimpus toe en my lewend te verbrand. Maar Kronos se stem het na my gekom, en my voorgesê wat om te sê. Ek het die idee in Ares se kop geplant van 'n groot oorlog tussen die gode. Ek het gesê al wat hy moet doen, is om die items 'n rukkie lank weg te steek en toe te kyk terwyl die ander begin baklei. Ares het 'n ondeunde glinstering in sy oë gekry. Ek het geweet hy het pens en pootjies daarvoor geval. Hy het my laat gaan, en ek het teruggekeer na Olimpus voordat enige iemand agtergekom het ek was weg." Luke trek sy nuwe swaard uit sy skede. Hy laat sy duim oor die plat kant van die lem gly, asof hy gehipnotiseer is deur die skoonheid daarvan. "Agterna het die Heer van die Titane ... h-hy het my gestraf met nagmerries. Ek het gesweer om nooit weer te misluk nie. Terug by Kamp Halfbloed is ek in my drome meegedeel dat 'n tweede held hier sal opdaag, een wat geflous kan word om die straal en die helm die res van die pad te vat – van Ares tot by Tartaros."

"Jy het die helhond opgeroep, daardie aand in die woud."

"Ons moes Chiron laat dink die kamp is nie veilig vir jou nie, sodat hy jou 'n heldetaak sou gee. Ons moes sy vrese bevestig dat Hades op jou spoor is. En dit het gewerk."

"Die vlieënde skoene was vervloek," sê ek. "Hulle was veronderstel om my met rugsak en al tot in Tartaros te sleep."

"En hulle sou, as jy hulle aangehad het. Maar toe gee jy hulle vir die sater. Dit was nie deel van die plan nie. Grover mors alles op waaraan hy raak. Hy het selfs die vloek verfomfaai."

Luke kyk af na die skerpioen, wat nou op my bobeen sit. "Jy moes in Tartaros gesterf het, Percy. Maar moenie bekommerd wees nie. Ek los jou hier by my maatjie om die saak reg te stel."

"Thalia het haar lewe gegee om jou te red," sê ek en kners op my tande. "En dis hoe jy haar terugbetaal?"

"Moenie van Thalia praat nie!" skree hy. "Die gode het haar laat doodgaan. Dis net een van die baie dinge waarvoor hulle gaan boet."

"Jy word gebruik, Luke. Jy en Ares, albei van julle. Moenie na Kronos luister nie."

"Ek word gebruik?" Luke se stem word skril. "Kyk na jou. Wat het jou pa al ooit vir jou gedoen? Kronos sal verrys. Jy het net sy planne uitgestel. Hy sal die Olimpiërs in Tartaros werp en die mensdom terug in hulle grotte dryf. Almal behalwe die sterkstes – dié wat hom dien."

"Vat weg jou gogga," sê ek. "As jy kamstig so sterk is, baklei self teen my."

Luke glimlag. "Goeie probeerslag, Percy. Maar ek is nie Ares nie. Jy kan my nie uitlok nie. My heer wag, en hy het oorgenoeg heldetake wat ek kan onderneem."

"Luke –"

"Totsiens, Percy. Daar is 'n nuwe Goue Era op pad. Jy gaan nie deel daarvan wees nie."

Hy swaai sy swaard met 'n boog, en verdwyn in 'n rimpeling van duisternis.

Die skerpioen spring.

Ek slaan dit met my hand weg en ruk die doppie van my swaard af. Die ding bespring my en ek kap dit in die lug middeldeur.

Net toe ek myself wil gelukwens, kyk ek af na my hand. Daar is 'n enorme rooi swelsel op my palm, waaruit geel gemors smeulend sypel. Die ding het my toe gesteek.

My ore druis. My sig word mistig. Die water, dink ek. Dit het my voorheen al genees.

Ek strompel tot in die stroompie en druk my hand in die water, maar dit lyk of niks gebeur nie. Die gif is te sterk. Om my begin alles donker word. Ek kan skaars regop staan.

Sestig sekondes, het Luke gesê.

Ek moet terug by die kamp kom. As ek hier ineenstort, gaan my liggaam 'n monster se aandete wees. Niemand sal ooit weet wat gebeur het nie.

My bene voel soos lood. My voorkop brand. Ek strompel in die rigting van die kamp, en die nimfe begin roer in hulle bome.

"Help," krys ek. "Asseblief ..."

Twee van hulle vat my arms, sleep my saam. Tussen die newels deur besef ek ons het die oopte bereik, ek hoor 'n instrukteur om hulp roep, en 'n sentour wat op 'n trompetskulp blaas.

Dan word alles swart.

***

Ek word wakker met 'n strooitjie in my mond. Ek drink iets wat soos vloeibare sjokoladesplinterkoekies smaak. Nektar.

Ek maak my oë oop.

Ek leun teen 'n kussing in die siekeboeg van die Groot Huis, my regterhand in dik verbande toegedraai. Argus staan wag in die hoek. Annabeth sit langs my, en hou die nektarglas met haar een hand vas terwyl sy met haar ander hand 'n klam waslap teen my voorkop druk.

"Hier's ons weer," sê ek.

"Jou idioot," sê Annabeth. Ek weet dis haar manier om

te sê sy's oorstelp van vreugde omdat ek wakker is. "Jy was groen en besig om grys te word toe ons jou gekry het. As dit nie vir Chiron se geneeskrag was nie ..."

"Toe nou," sê Chiron se stem. "Percy se sterk gestel is ook deels daarvoor te danke."

Hy sit by die voet van my bed in menslike vorm; dis waarom ek hom nie raakgesien het nie. Sy onderste helfte is weer met towerkrag in die rolstoel ingepers, sy boonste helfte dra 'n baadjie en 'n das. Hy glimlag, maar sy gesig lyk bleek en afgemat, soos dit altyd lyk as hy heelnag besig was om Latyntoetse na te sien.

"Hoe voel jy?" vra hy.

"Asof my binnegoed gevries en toe in 'n mikrogolf ontdooi is."

"Dis nie juis verbasend nie, gegewe die feit dat jy putskerpioengif ingekry het. As jy kan, moet jy my nou vertel presies wat gebeur het."

Tussen slukkies nektar deur vertel ek hom die storie.

Toe ek klaar is, raak die vertrek 'n hele ruk lank stil.

"Ek kan nie glo Luke ..." Annabeth se stem struikel. Haar uitdrukking word kwaad en hartseer. "Ja. Ja, ek kan dit glo. Mag die gode hom vervloek ... Hy was nooit dieselfde ná sy heldetaak nie."

"Dit moet aan Olimpus gerapporteer word," prewel Chiron. "Ek sal dadelik gaan."

"Luke is iewers daar buite," sê ek. "Ek moet hom kry."

Chiron skud sy kop. "Nee, Percy. Die gode —"

"Die gode wil nie eens oor Kronos praat nie," sê ek omgekrap. "Zeus beskou die saak as afgehandel!"

"Percy, ek weet dis moeilik. Maar jy moenie oorhaastig probeer wraak neem nie. Jy is nie reg daarvoor nie."

Ek hou nie daarvan nie, maar 'n deel van my vermoed Chiron is reg. Een kyk na my hand, en ek weet ek gaan nie gou weer met 'n swaard veg nie. "Chiron ... jou profesie van die Orakel ... dit was oor Kronos, nè? Was ek daarin? En Annabeth?"

Chiron loer senuweeagtig na die plafon. "Percy, dis nie my plek —"

"Jy is aangesê om nie met my daaroor te praat nie, nè?"

Sy oë is simpatiek, maar weemoedig. "Jy sal 'n wonderlike held wees, kind. Ek sal my beste doen om jou voor te berei. Maar as ek reg is oor die pad wat voorlê ..."

Donderweer rammel bo ons, laat die vensters ratel.

"Nou goed!" roep Chiron. "Reg so!"

Hy sug gefrustreerd. "Die gode het hulle redes, Percy. Dis nie 'n goeie ding om te veel oor jou toekoms te weet nie."

"Ons kan nie net terugsit en niks doen nie."

"Ons sal nie terugsit nie," belowe Chiron. "Maar jy moet versigtig wees. Kronos wil hê jy moet uitmekaarval. Hy wil jou lewe ontwrig, jou gedagtes met vrees en woede vertroebel. Moet hom nie sy sin gee nie. Oefen geduldig. Jou tyd sal kom."

"Dis te sê as ek lank genoeg leef."

Chiron sit sy hand op my enkel. "Jy moet my vertrou, Percy. Jy sal leef. Maar eers moet jy besluit op jou pad vir die jaar wat voorlê. Ek kan nie vir jou sê wat die regte keuse is nie ..." Ek kry die gevoel hy het 'n baie besliste opinie daaroor, en dat dit al sy wilskrag verg om my nie raad te gee nie. "Maar jy moet besluit of jy heeljaar by Kamp Halfbloed wil bly, of terugkeer na die sterflike wêreld vir graad sewe en 'n somerkampganger word. Dink daaroor. Wanneer ek terugkeer van Olimpus, moet jy my sê wat jy besluit het."

Ek wil protesteer. Ek wil vir hom nog vrae vra. Maar aan sy gesig kan ek sien die gesprek is verby; hy het soveel gesê as wat hy kon.

"Ek kom so gou moontlik terug," belowe Chiron. "Argus sal 'n ogie oor jou hou."

Hy loer in Annabeth se rigting. "O, en ... sodra jy gereed is, hulle is hier."

"Wie's hier?" vra ek.

Niemand antwoord nie.

Chiron ry by die vertrek uit. Ek hoor die wiele van sy rolstoel stamp-stamp by die voortrappe afry.

Annabeth bestudeer die ys in my drankie.

"Wat's fout?" vra ek vir haar.

"Niks." Sy sit die glas op die bedkassie neer. "Ek ... ek het geluister na jou raad oor iets. Jy ... uhm ... het jy enige iets nodig?"

"Jip. Help my op. Ek wil buitentoe gaan."

"Percy, dis nie 'n goeie idee nie."

Ek laat my bene uit die bed gly. Annabeth vang my net voor ek op die vloer beland. 'n Vlaag naarheid spoel oor my.

"Ek het jou gesê ..." sê Annabeth.

"Ek is oukei," hou ek vol. Ek wil nie soos 'n invalide in die bed lê terwyl Luke daar buite is en planne maak om die Westerse wêreld te vernietig nie.

Ek kry 'n tree vorentoe gegee. Dan nog een, al moet ek swaar op Annabeth steun. Argus volg ons buitentoe, maar hy bly op 'n afstand.

Teen die tyd dat ons op die stoep kom, pêrel sweet oor my gesig. Dit voel of my maag in knope gedraai is. Maar ek maak dit darem al die pad tot by die stoepreling.

Dit is skemer. Die kamp lyk heeltemal verlate. Die hutte

is donker en die vlugbalbaan is stil. Geen kano's sny oor die oppervlak van die meer nie. Anderkant die woud en die aarbeilande glinster die Long Island-strandmeer in die laaste sonlig.

"Wat gaan jy doen?" vra Annabeth vir my.

"Ek weet nie."

Ek sê vir haar ek kry die gevoel Chiron wil hê ek moet heeljaar bly, sodat ek meer tyd het vir individuele opleiding, maar ek is nie seker dis wat ek wil hê nie. Ek erken ek voel nogal sleg om haar alleen hier te los, met net Clarisse vir geselskap ...

Annabeth pers haar lippe saam en dan sê sy sag: "Ek gaan huis toe vir die jaar, Percy."

Ek staar na haar. "Jy bedoel na jou pa toe?"

Sy beduie na die kruin van Halfbloedheuwel. Langs Thalia se denneboom, aan die rand van die kamp se betowerde grens, staan 'n gesin afgeëts – twee klein kindertjies, 'n vrou en 'n lang man met blonde hare. Dit lyk of hulle wag. Die lang man dra 'n rugsak wat lyk soos die een wat Annabeth by Waterland in Denver gekry het.

"Ek het vir hom 'n brief geskryf toe ons teruggekom het," sê Annabeth. "Nes jy voorgestel het. Ek het vir hom gesê ... ek is jammer. Dat ek huis toe sal kom vir die skooljaar as hy my nog wil hê. Hy het dadelik teruggeskryf. Ons het besluit ... ons gaan dit nog 'n kans gee."

"Dit was dapper."

Sy kyk kwaai na my. "Jy gaan nie iets onnosels tydens die skooljaar probeer aanvang nie, nè? Ten minste ... nie sonder dat jy vir my 'n Irisboodskap stuur nie?"

Ek glimlag. "Ek sal nie moeilikheid gaan soek nie. Dis gewoonlik nie nodig nie."

"Wanneer ek volgende somer terugkom," sê sy, "gaan ons vir Luke opspoor. Ons sal vra vir 'n heldetaak, maar as ons nie goedkeuring daarvoor kry nie, dan glip ons weg en doen dit in elk geval. Afgespreek?"

"Dit klink na 'n plan waarop Athena trots sal wees."

Sy hou haar hand uit. Ek skud dit.

"Pas jou op, Seewierbrein," sê Annabeth vir my. "Hou jou oë oop."

"Jy ook, Wyse Meisie."

Ek hou haar dop terwyl sy die heuwel uitklim en by haar gesin aansluit. Sy gee haar pa 'n ongemaklike druk en kyk vir oulaas terug oor die vallei. Sy sit haar hand teen Thalia se denneboom, en dan laat sy haar oor die kruin van die bult weglei, tot in die sterflike wêreld.

Vir die eerste keer voel ek regtig alleen by die kamp. Ek staar na die Long Island-strandmeer en onthou wat my pa gesê het: *Die see hou nie daarvan om aan bande gelê te word nie.*

Ek neem my besluit.

As Poseidon my dophou, sal my keuse sy goedkeuring wegdra?

"Ek sal volgende somer terugkom," belowe ek hom. "Ek sal oorleef tot dan. Ek is mos immers u seun." Dan vra ek Argus om my na hut drie toe te vat, sodat ek my goed kan gaan pak om huis toe te gaan.

ERKENNINGS

Sonder die bystand van 'n hele klomp onverskrokke helpers sou monsters my telkemale verslaan het terwyl ek die stryd aangedurf het om hierdie storie in boekvorm te kry. Dankie aan my oudste seun, Haley Michael, wat die storie die eerste keer gehoor het; my jongste seun, Patrick John, wat op sesjarige ouderdom die koelkop een in die gesin is, en my vrou, Becky, vir haar begrip terwyl ek ure by Kamp Halfbloed deurbring. Dankie ook aan my span laerskool-beta-toetsers: Travis Stoll, slim en blitsig soos Hermes; C.C. Kellogg, so geliefd soos Athena; Allison Bauer, skerpoog soos Artemis die Jagter, en mevrou Margaret Floyd, die wyse en gawe siener van Laerskoolengels. My waardering ook aan professor Egbert J. Bakker, uitmuntende klassikus; Nancy Gallt, agent *summa cum laude*; Jonathan Burnham, Jennifer Besser en Sarah Hughes wat in Percy geglo het.

RICK RIORDAN, wat deur *Publishers Weekly* die "storieverteller van die gode" gedoop is, is die skrywer van vier *New York Times* #1-topverkoperreekse, met miljoene kopieë wat wêreldwyd verkoop is: die *Percy Jackson-* en *Heroes of Olympus-reeks* wat op die Griekse en Romeinse mitologie gebaseer is; die *Kane Chronicles* wat op die antieke Egiptiese mitologie gebaseer is, en *Magnus Chase and the Gods of Asgard* wat op die Noorse mitologie gebaseer is. Rick en die illustreerder John Rocco het saamgewerk aan twee topverkoperbundels met Griekse mites vir die hele gesin: *Percy Jackson's Greek Gods* en *Percy Jackson's Greek Heroes*. Sy mees onlangse roman, *The Hidden Oracle*, die eerste boek in sy *Trials of Apollo*-reeks, het ook op #1 op die *New York Times*-lys gedebuteer. Rick woon in Boston, Massachusetts, saam met sy vrou en twee seuns. Besoek www.rickriordan.com om meer oor hom en sy boeke uit te vind.